小児診療必携

保険診療・社会保障テキスト 改訂第2版

―子どもの医療に携わるすべてのスタッフのために―

 編集 日本小児科学会社会保険委員会

診断と治療社

改訂第2版　はじめに

　わが国で医療を行ううえで，保険診療や社会保障の知識の習得は欠かせません．医療機関では，全職員を対象に保険診療や制度に関する講習が義務づけられており，初期臨床研修においてもその研修は必須事項になっています．しかし，今まで小児医療に関する診療報酬制度や社会保障に関する知識を詳細に解説する書物はありませんでした．そこで，2018年に日本小児科学会社会保険委員会から，本書『小児診療必携　保険診療・社会保障テキスト』が発刊され，好評を博してまいりました．ここ最近は，2019年に成育基本法が制定され，2020年からは新型コロナウイルスの流行があり，わが国の小児医療を取り巻く環境は激変しています．さらに，2年ごとの診療報酬改定がありますので，内容をアップデートする目的で本書の改訂に至りました．

　本書は，総論として，保険診療のルール，診療報酬改定の流れ，医療費助成制度，福祉制度，保険診療以外の診療，必要な書類について，われわれが知っておくべき基本的な知識や注意すべき事項などがまとめられています．各論として，医科点数表，外来診療の基本算定項目，入院診療・在宅医療・医療技術の評価，DPC，新型コロナウイルスに関連する診療報酬制度がわかりやすく，詳述されています．

　日本小児科学会社会保険委員会は，日本小児科学会を代表して，小児医療の現場に即した診療報酬が得られるよう，データを収集・解析し，その結果に基づいた事実を診療報酬の改定の要望書として提案していく活動を積極的に行っています．診療報酬改定は2年ごとに行われるため，まさに終わりのない活動が行われています．このことにより，われわれ小児科医が安心して診療に専念できるよう保険診療体制整備に大きな役割を果たしています．このテキストは，保険診療や社会保障のプロフェッショナルである社会保険委員会の委員による，1冊ですべてが網羅的に理解できる必携の書です．

　小児医療に携わるすべての人が，日常診療の中で保険診療や社会保障に関する学習や疑問が生じた際にぜひご活用いただければ幸甚に存じます．

2022年3月

日本小児科学会社会保険委員会担当理事
森岡一朗，窪田　満，楠原浩一

初版　はじめに

　本書は，2年ごとの診療報酬改定の度に，小児医療現場の声を反映した改訂提案らでこれまで大きな役割を果たしてこられた日本小児科学会の社会保険委員会委員の皆さんの熱意と使命感によって執筆された，小児の保険診療と社会保障，診療報酬の知識を網羅したテキストブックです．当初，学会員に提供することを目的として発刊が企画されましたが，その内容は，小児科医のみならず，小児の診療に携わるすべてのメディカルスタッフ必携の書と言っても過言でない豊富さと充実度となっています．

　小児医療には医療保険，医療費助成，福祉など様々な制度が設けられていますが，それらの制度について基本的な知識や実践的なポイントをまとめた書は，これまでほとんどありませんでした．

　言うまでもなく，適切な保険診療を遂行することが国是として求められています．各医療機関では全職員を対象にした診療報酬制度に関する講習を定期的に開催することが義務付けられています．初期臨床研修においてもその研修は必須となっています．新しい医薬品・医療機器開発のための制度を理解することはもちろん，より良い医療の提供のために，最新の診療報酬制度や新たな提案の原理を理解することが医療の健全な発展のために必須であります．そしてそのことは小児医療においても例外ではないのです．

　本書では，小児に関する入院および外来での保険診療，小児慢性特定疾病を含む医療費助成制度，障害等に対する福祉，予防接種や健診等の保険外診療や，適応外使用等について，知っておくべき基本的な知識や注意すべき事項などがわかりやすくまとめられています．総論として，①健康保険制度と②保険診療のルールと③診療報酬改定，医療費助成制度（自治体の医療費助成，小児慢性特定疾病制度，自立支援医療，早産・低出生時体重児療育医療），④障害児者への福祉制度（通所，入所等）や，⑤貧困に対する各種扶助，⑥予防接種や健診などの保険外診療，⑦適応外使用への対応等について，各論としては，①外来および入院の診療料や管理料等，②在宅医療，③個別の医療技術，④DPC等について解説されています．

　小児医療に携わるすべての人が，日々の診療や対応のなかで，本書を参照したり，本書をもとに学習したりして，ご活用いただけることを願っています．

2018年3月

日本小児科学会社会保険委員会担当理事
京都府立医科大学大学院医学研究科小児科学教授
細井　創

目次

改訂第2版　はじめに ……………………………… 森岡一朗, 窪田　満, 楠原浩一　ii
初版　はじめに …………………………………………………………… 細井　創　iii
本書の使い方 ……………………………………………………………………… viii
執筆者一覧 ………………………………………………………………………… x

I 総論

① わが国の社会保障と健康保険制度 ……………………… 遠藤明史, 横谷　進　2
② 小児科医の医療保険制度に関する意識 ………………………… 阪下和美　5
③ 保険診療のルールと実際の運用 ……………… 稲毛英介, 武田充人, 儘田光和　9
　❶ 療養担当規則 …………………………………………………………………… 9
　❷ 保険請求と支払制度 …………………………………………………………… 12
　❸ レセプトと傷病名 ……………………………………………………………… 15
　❹ 症状詳記の記載方法と再審査請求 …………………………………………… 19
　❺ 保険外併用療養費制度 ………………………………………………………… 23
　❻ 様々な状況における給付 ……………………………………………………… 28
　　◉ 幼稚園・保育所や学校におけるケガ（災害共済給付制度） ……………… 28
　　◉ 病児保育 ……………………………………………………………………… 29
　　◉ 自動車損害賠償責任保険 …………………………………………………… 31
　　◉ 外国人の診療 ………………………………………………………………… 32
　　◉ 健康被害の救済 ……………………………………………………………… 32
④ 診療報酬改定の流れと実際の運用 …………………………………… 遠藤明史　37
　❶ 中央社会保険医療協議会（中医協） …………………………………………… 37
　❷ 診療報酬改定に際した厚生労働省及び各団体との折衝 ……………………… 41
⑤ **医療費助成制度** ……………………… 武田充人, 戸谷　剛, 奈倉道明, 村上　潤　**45**
　❶ 地方自治体による子ども医療費助成制度 …………………………………… 46
　❷ 小児慢性特定疾病に対する医療費助成制度 ………………………………… 48
　❸ 自立支援医療制度 ……………………………………………………………… 51
　❹ 養育医療 ………………………………………………………………………… 53
　❺ 都道府県による心身障害者医療費助成制度 ………………………………… 56

⑥ 福祉制度　　　　　　　　　　　　　　　　　石﨑優子，奈倉道明，水野美穂子　**58**
　❶ 障害児者のための福祉制度　58
　　◉ 障害者総合支援法　58
　　◉ 児童福祉法　63
　　◉ 年金・手当　64
　　◉ 障害者手帳　65
　　◉ 発達障害の子どもの受けるサービス　66
　　◉ 重度障害児者の入院医療　69
　❷ 貧困・児童虐待に関する福祉制度　76
⑦ 小児科医になじみ深い保険診療以外の診療
　　　　　　　　　　　　石﨑優子，奥村秀定，阪下和美，水野美穂子，村上　潤　**82**
　❶ 予防接種　82
　　◉ 定期接種　82
　　◉ 任意接種　83
　　◉ 健康保険適応のある予防接種　85
　　◉ その他の法令に基づいたワクチン　86
　　◉ 個人輸入ワクチン　86
　❷ 乳幼児健康診査　87
　❸ 学校健診　88
　❹ ヘルス・スーパービジョン診察―小児医療の新たな形の提案―　89
⑧ 子どもにまつわる諸制度をつなぐ法律　　　　　　　　遠藤明史，戸谷　剛　**94**
　❶ 子どもの生活に関係する法律・制度の知識（成育基本法）　94
　❷ 医療的ケア児支援法　98
⑨ 小児医療に適切な保険診療を構築する仕組み　　　　遠藤明史，儘田光和　**106**
　❶ 医療上の必要性の高い未承認薬・適応外薬と公知申請　106
　❷ 「55年通知」と審査情報提供事例　109
⑩ 小児科医に必要な書類の知識　　　　　　　稲毛英介，奈倉道明，村上　潤　**111**
　❶ 診断書　111
　❷ 学校生活管理指導表　111
　❸ 意見書（公的手続きに必要な診断書を含む）　113

II 各論

① 医科点数表を用いた算定方法 　　　　　　　　　　　　　　　　稲毛英介　118
- ❶ 医科点数表の構成と算定方法　118
- ❷ 出来高払いと診断群分類による包括払い　122

② 外来診療の基本算定項目
石﨑優子，大野拓郎，奥村秀定，窪田　満，中林洋介，水野美穂子，森　伸生　125
- ❶ 外来診療の基本診療料　125
  - ⊙ 初診料　125
  - ⊙ 再診料　129
  - ⊙ 外来診療料　132
  - ⊙ 小児かかりつけ診療料　134
  - ⊙ 小児科外来診療料　137
  - ⊙ オンライン診療料　140
- ❷ 医学管理料　142
  - ⊙ 小児科療養指導料　143
  - ⊙ 特定疾患治療管理料　145
  - ⊙ てんかん指導料　147
  - ⊙ 小児特定疾患カウンセリング料　148
  - ⊙ 小児悪性腫瘍患者指導管理料　150
  - ⊙ 乳幼児育児栄養指導料　151
  - ⊙ 院内トリアージ実施料　151
  - ⊙ 地域連携小児夜間・休日診療料　152
  - ⊙ 診療情報提供料　154

③ 入院診療の評価 　　　　　　　　　　大野拓郎，大山昇一，横谷　進　157
- ❶ 小児入院医療管理料　158
- ❷ その他の特定入院料　161
- ❸ 特定入院料・短期滞在手術等基本料を算定しない場合の入院料（入院基本料）　167
- ❹ 入院基本料等加算，その他　170

④ 在宅医療の評価 　　　　　　　　　　　　　　　　大山昇一，戸谷　剛　176
- ❶ 小児在宅医療の診療報酬総論　176
- ❷ 小児在宅医療の診療報酬各論―（準）超重症児・医療的ケア児を中心として―　182
- ❸ 小児在宅医療の病診連携と多職種連携に関する診療報酬　189
- ❹ 医療的ケア児：小児在宅医療の現在と将来への展望　193

⑤ **個別の医療技術の評価** ……………………石﨑優子, 稲毛英介, 中林洋介, 柳町昌克 **196**
　❶ 検査 …………………………………………………………………………………… 196
　❷ 画像診断 ……………………………………………………………………………… 197
　❸ 投薬 …………………………………………………………………………………… 199
　❹ 注射 …………………………………………………………………………………… 203
　❺ リハビリテーション ………………………………………………………………… 206
　❻ 精神科専門療法 ……………………………………………………………………… 209
　❼ 処置 …………………………………………………………………………………… 211
　❽ 手術 …………………………………………………………………………………… 215
　❾ 麻酔 …………………………………………………………………………………… 216
　❿ 放射線治療 …………………………………………………………………………… 218
　⓫ 病理診断 ……………………………………………………………………………… 218

⑥ **DPC** ……………………………………………………………………… 楠田　聡, 盛田光和 **220**
　❶ DPC の成り立ち ……………………………………………………………………… 220
　❷ 機能評価係数 ………………………………………………………………………… 228
　❸ DPC への対応 ………………………………………………………………………… 233

⑦ **その他これから整備が必要な領域** ………石﨑優子, 武田充人, 村上　潤, 柳町昌克 **239**
　❶ 子どものターミナルケア …………………………………………………………… 239
　❷ 移行期医療 …………………………………………………………………………… 241
　❸ 児童虐待と要支援家庭 ……………………………………………………………… 245

⑧ **新型コロナウイルス感染症, 医療制度と診療報酬** …………………………中林洋介 **250**
　❶ 新型コロナウイルス感染症の流行と小児医療 …………………………………… 250
　❷ 新型コロナウイルス感染症にまつわる診療報酬と自治体による経営支援 …… 251
　　◉ 予防（新型コロナウイルスワクチン接種） …………………………………… 251
　　◉ 外来・在宅での対応 ……………………………………………………………… 252
　　◉ 入院での対応 ……………………………………………………………………… 255
　　◉ 新型コロナウイルス感染症診療と公費負担 …………………………………… 258
　　◉ 新型コロナウイルス感染症の登校・登園許可 ………………………………… 260

改訂第 2 版　おわりに ……………………………………窪田　満, 楠原浩一, 森岡一朗　262
初版　おわりに ……………………………………………………………………岡　明　263
索引 ……………………………………………………………………………………………264

※各章執筆者は 50 音順

本書の使い方

1. 読者対象
　本書は，診療報酬に基づいた保険診療並びに社会保障に関する知識を届けるために，日本小児科学会社会保険委員会の委員全員が子どもの診療に関するすべての医療スタッフに役立つことを願って作成した．

2. 本書で扱う内容と構成
　本書は，子どもの日常診療に関係する診療報酬と，予防接種，乳幼児健診や障害児者へのサービスといった保険診療以外の社会保障について解説している．次頁に本書の構成を図示しているので参考にされたい．

3. 免責事項
　本書の内容は令和2年度診療報酬改定をベースに令和3年10月時点の内容を以て作成されている．本来であれば診療報酬改定に合わせて記載されることが望ましいが，本書の目的は診療報酬制度及び社会保険全体のガイダンスであり，細かな改定の動向よりも全体の枠組みや制度の解説に重きを置いたことから，このタイミングでの出版とした．

　また本書の執筆に当たっては，「医科診療報酬点数表」，「医科点数表の解釈」(社会保険研究所)や「診療報酬早見表」(医学通信社)等の関連書籍を参考にした．

　詳しくは厚生労働省のホームページ(令和2年度診療報酬改定について，最近ではyoutubeでの配信なども行っている)も参考にされたい．

4. その他
　保険審査の詳細や，医療費助成をはじめとする各制度は自治体(都道府県等)ごとに微妙な違いがあることが知られている．本書はその点を考慮して記載していることにご理解を賜りたく，したがって，本書は「**支払基金や各方面と交渉する根拠として使用することを想定していない**」ことにご注意いただきたい．

　最後に，本書を子どもたちのためにより現場に即した内容へと精選していくため，読者の皆様からはどうか忌憚なきご意見をお寄せいただきたい．

※本書各章の文献は，下記ホームページの本書紹介ページに掲載
　http://www.shindan.co.jp/

I 総論

I 総論

わが国の社会保障と健康保険制度

1) 社会保障とは[1]

　社会保障とは，傷病，障害，失業，死亡など様々なリスクから国民を守るために，社会全体で助け合い，支えようとする制度のことである．日本の場合，社会保障は社会保険料で運営される社会保険がその中心になり，加えて社会福祉，公的扶助，公衆衛生から構成されている．

　社会保険には，傷病に備えた医療保険をはじめ，老後や障害を被った場合の年金保険，失業リスクに対する雇用保険，仕事上の傷病に対する労災保険，機能低下に伴う生活支援としての介護保険などが含まれる．社会保険の目的は，このようなリスクに対してあらかじめ備え，実際にリスクが発生した場合に生活困難を回避・軽減させることにある．

　また，社会福祉には子どもの保育や障害児者に対する福祉サービスなど，公的扶助には生活に困窮する人に対する保護と自立の助長，公衆衛生には感染症対策や予防接種等，公的に行う疾病予防や積極的な健康作りが含まれる．小児科医は日常業務において，医療だけでなく社会福祉（児童福祉や障害児福祉）や公衆衛生（予防接種，母子保健や学校保健等）を並行して担当している（図1）[2]．しかしそれぞれの予算が診療報酬とは別であることから，支払い方法を複雑にしている原因にもなっている．

2) 健康保険制度の歴史[3]

　日本の医療水準は世界各国で比較したとききわめて高い[4]と評価されており，国民皆保険制度に代表される健康保険制度はその根幹を担っている．

　日本の健康保険制度の歴史は戦前にはすでにはじまっていた富国強兵政策の一環として小規模な国民健康保険組合を設立することを奨励し，資格のある労働者を健康保険に強制加入させたことで，被保険者数は国民の約半数に到達した．しかし戦中・戦後の混乱によって多くの国民健康保険組合が存続不能な状態に陥ったこと，さらに農業従事者や，小規模な自営業者が健康保険に加入できずにいることが大きな問題となった．そこで，昭和33年に国民健康保険法が全面改正され，昭和36年から全国の市区町村で国民健康保険事業が開始された．国民健康保険法第5条は全国民に医療保険への加入を義務付けた．これが国民皆保険制度であり，所得の少ない世帯であっても継続的に保険に加入し，必要な給付を安定的に受けることが可能となった．

　医療保険は図2[5]のとおりその所属によって職域保険（被用者保険，通称：社保），地域

1. わが国の社会保障と健康保険制度

図1 国民生活を生涯にわたって支える社会保障制度

〔厚生労働省：社会保障の役割と機能 平成29年版 厚生労働白書．7-8, 2017 より改変〕

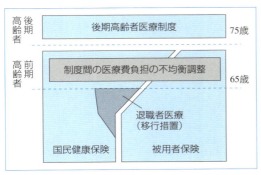

図2 医療保険制度の体系

〔厚生労働統計協会：保険と年金の動向 2020/2021. 厚生の指標 67（増刊）：90, 2020〕

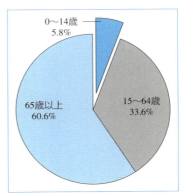

図3 日本における医療費の年齢別割合

保険(国民健康保険,通称:国保)および75歳以上が加入する後期高齢者医療制度に分けられている[6]．なお，日本の場合，法律をはじめとして医療保険を健康保険，被用者保険を社会保険とよぶなどの習慣があるので，用語が示す内容はその都度確認する必要がある．

医療費全体は年々増加傾向にあり，平成30年度の国民医療費[7]は43兆3,949億円で，前年度に比べて0.8%の増加となっている．年齢階級別にみると15歳未満の医療費は2兆5,300億円で，全体の構成割合のうち5.8%を占めており，65歳以上の60.6%と比較すると健康な人の比率が高い年齢層とはいえ，その1/10以下に過ぎない(図3)．

小児科医の業務は医療が中心であるが，保健や福祉に対しても幅広く専門的知識が必要である．以降，小児科医が知っておくべき社会保障制度について，診療報酬に基づく社会保険制度をはじめとして，業務上関係する医療費助成制度，福祉制度や予防接種，健診制度を含めて解説する．

➡ 文 献

1) 厚生労働省：社会保障教育のテキスト　https://www.mhlw.go.jp/file/06-Seisakujouhou-12600000-Seisakutoukatsukan/text.pdf
2) 厚生労働省：社会保障の役割と機能　平成29年版　厚生労働白書．7-8，2017
3) 土田武史：国民皆保険50年の軌跡．季刊社会保障研究 47：244-256，2011
4) GBD 2016 Healthcare Access and Quality Collaborators：Measuring performance on the Healthcare Access and Quality Index for 195 countries and territories and selected subnational locations：a systematic analysis from the Global Burden of Disease Study 2016. Lancet 391：2236-2271, 2018
5) 厚生労働統計協会：保険と年金の動向 2020/2021．厚生の指標67(増刊)：90，2020
6) 厚生労働省：公的医療保険制度　平成29年版　厚生労働白書．96-106，2017
7) 厚生労働省：平成30年度　国民医療費の概況　https://www.mhlw.go.jp/toukei/saikin/hw/k-iryohi/18/dl/data.pdf

I 総論

2 小児科医の医療保険制度に関する意識

1）背景と方法

　医師が医療保険制度に関する知識や関心をもつことは重要であるが，小児科医における認識度は不明であった．日本小児科学会社会保険委員会の活動の一環として，日本小児科学会員を対象に，医療保険制度に関する意識調査を行った．社会保険委員会にて作成した質問項目をオンラインアンケートの形式とし，平成30年12月18日から平成31年3月15日までの12週間に日本小児科学会の全学会員を対象に任意参加のアンケート調査を行った．すべての質問に回答してない場合でもアンケートを終了した回答者をすべて包括した．アンケートでは，医療保険制度についての理解度，診療報酬関連の業務状況および負担や要望，診療報酬に関する教育の実態について尋ねた．

2）結果

a．医療保険制度に関する認識

　1,154名の学会員から回答を得た．うち，勤務形態は開業医が359名（31.1％），勤務医772名（66.9％），研究者12名（1.0％），その他11名（1.0％）であった．開業医と勤務医の2グループで回答分布を比較した．

　医師が保険診療・医療保険制度を理解することは大切であるとほぼすべての回答者が回答したが，自身の理解度に関しては46％が「よく理解しているとは思わない・どちらかと言えば思わない」と回答した．開業医と勤務医の比較では，開業医の74％が「よく理解しているとは思う・どちらかと言えば思う」と回答したのに対し，勤務医では45％にとどまった．「臨床現場で行う各業務の診療報酬の把握をしているか」という問いでは，全体の41％が「全く思わない・どちらかと言えば思わない」と回答したが，84％の開業医は「把握している」と自己評価しているのに対し，同様に感じている勤務医は45％であった．全体の84％が各自の医療機関は診療報酬を重要視していると感じていた．「診療内容が適切に診療報酬に反映されるような算定を心がけているか」という問いに対して，「全く思わない・どちらかと言えば思わない」と回答したのは開業医では6％，勤務医では17％と差を認めた．「診療報酬は自分の行う医療行為に影響を与えている」と感じているのは全体の約7割で，開業医では77％が「そう思う・どちらかといえばそう思う」と回答したのに対し，同様に回答した勤務医は63％と差を認めた．

表1 現行の小児科領域の診療報酬において検討が必要と考える項目（複数選択制）（回答者総数 n=1,134）

	n	%
手技の難度	847	74.7
保護者への説明を含む診察に要する時間	799	70.5
小児科専門医としての知識と技術	778	68.6
虐待・社会的擁護への診療（保健・福祉との境界領域）	639	56.3
内科医による診療と小児科医による診療の差別化	616	54.3
医薬品の使用量ではなく調剤に関する技量	541	47.7
非都市部での病院における外来診療など，成人領域では考慮されにくい小児医療提供体制への配慮	468	41.3
かかりつけ医など，子どもの総合医としての技量	430	37.9

〔阪下和美，他：日本小児科学会社会保険委員会報告　小児科医の医療保険制度に関する意識調査報告．日本小児科学会雑誌 24：1458-1464，2020〕

b．診療報酬関連業務

1,154名から回答を得た．診療報酬にかかわる業務における医師の業務負担は，開業医・勤務医とも約6割が「負担は多いと思う・どちらかと言えばそう思う」と回答した．「医療事務と連携できていない・どちらかと言えばできていない」と感じているのは開業医では4%であったのに対し，勤務医では45%であり大きな差があった．

実際の傷病名や指導管理料，DPCコードを入力する際には，約半数の回答者が「何かを参照」しており，最も多かったのは厚生労働省発行の医科診療報酬点数表やDPC点数表であった．1,148名から回答を得，40%の回答者は電子カルテに組み込まれた保険請求支援ソフトを使用していた．「参照する」と回答した医師の割合は開業医では65%，勤務医では52%と差を認めた．

c．診療報酬への不満・要望

1,134名から回答を得た．診療報酬は小児医療に十分配慮しているかという問いに対して「全く思わない・どちらかといえばそう思わない」と回答したのは76%で，配慮していないと感じている割合は開業医が68%，勤務医は80%と勤務医のほうが多かった．さらに，全体の82%が診療報酬点数の設定は「低いと強く感じる・どちらかというと低いと感じる」と感じていた．開業医・勤務医とも，大部分の回答者が「診療報酬に関してその適応要件の明確化や変更が必要」と感じていた．検討が必要と考える項目で，最も多かったのは「手技の難易度」(75%)．次いで「保護者への説明を含む診察に要する時間」(70%)であった（表1）[1]．

d．診療報酬に関する教育

診療報酬に関する系統的な教育を受けたかどうかという質問に対して，回答者1,134

2. 小児科医の医療保険制度に関する意識

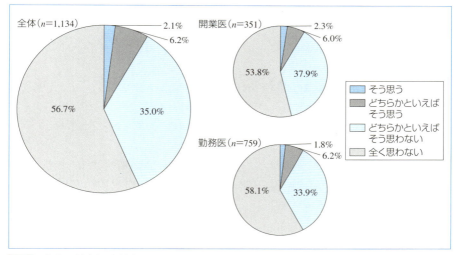

図1 自分は社会保険制度・診療報酬について系統的な教育をうけた（回答者総数 n=1,134）

〔阪下和美，他：日本小児科学会社会保険委員会報告　小児科医の医療保険制度に関する意識調査報告．日本小児科学会雑誌 24：1458-1464，2020〕

名のうち約6割が「全く思わない」，約3割が「どちらかと言えば受けていない」と回答した．全体の55％，開業医の約7割は診療報酬について学んだ経験があると回答したが，その大部分は「独学」であった．医療事務や先輩医師・指導医からの指導，医師会からの指導と回答した回答者はそれぞれ3割程度であった．研修医や後輩医師に教育・指導をした経験に関しては1,131名から回答を得た．指導を積極的に行っているのは回答者の20％にとどまり，44％が「あまり教えていない・教えたことはない」と回答した．医療保険制度に関する知識を学び始める時期として，初期研修（36％），卒前教育（29％），後期研修（22％）という順で回答が多かった．生涯教育のテーマとして保険診療・診療報酬制度を取り上げたほうがよいという意見は約9割を占めた．

＊　＊　＊

医療保険制度の理解は重要と認識されながらも，約半数の回答者が「十分に理解できていない」と自己評価していた．理解度に関する自己評価では開業医と勤務医の間で大きな差があり，自らの医療行為が収入に直接影響を与えない状況では，医療保険制度の理解が深めづらいことがうかがえた．一方で，半数以上の回答者が診療報酬に留意しながら，またその影響を感じながら，臨床業務を行っていることがうかがえる回答結果となった．しかし，開業医と比較して，勤務医では医療事務との連携が十分に行われておらず，これは勤務医の理解度に関する自己評価が低い一つの要因とも考えられる．

さらに，医療保険制度の関する理解が「十分でない」と感じる根本的な背景には，系統的教育の機会の不足があると考えられた（図1）[1]．業務上必要に応じてそれぞれの医師が独自に学んだり，医療事務や先輩医師・指導医からの指導を仰いだりしている現状が浮かびあがった．

　約8割の回答者が小児領域の診療報酬は現状への配慮が十分ではなく，点数が適切でないと感じていた．それぞれの医師の要望は多岐にわたるが，小児科医師だからこそできる診察，社会的対応および福祉や教育との連携，調剤，処置を最大限に重視した診療報酬制度を期待する声が大部分を占めた．

　診療報酬改定を実現するための努力，社会保険委員会の活動内容の共有・広報，診療報酬請求関連業務における負担軽減のための体制作りの提案，診療報酬に関する教育の場の提供が今後の課題と考えられた．

文　献

1）阪下和美，他：日本小児科学会社会保険委員会報告　小児科医の医療保険制度に関する意識調査報告．日本小児科学会雑誌 24：1458-1464，2020

保険診療のルールと実際の運用

1 療養担当規則

1）保険診療の基本的ルール

　日本の医療保険制度は，サラリーマン等の被用者を対象とした被用者保険制度と，自営業者等を対象とした国民健康保険制度とに大きく二分される．被用者保険には，各種健康保険組合を保険者とし会社員とその家族が加入する健康保険（健保），各種共済組合を保険者とし公務員とその家族が加入する共済保険（共済），国が保険者で船員とその家族が加入する船員保険（船保）がある．国民健康保険は，市区町村が保険者で農業者や自営業者，年金生活者が加入するものが中心となる他，同じ業種で働く人たちが組織する国民健康保険組合が保険者で医師や建設業，芸能人などが加入するものもある．医療保険制度の特徴は「国民皆保険制度」「現物給付制度」「フリーアクセス」の3点に集約される．国民皆保険として日本ではすべての国民が公的医療保険に加入している．現物給付制度により，様々な医療サービス（現物）を窓口での一部負担金のみで受けられ，費用は保険者から医療機関へ事後に支払われる．フリーアクセスとは受診する医療機関を自由に選択できることで，事前に登録した医療機関への受診が義務付けられているわけではない．これらによって国民全員が必要な医療をいつでも受けられるよう保証されている．

　保険診療は健康保険法等の各法に基づく，保険者と保険医療機関との間の「公法上の契約」による契約診療である．契約である以上そこには一定のルールが存在しており，診療報酬の支払いを受けるためには，保険医が，保険医療機関において，健康保険法，医師法，医療法，医薬品医療機器等法などの各種関係法令及び，「保険医療機関及び保険医療養担当規則」（以下，療養担当規則）の規定を遵守し，医学的に妥当適切な診療を行い，診療報酬点数表に定められたとおりに請求を行わなければならない．医師は自動的に保険医として登録されるわけではなく，保険診療を担当したいという意思によって勤務先の所在地を管轄する地方厚生局長へ申請する必要がある．健康保険法に基づき作成された療養担当規則は，保険医の基本的義務を定めたものである．

2）保険医療機関及び保険医療養担当規則

　保険診療を行ううえで保険医療機関と保険医が遵守すべき事項として厚生労働大臣が定めたものであり，「第1章　保険医療機関の療養担当（療養給付の担当範囲，担当方針

など)」と,「第2章 保険医の診療方針等(診療の一般的・具体的方針,診療録の記載など)」についてまとめられている.必ず一読するべきである.

以下に主要な事項(抜粋)をあげる.

a. 第1章 保険医療機関の療養担当

i. 療養の給付の担当の範囲(第1条)

①診療,②薬剤又は治療材料の支給,③処置,手術その他の治療,④居宅における療養上の管理及びその療養に伴う世話その他の看護,⑤病院又は診療所への入院及びその療養に伴う世話その他の看護,である.

ii. 特定の保険薬局への誘導の禁止(第2条)

処方箋を交付した保険医は,患者に特定の保険薬局で調剤を受ける指示をしてはいけない.また,その対償として保険薬局から金品等の財産上の利益を受けてはいけない.

iii. 一部負担金,食事・生活療養,保険外併用療養費等の受領(第5条)

被保険者の一部負担金,食事療養標準負担額,生活療養標準負担額に関して支払いを受けることができる.保険外併用療養費(評価療養,患者申出療養,選定療養)に関して支払いを受けることができる.その際には,領収書と明細書を無償で交付する.

保険外併用療養費(評価療養,患者申出療養または選定療養)の支払いを受ける場合は厚生労働大臣の定める基準に従う必要がある.

iv. 診療録の記載及び整備,帳簿等の保存(第8条,第9条,第22条)

「保険医は,患者の診療を行った場合には,遅滞なく,診療録に,当該診療に関し必要な事項を記載しなければならない」また,「保険医療機関は,診療録に療養の給付の担当に関し必要な事項を記載し,これを他の診療録と区別して整備し」,「療養の給付の担当に関する帳簿及び書類その他の記録をその完結の日から三年間保存しなければならない.ただし,患者の診療録にあっては,その完結の日から五年間とする」とされている.

予防接種の記載を保険診療とは別の記載にしなければならない根拠である.

b. 第2章 保険医の診療方針等

i. 診療の一般的方針(第12条,第13条,第14条,第15条)

保険医の診療は,「一般に医師又は歯科医師として診療の必要があると認められる疾病又は負傷に対して,適確な診断をもとにして,患者の健康の保持増進上,妥当適切に行わなければならない」.また,「患者,診療に当たっては懇切丁寧を旨とし,療養上必要な事項は理解し易いように指導」「常に医学の立場を堅持して,患者の心身の状態を観察し心理的な効果を挙げることができるような適切な指導」「予防衛生及び環境衛生の思想のかん養に努め,適切な指導」を行うことも記載され,医師の基本姿勢が謳われている.

ii．特殊療法・研究的診療等の禁止（第18条，第19条，第20条）

　医学的評価が十分に確立されていない「特殊な療法又は新しい療養等」の実施，「厚生労働大臣の定める医薬品以外の薬物」の使用，「研究目的」による検査の実施などは，保険診療上認められるものではない．

　保険外併用療養費制度は，「評価療養」「選定療養」「患者申出療養」が含まれる．療養担当規則で定められた，患者から受領できる費用である．

　一方，混合診療は保険医療機関が保険診療として認められていない特殊な療法の費用を保険診療適応分の費用と一括して患者から徴収することであり，保険診療上認められない．

iii．診療の具体的方針（第20条）

　診療は，「患者の職業所及び環境上の特性等を」考慮し，「患者の服薬状況及び薬剤服用歴を確認」しなければならない．健康診断は保険診療では行ってはならない．往診は診療上必要がある場合に行う．各種検査は診療上必要のある場合に行う．

　投薬は，「治療上1剤で足りる場合には1剤を投与し，必要があると認められる場合に2剤以上を投与」する．医薬品，医療機器の品質，有効性，安全性の承認が得られたものを使用すること，後発医薬品の使用を考慮することが定められている．投薬以外の，栄養，安静，運動などの療養上の注意や指導を行い，予見することのできる必要期間の処方とする．処方せんの使用期間は，交付日を含めて4日以内である．

　注射は，「経口投与をすることができないとき」「経口投与によっては治療の効果を期待することができないとき」「迅速な治療の効果を期待する必要があるとき」などに行う．また，「後発医薬品の使用を考慮するよう努めなければならない」．

3）療養担当規則等に基づき厚生労働大臣が定める掲示事項と基準等

a．掲示事項

　患者に対する情報提供の促進の観点から，届け出事項等を院内掲示の対象とした．入院基本料に関すること，DPC病院の機能等にかかわること，地方厚生局への届け出に関すること，明細書の発行に関すること，保険外負担に関することの，5つが院内掲示事項と定められている．

　保険外負担は，「療養の給付と直接関係ないサービス等の取扱い」（平成17年9月1日保医発）と，保険外併用療養費（評価療養，患者申出療養及び選定療養）が含まれる．

b．評価療養で支払いを受ける基準

　厚生労働大臣が定める基準に従い，適切に療養が行われる体制が整っている医療機関が特別の徴収を受けることができる．評価療養の中には，先進医療，医薬品の治験に係る診療，医療機器の治験に係る診療，などが決められている．

　また，医薬品医療機器等法に基づく承認を受けた医薬品の投与または医療機器の使用

などの基準がある．それと併せて，薬価基準収載医薬品の承認された用法・用量と異なる方法での投与，保険適用されている医療機器の承認された使用目的・方法等と異なる方法での使用に関する基準も定められている．

c. 患者申出療養で支払いを受ける基準

患者申出療養は，先進的な医療について，患者の申し出を起点として，安全性・有効性等を確認し医療を受けられる制度であり，それに対応できる基準に適合し，届け出た医療機関で実施できる．

d. 選定療養で支払いを受ける基準

選定療養の中には，特別な療養環境の提供，病床数が200以上の病院の初診，予約に基づく診療，診療時間以外の時間での診療，病床数が200以上の病院の再診，医科点数表に規定する回数を超えた診療，入院期間が180日間を超えた入院が含まれている．

2 保険請求と支払制度

1）保険請求（16頁；図1参照）

診療報酬（療養の給付に要する費用）は，厚生労働省が定め（診療報酬点数表）に従い算定する．保険医療機関の窓口で患者は一部負担金を支払い，残りの費用は，保険医療機関が受診した患者ごとに診療報酬明細書（レセプト）を毎月作成し，審査支払機関を通じて保険者に請求する．審査支払機関は保険者から審査及び支払業務を委託されており，診療に係る医療費の請求が正しいか審査したうえで，診療報酬は保険者から審査支払機関を通じ保険医療機関に対して診療行為のあった月の翌々月に支払われる．レセプトの審査を保険者ではなく独立した審査支払機関が行うのは，審査支払業務の迅速化と審査の公正性を保つためである．

2）保険者

保険者は医療保険制度の運営や実施を行う事業体で，保険加入者（被保険者）からの保険料徴収，保険証の発行，審査支払機関から送付されたレセプト内容の点検・確認，診療報酬の保険給付分の審査支払機関への払い込みなどの業務を行っている．

a. 被用者保険制度

保険者は，健康保険（健保），共済保険（共済），船員保険（船保）等であり，審査支払機関は社会保険診療報酬支払基金（http://www.ssk.or.jp/）である．これは社会保険診療報酬支払基金法により設立された民間法人であり，保険者から独立した中立的な性格をもつ．レセプト取り扱い件数は年間約11.2億件（平成30年度）である[1]．

b. 国民健康保険制度

市区町村や国保組合が保険者であり，国民健康保険団体連合会（公益社団法人国民健

康保険中央会　https://www.kokuho.or.jp/index.html）が審査支払機関である．これは国民健康保険法により設立された公法人であり，保険者が共同して設立した保険者団体と位置付けられる．レセプト取り扱い件数は年間約10.2億件（平成30年度）である[1]．加入者（被保険者）が納める保険料（税）により運営されている．

3）審査・支払業務[2]

公的医療保険制度の機能を守るために適正な保険診療（公平性・信頼性）を確保していくことがきわめて重要であるため，保険医療機関等が行った診療行為が保険診療ルールに適合しているかを審査する必要がある．表1[3]に審査の意義について示す．

社会保険診療報酬支払基金における審査・支払業務の流れは以下のとおりである．

① 受付：レセプトは診療翌月の10日までに支払基金に提出する．従来，紙媒体や電子媒体（電子レセプト）で保険請求業務が行われてきたが，近年，電子カルテの利用が促進され，レセプトコンピュータから全国規模のネットワーク回線を介したオンライン請求システムでの請求業務に移行している．

② 事務点検・審査事務：レセプト電算処理システムのチェック機能により，請求に必要

表1　審査の意義

三者構成（注記：1）された審査委員会において，保険医療機関等から提出されたレセプト（注記：2）の請求内容を専門的な職能を持つ他の医師，歯科医師が確認して，その適正性をチェックする形で行われる．
審査の決定は合議制を採用しており，審査の結果，診療内容が適切でないと判断されるものについては査定し，また，診療行為の適否が判断し難いものについては，医療機関に返戻して再提出を求めるほか，必要に応じて診療担当者との面接懇談や来所懇談を行うなど，適正な審査に努めている．
さらに，審査は，請求者の同業でもある医師及び歯科医師によるプロフェッショナルな審査であり，ピアレビューとしての機能も果たしている．
このようにして医師・歯科医師である審査委員が審査するということ自体が，保険診療ルールに合致しない請求を発生させることを抑止する効果を持っていると考えられる．
注記：1 三者構成：審査委員は，診療担当者を代表とする者，保険者を代表する者及び学識経験者の三者から同数を委嘱することとされている． なお，診療担当者を代表する者及び保険者を代表する者の委嘱に当たっては，それぞれの団体の推薦により行われており，学識経験者については，支払基金の各支部において「選考協議会」を設置し，同協議会における意見を踏まえ，審査委員として委嘱している． 注記：2 レセプト：保険医療機関・保険薬局が保険者に対して1か月分の医療費の請求を行うための明細書である．

〔社会保険診療報酬支払基金：審査の意義　https://www.ssk.or.jp/shinryohoshu/shinryohoshu_01.html より作成〕

な記載事項や請求点数に誤りがないかどうかといった事務点検を自動的に行うとともに，診療内容が保険診療ルールに適合していない項目や傷病名と医薬品の関連性のチェックなどが行われる．

③審査：審査の結果，「診療内容が適切でないと判断されるものについては査定し，また，診療行為の適否が判断し難いものや整備されていないものについては医療機関に返戻して再提出を求めるほか，必要に応じて診療担当者との直接懇談や来所訂正を行う」．

④請求・支払い計算

⑤請求：診療翌々月10日までに事務費とともに保険者に請求され，保険者は医療費と事務費を同じ月の20日までに支払基金に払い込む．

⑥支払い：診療した月の翌々月の原則21日までに医療機関に支払われる．

⑦再審査等整理事務：保険者または医療機関からの再審査請求に対して処理が行われる．

4）突合点検と縦覧点検[1]

診療報酬の審査では，「突合点検」「縦覧点検」といった手法によりレセプトの点検が行われている．

a．突合点検

「同一患者に係る同一診療（調剤）月において，医科レセプト又は歯科レセプトと調剤レセプトの組合せを対象とし，医科レセプト又は歯科レセプトに記載された傷病名と調剤レセプトに記載された医薬品の適応，投与量及び投与日数の点検」を行うことを指す．突合点検の査定額については，「突合点検の査定結果を保険医療機関に連絡し，保険医療機関から，処方せんの内容と不一致である場合，その申し出を受けて保険薬局から処方せんの写しを取り寄せ」，「保険医療機関の処方せんの内容が不適切であったことによるものか，又は，処方せんの内容と異なる調剤を保険薬局が行ったことによるものかを確認」（「責別確認」）し調整する．

b．縦覧点検

「直近6か月分の複数月のレセプトの組合せを対象とし，診療行為（複数月に1回を限度として算定できる検査，患者1人につき1回と定められている診療行為など）の回数などを点検」することを指す．

5）審査業務の問題点

都道府県で審査・再審査査定点数の差異の問題がある．差異の要因として，以下の要因があげられている．

①外部的要因：医療の地域性，患者の環境，レセプトの質（適正生）．

②審査基準をめぐる要因：保険診療ルールをめぐる解釈の違い，審査委員会の取り決め事項（ローカルルール）の違い，合議制の形骸化．

・公的解釈が出るまで支部独自で判断する.
・学会ガイドラインと保険診療ルールの不整合.
③内部的要因:審査委員の専門分野,審査事務の業務内容,審査委員や職員の連携等.
・他の審査委員会との情報交換や協議する機会がない.

6) 問題点解決への方策

5)にあげたような問題に対して,支払基金としては審査委員会の機能強化のために以下のような方策を出している[5].

① 「審査に関する苦情等相談窓口」を本部に設置し,受け付けた苦情等については,苦情等の申し出を行った保険者等へ回答するとともに,全支部に周知徹底している.
② 「専門分野別専門医グループ」を編成し,専門的な審査に関する疑義については専門家としての見解を作成することとしている.
③ 「審査委員長等ブロック別会議」の実施により情報交換,情報共有を図るとともに,審査委員間の協力体制について協議することとしている.
④ 「審査委員会間の審査照会(コンサルティング)」の実施によって,専門家の審査委員の確保が困難な規模の小さい支部における審査体制を整備している.
⑤ 医療顧問を各支部に配置し,審査委員会内部の調整,審査委員会と職員との連携,他支部審査委員会及び本部との連絡調整機能など強化している.
⑥ 「審査情報提供事例」を公表することにより審査の公平公正性を担保している.

3 レセプトと傷病名

1) レセプト(診療報酬明細書)

a. 医療費支払いの仕組みとレセプト

国内で国民(被保険者)が医療を受けるための仕組みの概略を,医療費と書類の流れに着目して示すと図1のようになる.被保険者は保険医療機関で診療を受けると一部負担金を医療機関に支払うが,医療機関に対する残りの支払いは被保険者が加入している保険者が審査機関を通じて支払っている.医療機関が診療に見合う収入を得るためには,行った医療行為を詳細に記載した請求書を作成して審査機関に提出しなければならない.その請求書が診療報酬明細書であり,通常はレセプトとよばれるものである.

審査機関に提出されたレセプトは,関連する様々な規則や医学的な判断に基づいて請求が適切であるかが審査され,適切であると判定されれば保険者に送られる.また,不適切な,あるいは,不要な診療行為とみなされて査定(審査減)された場合には,その診療行為に対する報酬は請求から除かれる.保険者は請求された点数に従って,審査機関を通じて医療機関に支払う.このように,レセプトはまさに内訳を記した請求書であっ

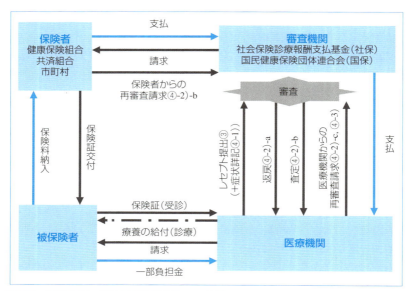

図1 保険診療における医療費支払いの仕組み
医療費の流れを➡の矢印で，書類の流れを➡の矢印で示した．数字は，本文の説明箇所の項目番号に対応している

て，医療機関は適切にレセプトを提出しなければ，他には支払いを受ける方法がない．

b. レセプトに求められる内容と医師の役割

提出するレセプトには，①正確な請求内容とともに，②被保険者（患者）の病状に基づいた記載が求められる．このうち，①については請求事務部門が主に担当することが多いが，医師（保険医）もまた作成の一翼を担っている．正確な請求のためには，日常的に診療録（電子カルテを含む）やオーダリングシステムに医師が正確に記載することが基本になる．②については，なおさら医師の役割が大きい．特に，適切な傷病名は最終的に医師にしかつけられない．

レセプト作成における医師の役割については，療養担当規則第23条の2（適正な費用の請求の確保）に次のように記されているとおりである．「保険医は，その行った診療に関する情報の提供等について，保険医療機関が行う療養の給付に関する費用の請求が適正なものとなるように努めなければならない」．

2）傷病名

傷病名は，適正なレセプトを作成するうえで最も重要である．いかに良好な診療を行っていようと，傷病名が適切でなければ，レセプトに記載された診療行為の妥当性の

根拠が失われ，不適切な診療行為と判断される．そうした診療行為は保険審査で査定されることになり，診療行為に対して請求した点数は支払われない．

適切な傷病名をレセプトに記載するうえでのポイントを以下に述べる．

a．実施した診療行為を説明できる傷病名を記載する

レセプトに記載された診療行為が妥当であることを示せるか否かを決めるのは，傷病名である．

ⅰ．主病名を指定する

その患者の最も重要な傷病名を主病名として指定する．診療を行ううえで最重要であるとともに，保険審査のうえでも審査委員に与える最もインパクトのある患者情報であることを理解しておく必要がある．

ⅱ．実施した検査の妥当性を理解してもらえる傷病名を記載する

様々な検査が必要な病態であったならば，その病態を適切に表現できる傷病名を厳選して選択して記載する．鑑別診断のために必要な検査の場合に，「○○の疑い」という「疑い病名」をつけて検査を行うことは妥当である．ただし，「疑い病名」が多数並ぶとすれば，過剰な検査が行われていることを「疑い病名」で正当化しようとしていると疑われるのは当然である．レセプトを作成する段階で傷病名の工夫が必要な場合もあるが，基本的にはそれは逆であって，日頃から適切な検査の選択に努めるべきである．療養担当規則第20条（診療の具体的方針）の1のホに「各種の検査は，診療上必要があると認められる場合に行う」と記されているとおりである．また，同じく1のハに「健康診断は，療養の給付の対象として行ってはならない」，1のヘに「各種の検査は，研究の目的をもって行ってはならない」とされている．

ⅲ．実施した治療の根拠になる傷病名を記載する

治療についても，適切な傷病名が必須である．具体的な注意は以下のとおりである．

- 一般的にいって「疑い病名」では薬剤投与等の治療は許されない．
- 薬剤の適応症から外れる傷病名に対する治療は，適応外として査定されてもしかたがない．薬剤には意外に限定された適応症が記載されていることがあるので，添付文書等の情報には日常的に注意を払っているべきである．
- 薬剤によっては処方日数の制限が明確に記載されている場合があるので，その点にも留意が必要である．そのような制限がない薬剤についても，投与期間が医学的に妥当な範囲であることが求められている．療養担当規則第20条（診療の具体的方針）の2のヘには，「投与量は，予見することができる必要期間に従ったものでなければならない」と記載されている．

ⅳ．高額診療行為や外用薬への傷病名を忘れない

傷病名をつけ忘れたり，不適切だったりすると，保険審査で査定されることはやむを

得ない．特に，外用薬の処方に対して傷病名をつけ忘れることが多い．また，高額の診療行為では査定された場合の影響が大きいので，そのような診療行為については実施日に傷病名を入力する習慣をつけるとともに，レセプト作成段階でも適切な傷病名が付されているかを点検すべきである．

ⅴ．診療録の傷病名とレセプトの傷病名を一致させる

傷病名の付与や修正を行う場合は，レセプトのみに対して行うのではなく，必ず，診療録と一致させる必要がある．電子カルテであれば，電子カルテがレセプト作成の上流にあるので，電子カルテの傷病名を適正化することにより適切なレセプトが作成されるようにすべきである．

b. 傷病名の診療開始日を正確に記載する

診療開始日を正確に記載することの必要性は，強調しても強調しすぎることはない．

ⅰ．診療開始日は診療行為よりも前の日付であるべきである

日常診療では事後に傷病名を入力することも多いが，その場合に診療開始日を入力日でなくその傷病の診療開始日に変更しておかないと，せっかくの努力が報われない．たとえば，急性感染症で適切な抗菌薬や抗ウイルス薬を処方した場合でも，処方日よりも後の診療開始日にしてしまうと，処方が適切であるとはいえなくなってしまう．保険審査においては，調剤レセプトとの突合や日計表によって処方日を知る仕組みがあるので，診療開始日が治療開始より後である場合は容易に発見されるようになっていることを知るべきである．

ⅱ．古すぎる診療開始日は再検討が必要である

たとえば，MRSA感染症でバンコマイシンを投与した場合に，傷病名の診療開始日が3か月前であれば，傷病名が適合しているとしても当月にバンコマイシンの投与が妥当だとは主張しにくい．もし，3か月前のMRSA感染症がいったん軽快していたのなら「軽快」という転帰を入力しておき，再び「MRSA感染症」を当月の治療開始の日付で再入力すべきである．新たな診療行為に対して適切な傷病名を付す習慣をつけることは必要である．それとともに，日頃から転帰を入力する習慣もまた非常に重要である．転帰を入力されるべき陳旧傷病名がそのまま残されているレセプトでは，保険診療への理解が不足しているという印象を与えかねない．

c. 架空とみなされる傷病名（いわゆる「レセプト病名」あるいは「保険病名」）を避ける

レセプトには真実が記載されなければならない．診療録と一致しない，あるいは，診療録に書かれていない傷病名がレセプトに記載された場合には，架空の傷病名を記載した不正とみなされる可能性がある．

保険診療の不自由さや，医学的知見と承認事項との乖離は臨床家であればしばしば経験する．しかし，だからといって，真実と異なる傷病名をつけたり，承認事項を無視す

ることは許されない．むしろ，保険診療の主旨の理解や承認事項の重要性の認識が十分であれば，それなりの工夫は可能である．すなわち，真実ではない傷病名をつけることを回避しつつ，保険診療の範囲内で，諸規則を遵守したような形でレセプトを作成することはできる．臨床現場におけるこのような困難は保険審査委員もよく理解しており，傷病名や症状詳記を通して困難な状況を正しく伝えることができれば，保険診療として許される最大の範囲を考慮した審査が行われることは十分に期待できる．

4 症状詳記の記載方法と再審査請求

1）症状詳記の記載方法

レセプト作成時の傷病名の重要性についてはすでに述べた．しかし，傷病名と請求項目だけでは診療内容を十分に説明できない場合がある．その場合には「症状詳記」をレセプトに添付する必要があるとされている[6]．ここではレセプト初回提出時の症状詳記について述べる．症状詳記は，返戻への回答や再審査申請のために作成されることもあるが，それらの場面での注意点は「返戻」と「再審査請求」の項目で述べる．

症状詳記を作成するうえでのポイントは以下のとおりである．

a. 焦点を絞る

①一般論は避けて具体的にその症例について記載する．その疾患の一般論や論文の引用は不要である．その症例の診療に当たって診療内容が妥当であることがわかるように，重要な検査値を含め，日時により時系列的にわかるように具体的に記載することが望ましい．

②診療月の診療にポイントを絞って説明する．前月までの症状詳記を再利用することは好ましいが，それらは思い切って抜粋し，診療月に起こったことを主に記載する．

③高点数の項目に焦点を当てる．特に高点数の項目については，保険診療上の配慮から説明しておいたほうがよいと考えれば，漏れずに説明する．

b. 審査委員の身になって丁寧にわかりやすく記載する

①初めの1文で，症例の要約を示す．「○○症候群の○歳男子で，○○のために入院になりました」等の導入の1文は審査委員の理解を容易にするのに役立つ．

②「です」「ます」調で書く．読んでもらいたい気持ちを表すには「である」調は不適である．

③英語や略語の多用を避けて，少なくとも初出では正式な日本語名を記載する．審査委員は必ずしもその領域の専門家ではない．

④読みやすいよう，ポイントを項目立てにし，箇条書きも利用する．

⑤必要なら時系列のデータ，画像などを添付する．

c.「学会の常識」より，「承認事項」で判断されることを認識する

　学会の常識やガイドライン自体は審査の基準にならない．適応外や未承認の医療行為を保険請求する場合には，保険診療外であると認識しながら十分に説明する．保険診療外であるか否かの認識はきわめて重要である．保険診療外であれば，本来は査定の対象であり，詳記によってのみ審査委員の理解を得て保険診療内との判断を呼び込める可能性が生じる．そうした場合の詳記作成には，次のような点を考慮して記載する．
　①疾患や病態が特殊・希少である．
　②重篤であり，有効な治療法の導入が必須である．
　③保険承認された治療がすべて不適切または無効である．
　④その医療行為の有効性と安全性が確立している（ここではガイドラインが有効）．
　医薬品の保険審査は効能効果等によることとされているが，いわゆる55年通知では，「薬理作用に基づいて処方した場合の取扱いについては，学術上誤りなきを期」すべきことが通知されている[7]．ここに，医薬品の適応外使用が保険診療として容認される可能性が示されている．しかし，適応外使用の保険適用については，薬剤開発が本来的な筋道であり，55年通知に基づく審査事例は個々の症例ごとに個別に保険適用の可否を判断（例外的対応）することとされている[8]．55年通知に基づく審査は，制限された中で実施されていることも深く理解する必要がある．

2）レセプト提出後の医療機関と審査機関の間の審査をめぐるやり取り

　再び図1に戻って，医療機関と審査機関の間のやり取りについて詳しく述べる．第一段階として，医療機関はそれぞれの患者に対して行った診療行為の詳細を記載したレセプトを作成し（必要なら症状詳記を添付して）審査機関に提出することはすでに述べた．それに続いて起こる可能性がある段階は以下のとおりである．

a．返戻（へんれい）

　審査機関は，患者の保険に関する資格などを確認した後に，レセプトの内容を審査する．審査にあたる中で，レセプトに記載された内容だけからでは審査が十分にできず，追加情報が必要であると判断した場合には，理由を付してレセプトを医療機関に「返戻」することがある．返戻する審査委員の心情としては，提出されたレセプトからは一部の診療行為の妥当性に疑問があり，査定してもよいが追加情報があれば妥当であると判断できるような場合に返戻することが多いようである．医療機関側としては返戻を厄介なことと受け止めるのではなく，査定されたかもしれないところ査定を免れるチャンスを与えられたと考えて前向きに対応することが大切である．審査委員会からの返戻に対して大切なことは，
　①審査委員会が返戻してきた理由が何なのかを正確に把握すること
　②そのうえで審査委員会で焦点となっている診療行為を容認してもらうために必要な

説明やデータを含む症状詳記を作成すること
である．

　返戻に対する症状詳記のポイントは，一にも二にも，審査委員会が何を求めているのかを正確に理解して，それに対して誠実に回答することである．

　なお，返戻は原審査（レセプトに対する最初の審査）の途中に起こることであるので，原審査は完了していない．そのことから，傷病名の追加・修正が許されることが多い．

b．査定（審査減）

　医療機関から提出されたレセプトを審査機関が審査した結果，適切な請求であると判断されればレセプトはそのまま保険者に送られる．しかし，請求した診療行為に不適切なものがあると判断されれば，その診療行為に関する請求を査定（審査減）し，該当する点数を差し引いたのちに保険者に送付する．こうした査定の内容は，医療機関に通知される．

　実は査定にはもう1種類あるので，追加して説明する．審査（この場合には原審査）を終了したレセプトが保険者に送付されると，保険者はレセプトを点検して，その請求が適切であれば請求どおりに支払う．しかし，保険者が請求（の一部）を不適切であると判断した場合には，「保険者からの再審査請求」が審査機関に対して行われる．これに対して審査機関は再審査を行い，もし，保険者の申し出のとおりである（医療機関からの請求が不適切である）と判断した場合には改めて査定（審査減）することになる．この査定のことを「過誤査定」という（ただし，図1には複雑になるので過誤査定については記載していない）．この過誤査定の結果も医療機関に通知される（通常は診療から数か月遅れて起こるので，注目されないことも多い）．

c．再審査請求

　査定，または，過誤査定を受けた診療行為について，医療機関は再検討することになる．「査定されても仕方がない」と判断すれば審査結果をそのまま受け入れることになるが，査定が不当であると判断した場合には，医療機関から審査機関に向けて「再審査請求」することができる．再審査請求の際の注意については項目を改めて述べる．

3）再審査請求の際の注意点

　前述のとおり，審査機関による査定または過誤査定が不服である場合に，医療機関は審査委員会に再審査請求することができる（図1）．再審査では，すでに審査委員会が不適切と判断した審査結果に対して，同じ審査委員会に異議申し立てすることから推測されるように，成功する率は高くない．基本的には初回のレセプト提出時に十分な準備をしておくことに注力すべき所以である．

　再審査請求の際の注意点を述べる．

a. 通知された査定の理由を理解する

再審査請求を提出するに当たってはじめに必要なことは，なぜ査定されたかを理解することである．それによって再審査請求の考え方が大きく異なる．査定の理由は，大まかではあるがアルファベット記号 A〜D で通知されてくるので，それを参考にする（表 2）．

b. 再審査請求するかどうかを決める

査定理由を検討した結果，保険診療からみて査定されるのは止むを得ないと判断すれば，再審査請求はしない．特に，告示・通知に明確に記載されている場合には再審査請求自体が無駄である．むしろ，そのような請求をしないように次月からの対応を医療機関内で検討すべきである．

一方，算定できないとする明確な規則がなく，保険診療でカバーされるべきであると考える場合には，積極的に再審査請求をすべきである．

c. 再審査請求の文書作成のポイント

再審査請求の理由は症状詳記に記載する．この場合の症状詳記のポイントは，以下のとおりである．

①査定理由の理解を前提として，再審査請求の論点・合理性を明確に書く．
②すでに提出したレセプトの内容に矛盾しない追加情報を加える．
③傷病名の修正はできない．重要な事実の後出しは認められない．

表 2 査定理由と医療機関としての考え方

記号	査定理由	医療機関としての考え方
A	療養担当規則等に照らし医学的に適応と認められないもの（適応外）	検査や治療が傷病名等に照らして「適応外」とみなされたことになる．特に薬剤については，添付文書を詳細に参照すると適応外とされた理由が判明することが多い
B	療養担当規則等に照らし医学的に過剰・重複と認められるもの（過剰・重複）	検査では検査回数や類似検査の実施が，治療では同種同効の薬剤の併用や長期の処方が，過剰・重複とみなされることが多い
C	療養担当規則等に照らしA，B 以外の医学的理由により適当と認められないもの（その他の医学的理由）	医学的理由による査定であるので，審査委員会としての見解ということになる．解釈の違いがありうる．十分に理解してもらえるための情報が足りなかった場合も多い
D	告示・通知の算定要件に合致していないと認められるもの（算定要件）	算定要件に基づく査定であるので，受け入れざるを得ないことも多い．具体的にどこに何と書いてある算定要件に違反しているのかを知ることが重要である．算定できない旨が告示・通告に明確に記載されていれば再審査請求は無駄である．そうした場合には，査定を機会にして次月からの請求に向けて同じことが起こらないように対策をとるべきである

その他の注意点は，前述した症状詳記の記載方法と同じである．

5 保険外併用療養費制度

いわゆる混合診療には明確な定義はないが，保険診療と保険外診療を同時に行うのは原則禁止とされ，すべてが自由診療になり自費扱いとされる[9]．その例外的な扱いが保険外併用療養であり，健康保険法に定められた，保険診療と保険外診療の併用（混合診療）を認める制度のことである．かねてから混合診療については議論があったが，小泉内閣時代の規制緩和への流れの中で平成16年に厚生労働大臣と規制改革担当大臣の間で基本的合意[10]がなされ，保険外の負担のあり方を根本的に見直し，患者の切実な要望に迅速かつ的確に対応できるよう改革を行うとされた．その後の平成18年に，これまでの特定療養費制度廃止とともに設けられたのが保険外併用療養費制度である．保険診療で賄われる部分を「保険外併用療養費」といい，保険外診療については図2[11]のとおり自由料金が患者から徴収される．国民皆保険制度を堅持するという視点から，その運用については細かく規定されている．

保険外併用療養費制度は将来保険収載への移行を見据えた評価療養，患者申出療養と，提供される医療についての患者のニーズに応えるため，患者の選択により保険診療に上乗せされる選定療養の3種類があり，本項では各制度について解説する．

1) 評価療養

保険収載の対象となる新しい医療技術について適応される．先進医療（一定の安全性，有効性等を個別に確認したもので，保険診療と保険外診療との併用を認め将来的な保険導入に向けた評価のために行うもの），医薬品や医療機器などの治験にかかわる診療，適

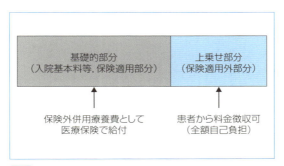

図2 保険外併用療養費制度（混合診療禁止の例外規定）

〔厚生労働省：患者申出療養とその他の保険外併用療養費制度について
https://www.mhlw.go.jp/file/06-Seisakujouhou-12400000-Hokenkyoku/0000118805.pdf より改変〕

I 総論

表3 評価療養の該当項目

- 先進医療(先進医療A：24技術，先進医療B：60技術　令和3年8月時点)
  - ①先進医療A
    - 未承認，適応外の医薬品，医療機器の使用を伴わない医療技術
    - 未承認，適応外の体外診断薬の使用を伴う医療技術等であって当該検査薬等の使用による人体への影響が極めて小さいもの
  - ②先進医療B
    - 未承認，適応外の医薬品，医療機器の使用を伴う医療技術
    - 未承認，適応外の医薬品，医療機器の使用を伴わない医療技術であって，当該医療技術の安全性，有効性等に鑑み，その実施に係り，実施環境，技術の効果等について特に重点的な観察・評価を要するものと判断されるもの
- 医薬品，医療機器，再生医療等製品の治験に係る診療
- 医薬品医療機器等法(薬機法)承認後で保険収載前の医薬品，医療機器，再生医療等製品の使用
- 適応外の医薬品，医療機器，再生医療等製品の使用(公知申請されたもの)

〔厚生労働省保険局医療課医療指導監査室：保険診療の理解のために．医科(令和3年度)　https://www.mhlw.go.jp/content/000544888.pdf／厚生労働省：患者申出療養とその他の保険外併用療養費制度について　https://www.mhlw.go.jp/file/06-Seisakujouhou-12400000-Hokenkyoku/0000118805.pdf より改変〕

応の拡大にかかわる診療，再生医療などが含まれる(**表3**)[6, 11]．

2) 患者申出療養

これは，2014年改訂版「日本再興戦略」[12]のアクションプランの中で最先端の医療技術・医薬品等への迅速なアクセス確保としてあげられた，新たな保険外併用の仕組みである．現時点で保険収載されていないが，将来的な保険収載を目指す先進的な医療等について，安全性・有効性などを確保するなどの一定のルールにより保険診療との併用を認めるものである．先進的な医療について，患者の申し出をもとに臨床研究中核病院が主体となって提供することになる．患者申出療養の適否にかかわる審議は，患者申出療養評価会議で審議される．患者申出療養の成果については，医薬品医療機器総合機構(Pharmaceuticals and Medical Devices Agency：PMDA)での薬事戦略相談を活用することになる．平成28年4月から運用開始され，令和3年8月現在で9種類の医療技術に対してのべ34医療施設で実施されている[13]．

先進医療と患者申出療養はいずれも保険収載が認められていない医療技術に対する保険外併用療養費制度である．図3[11]に示すとおり，保険収載前の各段階が両制度の適応範囲になっていることがわかる．二つの違いは先進医療が医師・医療機関を起点としているのに対して，患者申出療養は文字どおり患者が起点になっていることにある．患者申出療養の概要とプロセスを図4，5[11]に示す．

3) 選定療養

提供される医療についての患者のニーズに応えるため，患者の選択により保険診療に

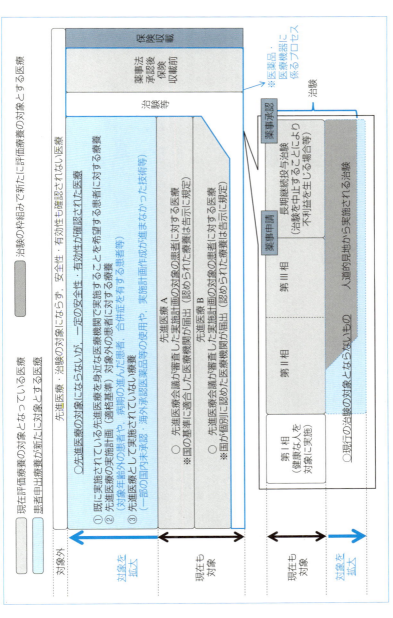

図3 患者申出療養および先進医療の適応範囲
[厚生労働省:患者申出療養とその他の保険外併用療養費制度について https://www.mhlw.go.jp/file/06-Seisakujouhou-12400000-Hokenkyoku/0000118805.pdf]

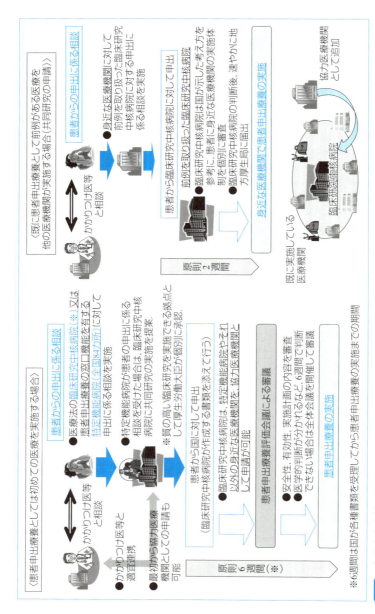

図4 患者申出療養の概要

〔厚生労働省：患者申出療養とその他の保険外併用療養費制度について https://www.mhlw.go.jp/file/06-Seisakujouhou-12400000-Hokenkyoku/0000118805.pdf〕

3. 保険診療のルールと実際の運用

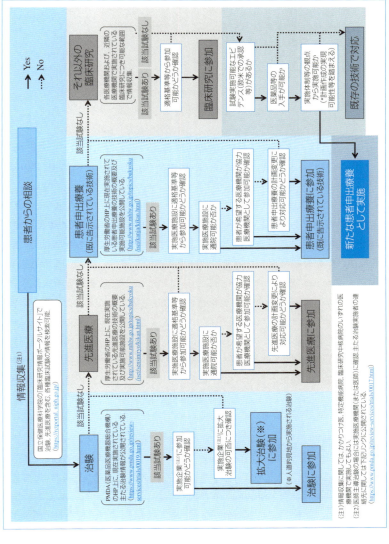

図5 治験、先進医療及び患者申出療養の位置づけ

[厚生労働省：患者申出療養とその他の保険外併用療養費制度について https://www.mhlw.go.jp/file/06-Seisakujouhou-12400000-Hokenkyoku/0000118805.pdf]

表4 選定療養の該当範囲

- 特別の療養環境の提供(差額ベッド)
- 予約に基づく診療
- 保険医療機関が表示する診療時間以外の時間における診察
- 200床以上の病院の未紹介患者の初診
- 200床以上の病院の特別の再診
- 制限回数を超える医療行為
- 180日を超えた日以後の入院
- 歯科の金合金等
- 金属床総義歯
- 小児う歯の指導管理(う歯多発傾向を有しない13歳未満)
- 多焦点眼内レンズの支給

〔厚生労働省保険局医療課医療指導監査室:保険診療の理解のために. 医科(令和3年度)
https://www.mhlw.go.jp/content/000544888.pdf〕

上乗せされる保険外療養である.保険導入は前提とされていない.①特別の療養環境(差額ベッド),②予約診療,③標榜診療時間外の診察,④紹介状なしでの200床以上の病院への初診,⑤他院への紹介状を渡した患者の200床以上の病院への再診,⑥診療報酬の算定回数の規定を超える診療(リハビリテーションなど),⑦180日を超える入院などがある(表4)[6].診療報酬改定の際などに変更や追加がなされることがあり,注意が必要である.

4)保険外費用への消費税

評価療養と患者申出療養については,保険外併用療養費と患者一部負担金と保険外負担金のいずれも消費税は非課税となる.選定療養については,保険外負担金は消費税の課税対象となる.

6 様々な状況における給付

● 幼稚園・保育所や学校におけるケガ(災害共済給付制度)

災害共済給付制度は,学校等で起きたケガなどに対して医療費の給付を行うもので,独立行政法人日本スポーツ振興センター法に基づく公的給付制度である.給付の経費は,国・学校等の設置者・保護者(同意確認後)の三者で負担することになっている.

表5にはこの制度の対象となる学校等の概略を示した.あらかじめ保護者の同意を得たうえで共済掛金を集め,学校等の設置者が一括加入の手続をとっておくことが必要である.この制度での災害とは,学校の管理下で発生した負傷・疾病・障害または死亡(突

> **表5** 災害共済給付制度の対象となる学校種別

義務教育諸学校
特別支援学校（幼稚部，高等部を含む）
高等学校：全日制，定時制，通信制
高等専修学校：昼間学科，夜間等学科，通信制学科
高等専門学校
幼稚園
幼保連携型認定こども園
保育所等：児童福祉法第39条に規定する保育所
　　　　　児童福祉法第6条の3に規定する小規模保育事業
　　　　　一定の基準を満たす認可外保育施設，等

> **表6** 給付の対象となる学校の管理下の範囲

- 学校が編成した教育課程に基づく授業を受けている場合（保育所等における保育中を含む）
- 学校の教育計画に基づく課外指導を受けている場合
- 休憩時間，その他校長の指示・承認に基づき学校にある場合
- 通常の経路および方法により通学（通園・通所）する場合
- その他，これらに準ずる場合として文部科学省令で定める場合

然死を含む）のことで，表6には給付の対象となる学校の管理下の範囲を示している．平成26年度時点で対象の子どもの96％がカバーされているが，幼稚園，保育所は加入率がやや低い．

学校の管理下で発生した負傷・疾病で，健康保険が適応される受診に対し，医療費が給付される．そのため，医療機関側も学校の管理下で発生したことを確認しておくことが望まれる．障害が残った場合には障害見舞金が，死亡した場合には死亡見舞金（1,400万円あるいは2,800万円）が給付される．年間約2％の子どもに対して給付が発生している．

実際の給付にあたっては学校を通じて行われる．学校から家族に「医療等の状況」を証明する書類が渡され，医療機関は診療点数等の証明をすることになる．治療の終了までに数か月かかる場合には，診療月ごとの書類が必要である．

● 病児保育

1）法律上の位置付け

子育てをしながら働く保護者にとって，子どもの急な病気の際に自宅で保育することは困難である．それに対応する政策として，病気の子どもに対し医療機関や保育所など

で一時的に保育を行う病児保育事業が創設された．平成27年4月に施行された「子ども・子育て支援新制度」では，病児保育事業を子ども・子育て支援法の地域子ども・子育て支援事業の一つとして位置付け，消費税増税分による恒久的財源が確保された．実施主体は市区町村で，国・県・市区町村が1/3ずつ負担することになる．

表7に示すようにいくつかの類型があるが，医療機関が関係するのは①の病児対応型である．以下にこの類型について説明する．

2）運営にかかわる費用

医療機関に併設された病児保育の場合，運営に必要な費用はすでに説明した事業に伴う補助金と，保護者が負担する利用料でまかなわれる．補助金は基本分として1か所あたり年額240万円，さらに加算分として年間延利用数に応じて1か所あたり年額50〜200万円程度を負担してもらえる．利用料は自治体によって異なり，1日10時間程度の利用で2,000〜3,000円程度である．現行のシステムでは病児保育施設の過半が病児保育事業では赤字経営であり問題となっている．

3）診療報酬制度との関係

基本的には，診療情報提供書をもらって別の診療所を受診したときと同じである．医療機関に併設された病児保育を利用する場合には，かかりつけの診療所から診療情報提供書を作成してもらって持参することが必要である．

医療機関に併設された病児保育で，その設置母体の診療所が入所児の診療を行う場合（鼻吸引，吸入，予定外の症状の出現に対する投薬など）もある．その場合には，保護者の承諾を得たうえで，新たに診療録を作成して診療報酬を算定することになる．

病児保育を利用する子どもの年齢はほとんどが3歳未満であることから，診療情報提供書を作成した場合の費用は小児科外来診療料の中に包括されてしまい，実際には算定できないことが以前より指摘されている．

表7 病児保育事業（地域子ども・子育て支援事業）

①病児対応型・病後児対応型	病児対応型：医療機関に併設される 　　　　　　急性期から回復期まで預かる 病後児対応型：保育所併設が多い 　　　　　　　回復期だけ預かる
②体調不良型	保育所に併設 自所の子どもが保育中に体調不良となった場合，保護者が迎えにくるまで別室で預かる
③非施設型	病気の子どもの自宅に訪問して預かる

⦿ 自動車損害賠償責任保険

　自動車損害賠償責任保険(自賠責保険；共済)は，交通事故による被害者を救済するため，加害者が負うべき経済的な負担を補塡することにより，基本的な対人賠償を確保することを目的として，原動機付自転車(原付)を含むすべての自動車に加入が義務付けられている(自賠責法第5条)．

　自賠責保険では，被害者が加害者の加入している損害保険会社に直接保険金を請求することもできる．支払われる金額には上限があり，被害者1名ごとに死亡は3,000万円，後遺障害4,000万円，傷害120万円である．

　表8に，事故直後の被害者の治療費の支払い方法について示した．加害者が支払う場合は被害者(家族)の負担はないが，被害者(家族)が当面の医療費を負担しなければならない場合には，表8のように3通りがある．自賠責保険を使う場合には，仮渡金制度がある．被害者に7割以上の過失がある場合，自賠責保険の保証上限額が減額される．

　なお，無保険車による事故，ひき逃げ事故の被害者に対しては，政府保障事業による救済制度が用意されている．

　交通事故にかかわる保険金の請求などについては，医療機関の受診後できるだけ早い時期に医療ソーシャルワーカー(medical social worker：MSW)と相談することを勧めるのがよい．交通事故に伴う傷害は自賠責保険を財源とした診療で対応するのが原則であるが，医療機関側の事情で健康保険が適応されるケースが入院例の実に40%を占めて

表8　交通事故直後の被害者の治療費の支払い

A．加害者からの支払い
B．被害者が負担する場合
　当面の治療費を被害者が負担する場合，以下に示す保険制度が利用可能で，どれを選択するかは被害者・家族が決める(事前にMSWなどへの相談を勧める)
　(1) 自動車保険(共済)：自賠責保険，任意保険
　　　　仮渡金制度(自賠責保険)
　　　　　死亡の場合：290万円
　　　　　傷害の場合：5万円，20万円，40万円(傷害の程度に応じて)
　　　　　(任意保険は契約内容によって異なる)
　(2) 労災保険
　　　　業務中または通勤途中の交通事故の場合
　　　　「第三者行為災害届」などの提出が必要
　(3) 健康保険・国民健康保険
　　　　交通事故以外の病気・ケガのときと同じように健康保険を使える
　　　　「第三者行為による傷病届」などの提出が必要

◉ 外国人の診療

　新型コロナウイルス感染症のパンデミック以前は，訪日外国人旅行者を令和2年までに年間4,000万人にまで増やすことが目標とされていた．これに加えて，不法滞在者の数も増加している．これら国内における外国人の増加は，医療機関を受診した際の医療費の不払いという問題につながっていると考えられる．

　平成7年に「外国人に係る医療に関する懇談会報告書」が出されているが，その後この問題について国から抜本的な改善策は出されていない．以下には，現状で外国人の未収金問題にどのように対処されているかを示した．

1）不法滞在者の医療費

　国の補助制度として医療提供体制推進事業費補助金がある．その対象となるのは救命救急センターと地域救命救急センターのみであり，在日外国人にかかわる前年度の未収金のうち1か月1人当たり20万円を超える部分につき1/3に対してだけ補塡される制度である．しかし，財政赤字のため十分に補塡はされておらず，救命救急センターの負担となっている．それ以外の医療施設については，一部の自治体が助成制度を運用している以外には仕組みとしてはない．

　もう一つの方法は，電話等による督促・内容証明郵便による督促・法的手段というように段階を追って未払医療費を請求する方法である．この方法も膨大なエネルギーと時間を必要とし，医療機関側ではそのためのスペシャリストを養成しておくなどの対応も考えなくてはならない．

　また，社会福祉法人となっている医療機関では，無料低額診療事業を利用して対処している場合もある．なお，新型コロナウイルス感染症でやむを得ず帰国できなくなっている学生等については，特例として在留資格変更を行い，健保の適応を受けることが可能である場合がある．

2）外国人旅行者

　海外旅行をする場合には旅行保険に入ることが一般的と考えられるが，訪日外国人旅行者においては旅行保険への加入率が低いことが問題となっている．外国人旅行者の未払医療費については，「行旅病人及行旅死亡人取扱法」による制度があるが，実際に費用弁償される例は少ないのが現状である．

◉ 健康被害の救済

1）健康被害救済制度の種類

　子どもに関連する健康被害には主に予防接種健康被害，医薬品副作用，生物由来製品

感染があり、それぞれに救済制度が設けられている。予防接種健康被害に対する救済制度は厚生労働省の管轄であり、医薬品副作用、生物由来製品感染についてはPMDAの管轄となる。

2) 各健康被害における救済制度
a. 予防接種健康被害救済制度[14]
ⅰ. 概要

　予防接種法に基づいて実施される予防接種は、被接種者に対して努力義務といった形で接種を促すことから、万一、健康被害が発生した場合にあっても、救済を受ける権利とこれを実施する国及び地方公共団体の責任を明らかにする必要がある。

　予防接種の健康被害救済制度は、昭和51年の予防接種法及び結核予防法の改正において法律に基づく新しい制度として規定されたもので、健康被害が発生した方に対して、接種に係る過失の有無にかかわらず予防接種との因果関係が認定された場合に特別な配慮をするために設けられた制度である。

　本制度による給付は、厚生労働省疾病・障害認定審査会の分科会である感染症・予防接種審査分科会において医学的見地から慎重に検討される。特に、①症状の発生が医学的な合理性を有すること、②時間的関連性があること、③他の原因に合理性がないこと、の3点が重要な検討項目であるが、認定に当たっては「厳密な医学的な因果関係までは必要とせず、接種後の症状が予防接種によって起こることを否定できない場合も対象とする」という方針で審査が行われている。

ⅱ. 予防接種健康被害救済制度の変遷

　種痘後脳炎などの副反応が社会的問題となったことで予防接種による健康被害に対する救済が求められるようになり、昭和45年にはじめて救済措置が閣議了解の形で発足し、医療費、後遺症一時金、あるいは弔慰金として講じられた。昭和51年の予防接種法改正により予防接種による法的救済制度が創設され、医療費、医療手当の他に障害児養育年金、障害年金、死亡一時金、葬祭料が追加された。平成6年の同法改正では健康被害の迅速な救済を図るため、保健福祉事業が法定化され給付設計の抜本的見直しにより救済給付額の大幅な改善と介護加算制度の創設などの措置が講じられた。なお、平成13年の同法改正では二類疾病の定期予防接種（インフルエンザワクチンなど）について、個人予防目的に比重がおかれていることと、義務が課されていないことより一般の医薬品副作用被害救済と同程度の救済給付水準に見直されている。

ⅲ. 予防接種健康被害救済に係る手続き（図6）

　申請者は給付の種類に応じて市区町村に申請する。市区町村は予防接種健康被害調査委員会において医学的見地から調査し、因果関係が確認された場合は都道府県を通じて国（厚生労働省）に進達する。国は疾病・障害認定審査会に諮問、答申を受け、都道府県

図6 予防接種健康被害救済制度の流れ

〔厚生労働省：予防接種健康被害救済制度　https://www.mhlw.go.jp/bunya/kenkou/kekkaku-kansenshou20/kenkouhigai_kyusai/より引用改変〕

を通じて市区町村より支給決定を行う．通常，国が健康被害救済の申請を受理してから4～12か月後に審査結果が通知されるが，不服申立が行われ処分取消の裁決がされた場合には相当程度の期間を要する．

ⅳ．予防接種健康被害救済給付の実績

平成26～30年度までの健康被害の救済給付に係る審査件数等の実績について，年間の審査件数は70～110件，認定割合は75～86％であった．ワクチン別の認定等件数についてはBCGが最も多く，肺炎球菌ワクチン，日本脳炎ワクチンと続いていた．

b. 医薬品副作用被害救済制度[15]

ⅰ．概要

医薬品及び再生医療等製品（医薬品等）は，医療上必要不可欠なものとして有効性と安全性を担保されたうえで使用されているが，副作用の予見が困難で万全の注意を払ってもなお発生する副作用を完全に防止することは非常に困難であると考えられる．医薬品副作用被害救済制度は，医薬品等を適正に使用したにもかかわらず発生した副作用による健康被害を受けた方に対して，医療費等の給付を行い，被害を受けた方の迅速な救済を図ることを目的として，昭和55年に創設され，医薬品医療機器総合機構法に基づく公的な制度である．再生医療等製品については平成26年11月25日より適用されている．

ⅱ．医薬品副作用被害救済に係る手続き（図7）

申請者は診断書や請求書をPMDAに申請する．PMDAは厚生労働大臣に判定の申し出を行い，薬事・食品衛生審議会に諮問，答申を受け判定結果をPMDAに通知する．PMDAは判定に基づいて給付の支給の可否を決定し，申請者に通知する．この決定に不服がある場合は厚生労働大臣に対して審査を申し立てることができる．給付金に必要な費用は許可医薬品製造販売業者等から拠出金で賄われる．

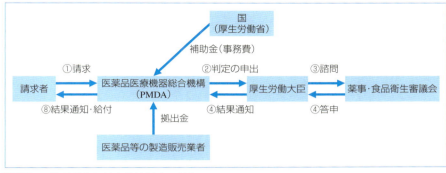

図7 医薬品副作用被害救済制度の流れ

〔医薬品医療機器総合機構：医薬品副作用被害救済制度に関する業務 https://www.pmda.go.jp/relief-services/adr-sufferers/0001.html より引用改変〕

c．生物由来製品感染等被害救済制度[16]

i．概要

ヒトや動物等，生物に由来するものを原料や材料とした医薬品や医療機器である生物由来製品，並びに再生医療等製品(生物由来製品等)は，ウイルス感染などの原因となる可能性があることから安全性を確保するための様々な措置が講じられてきているが，十分な安全策が講じられても感染被害を完全になくすことはできない．このような背景から，生物由来製品等を適正に使用したにもかかわらずその製品が原因で感染症にかかり，入院治療が必要な疾病や障害等の健康被害を受けた方に対して平成16年4月1日より生物由来製品感染等被害救済制度が導入された．

ii．生物由来製品感染等被害救済に係る手続き

医薬品副作用被害救済に係る手続きと同様である．拠出金については生物由来製品等の製造販売業者によって賄われる．

→ 文 献

1) 厚生労働省保険局：審査支払機関の現状と課題について　https://www.mhlw.go.jp/content/12401000/000681120.pdf
2) 社会保険診療報酬支払基金：診療報酬の審査・支払業務―業務の流れ―　https://www.ssk.or.jp/seikyushiharai/gyomuflow/index.html
3) 社会保険診療報酬支払基金：審査の意義　https://www.ssk.or.jp/shinryohoshu/shinryohoshu_01.html
4) 社会保険診療報酬支払基金：突合点検と縦覧点検　https://www.ssk.or.jp/shinryohoshu/tenken/totujyu_01.html
5) 社会保険診療報酬支払基金：審査委員会の機能強化　https://www.ssk.or.jp/shinryohoshu/shinryohoshu_03.html
6) 厚生労働省保険局医療課医療指導監査室：保険診療の理解のために．医科(令和3年度)　https://www.mhlw.go.jp/content/000544883.pdf
7) 厚生省保険局長通知：昭和55年9月3日付保発第51号「保険診療における医薬品の取扱いについて」　https://www.mhlw.go.jp/web/t_doc?dataId=00tb0199&dataType=1&pageNo=1
8) 中央社会保険医療協議会：総会(第189回)資料(総―9)「適応外使用の保険適用について」　https://www.mhlw.go.jp/stf/

I 総論

  shingi/2r98520000018toj-att/2r98520000018tzy.pdf
9) 厚生労働省：保険診療と保険外診療の併用について　https://www.mhlw.go.jp/topics/bukyoku/isei/sensiniryo/heiyou.html
10) 厚生労働大臣：いわゆる「混合診療」問題に係る基本的合意．平成16年12月15日　https://www.mhlw.go.jp/houdou/2004/12/dl/h1216-1a.pdf
11) 厚生労働省：患者申出療養とその他の保険外併用療養費制度について　https://www.mhlw.go.jp/file/06-Seisakujouhou-12400000-Hokenkyoku/0000118805.pdf
12) 日本再興戦略　改定2014．平成26年6月24日　https://www.kantei.go.jp/jp/singi/keizaisaisei/pdf/honbun2JP.pdf
13) 厚生労働省：患者申出療養を実施している医療機関の一覧　https://www.mhlw.go.jp/topics/bukyoku/isei/kanja/kikan02.html
14) 厚生労働省：予防接種健康被害救済制度　https://www.mhlw.go.jp/bunya/kenkou/kekkaku-kansenshou20/kenko_higai_kyusai/
15) 医薬品医療機器総合機構：医薬品副作用被害救済制度に関する業務　https://www.pmda.go.jp/relief-services/adr-sufferers/0001.html
16) 医薬品医療機器総合機構：生物由来製品感染等被害救済制度に関する業務　https://www.pmda.go.jp/relief-services/infections/0001.html

➡ 参考文献

- 全国保険医団体連合会：保険診療の手引き　2020年4月版
- 社会保険診療報酬支払基金：審査支払基金のあり方「国民の信頼に応える審査の確立に向けて」報告書．平成22年2月26日　http://www.ssk.or.jp/shinryohoshu/shinryohoshu_02.files/oshirase26.pdf
- 厚生労働省：患者申出療養制度　http://www.mhlw.go.jp/stf/seisakunitsuite/bunya/0000114800.html
- 厚生労働統計協会：保険と年金の現状．保険と年金の動向2014/2015．厚生の指標61(増刊)：51，2014
- 関塚奈保美：学校における児童・生徒の災害共済給付．小児内科40：1105-1108，2008
- 日本スポーツ振興センター：学校安全Web．災害共済給付　https://www.jpnsport.go.jp/anzen/saigai/tabid/56/Default.aspx
- 山中龍宏：保育施設での傷害予防．小児内科49：338-344，2017
- 国土交通省：自動車総合安全情報．自賠責保険ポータルサイト https://www.mlit.go.jp/jidosha/anzen/04relief/index.html
- 藤川謙二：労働者災害補償保険，自動車賠償責任保険をめぐる最近の医療情勢．臨床雑誌整形外科63：1089-1094，2012
- 厚生労働省：平成29年度　概算要求の概要　http://www.mhlw.go.jp/wp/yosan/yosan/17syokan/dl/gaiyo-02.pdf
- 「外国人に係る医療に関する懇談会」報告書　平成7年5月26日　第3回　http://www.mhlw.go.jp/shingi/2007/10/dl/s1005-8i.pdf
- 全国病児保育協議会　http://www.byoujihoiku.net
- 内閣府：子ども・子育て会議基準検討部会(第9回)　https://www8.cao.go.jp/shoushi/shinseido/meeting/kodomo_kosodate/b_9/index.html
- 稲見　誠：病児保育とは―病児保育の現状と課題―．小児科臨床67(Suppl.)：1941-1948，2014
- 大川洋二：病児保育の現状と課題．小児科61：1126-1132，2020

I 総論

4 診療報酬改定の流れと実際の運用

1 中央社会保険医療協議会(中医協)

1) 概要

　医療を取り巻く社会の環境は常に変化し，また，日進月歩に新規医療技術や医薬品，医療機器が開発されている．これに合わせて保険診療の範囲と報酬も継続的に見直す必要がある(図1)[1]．

　2年ごとに行われる診療報酬の改定は，多方面からの様々な議論を経て，最終的に中医協の総会で承認され，厚生労働大臣に答申されるという過程で決定される．それまでの主な過程は次のとおりである．

①基本方針の策定：医療制度や医療保険制度の視点から，診療報酬改定に関しての基本的な考え方が社会保障審議会(医療保険部会・医療部会)で議論され，基本方針を取り

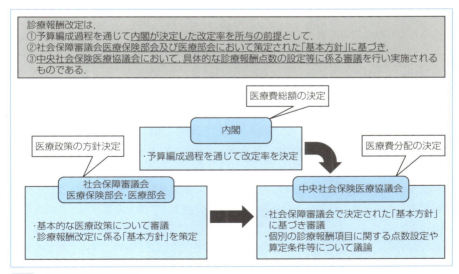

図1　診療報酬改定の流れ

〔社会保障審議会医療保険部会：(第119回)令和元年9月27日「令和2年度診療報酬改定のスケジュール(案)」 https://www.mhlw.go.jp/content/12401000/000551574.pdf〕

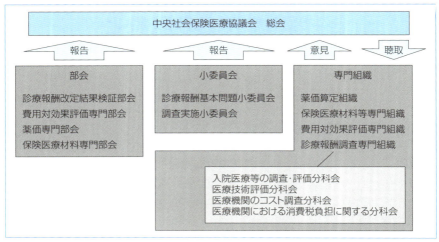

図2 中央社会保険医療協議会の関連組織

〔中央社会保険医療協議会：総会(第253回)平成25年10月30日「診療報酬基本問題小委員会の今後の在り方(案)」
https://www.mhlw.go.jp/file/05-Shingikai-12404000-Hokenkyoku-Iryouka/0000027961.pdf より改変〕

まとめる.
② 予算の閣議決定：内閣は予算編成で改定後の医療費総額と改定率を決定する.
③ 厚生労働大臣の諮問と告示：厚生労働大臣は，中医協に対し，基本方針と改定率に基づき診療報酬改定案を調査・審議を行うように諮問する．中医協における議論には，透明性，中立性，公平性及び公益性の担保が必要不可欠であり，客観的データに基づき原則公開で行われる．部会や小委員会での議論，専門組織からの意見聴取など，整備された組織体制(図2)[2]の中で審議した後，総会で取りまとめた改定案を厚生労働大臣に答申する．厚生労働大臣は診療報酬改定を告示し，通知を発出する．

学会からの新規の医療技術，既存技術の適応拡大等は内科系学会社会保険連合(内保連)，外科系学会社会保険委員会連合(外保連)，看護系学会等社会保険連合(看保連)が要望の窓口となり，中医協の議論につなげられる(図3)[3]．医学管理などの客観的評価が難しい提案は，保険局等との相談や課題となる事案の担当部局からの省内提案などの方法で協議会にある部会や小委員会の調査審議，専門組織からの意見聴取を通じて議論が行われる．

診療報酬改定の提案は上記の議論に耐えうる内容と第三者が納得できる根拠を示し，社会全体に貢献できる提案でなければならない．中医協の議論は，日本の医療情勢に影響を及ぼすため，日本の将来を担うべき子どもたちの代弁者である小児科医も積極的に参加することが望まれる．

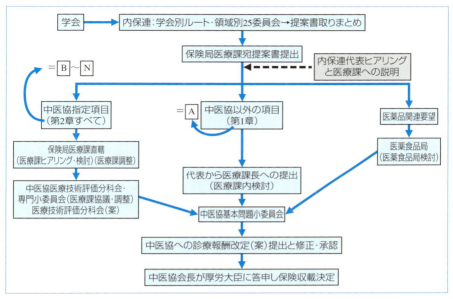

図3 学会からの要望の取り扱いに関する内保連ルート

〔内科系学会社会保険連合:学会からの要望と診療報酬改定の道筋 https://www.naihoren.jp/modules/activity/index.php?content_id=6〕

2) 構成員

①組織

- 次に掲げる委員20人をもって組織する.
- 委員の任期は2年間で, 1年ごとにその半数を任命する.
    - ▶委員
        ①支払側委員:健康保険, 船員保険及び国民健康保険の保険者並びに被保険者, 事業主及び船舶所有者を代表する委員(7人).
        ②診療側委員:医師, 歯科医師及び薬剤師を代表する委員(7人).
        ③公益委員:公益を代表する委員で, 任命については, 両議院の同意を得なければならない(6人).
    - ▶三者構成:支払側委員と診療側委員とが保険契約の両当事者として協議し, 公益委員がこの両者を調整して合意を得る三者構成の体制となっている.
    - ▶専門委員:専門の事項を審議するため必要があると認めるときは, その都度, 専門委員を置くことができる.

3）中医協の関連組織(図2)[2]

①中央協議会総会
- 中医協の最終的な意思決定．
- 専門部会と小委員会からの調査審議事項について報告を受け，専門組織に有識者からの意見を聴取できる．

②部会
- 特に専門的な事項の調査審議を行うため，部会を協議会に設置できる．
- 部会の種類
  - ▶診療報酬改定結果検証部会：診療報酬が医療現場等に与えた影響等について審議する．
  - ▶費用対効果評価専門部会：医療保険制度における費用対効果評価導入のあり方について審議する．
  - ▶薬価専門部会：薬価の価格算定ルールを審議する．
  - ▶保険医療材料等専門部会：保険医療材料の価格算定ルールを審議する．

③小委員会
- 診療報酬に関する多岐にわたる基本的諸問題について，中長期的観点に立ち，幅広い視点から論点整理を行い，あらかじめ意見調整を行うため，協議会に小委員会を設置できる．
- 小委員会の種類
  - ▶診療報酬基本問題小委員会：基本的問題についてあらかじめ意見調整を行う．
  - ▶調査実施小委員会：医療経済実態調査についてあらかじめ意見調整を行う．

④専門組織
- 中医協は，薬価算定，材料の適用及び技術的課題等について調査審議する必要のあるときに，専門組織（有識者）に意見を聴くことができる．
- 専門組織の下に分科会が設置できる．協議会は，診療報酬上の技術的課題について調査審議する必要があるときに，診療報酬体系の見直しに係る技術的課題に関して専門的な調査及び検討を行う分科会から意見を聴くことができる．
- 専門組織及び分科会は医学，歯学，薬学，看護学，医療経済学等に係る専門的知識を有する者により構成される．
  - ▶薬価算定組織：新薬の算定等についての調査審議をする．
  - ▶保険医療材料等専門組織：特定保険医療材料及び体外診断用医薬品の保険適用について調査審議する．
  - ▶診療報酬調査専門組織：診療報酬調査専門組織は診療報酬上の技術的課題を調査審議する．分科会の種類を以下にあげる．

① 入院医療等の調査・評価分科会
② 医療技術評価分科会
③ 医療機関のコスト調査分科会
④ 医療機関における消費税負担に関する分科会

▶ 費用対効果評価専門組織：医薬品及び医療機器の費用対効果評価について調査審議する．平成28年4月に規定された．

❷ 診療報酬改定に際した厚生労働省及び各団体との折衝

　前項では議論の中心的存在である中医協について解説した．前項で述べたように，診療報酬は2年周期で改定が行われている．診療報酬をより現状に即したものに充実させていくため，日本小児科学会をはじめとする各学会等は内保連を通じ改定周期に合わせて厚生労働省に要望を届けている．本項では学会と厚生労働省のかかわりや診療報酬改定を通したやり取りの概要について解説する．

1）厚生労働省と学会のかかわり

　診療報酬の取りまとめを行っているのは保険局医療課である．それ以外にも，各医療政策に関する検討は厚生労働省内の各部署や，それぞれが所管する審議会・検討会といった場所で常に行われている．各学会はこれらの会議や，厚生労働科学研究の班会議等に参加し，調査や研究の説明を行ったり，あるいは報告書や提言書などで説明したりするなどして子どもの医療・保健・福祉に関する医療政策に対し意見を述べることができる．

　また省内各部署からも所管している医療政策を進めるため，診療報酬上でも評価されるように保険局医療課と省内要望という形で調整を行っている．行政と学会が各立場から定期的に意見交換を行うことは，診療報酬だけでなく，日本の将来を担うべき子どもたちの健康増進や各医療政策を進めるうえで大変重要である．その際，免許を有し，専門知識をもった技官（医系・薬系・看護系）が厚生労働省各部署で政策推進の中心的役割を果たしており，彼らと議論を進めることが有効である．表1に小児科としてかかわることの多い厚生労働省の各部署と業務内容を示す．

2）内科系学会社会保険連合

　以前は診療報酬を担当する厚生労働省の保険局医療課へ小児科の要望事項を定期的に説明していたが，最近では内保連が中心となり，表2，図3[3]）のように各学会が要望書を作成，内保連が取りまとめて厚生労働省に提出し，それをもとに厚生労働省から各学会がヒアリングを受けるという流れになっている．

表1 厚生労働省の部署と担当業務（令和3年1月現在）

部局	課	担当業務
医政局	地域医療計画課	医療計画，5事業，在宅医療，医師確保等に関すること
	医事課	医師の養成や医師免許に関すること
	経済課	医療機器の生産・流通に関すること
	研究開発振興課	治験及び再生医療を含む研究・開発に関すること
健康局	健康課	予防接種に関すること
	がん・疾病対策課	小児がんに関すること
	結核感染症課	感染症やインフルエンザに関すること
	難病対策課	小児慢性特定疾病や移植医療に関すること
医薬・生活衛生局	医薬品審査管理課	医薬品の審査に関すること
	医療機器審査管理課	医療機器の審査に関すること
	血液対策課	輸血に関すること
	食品監視安全課	食中毒に関すること
子ども家庭局	家庭福祉課	児童虐待に関すること
	母子保健課	母子保健に関すること
障害保健福祉部	障害福祉課	発達障害者の支援に関すること，障害児の支援に関すること
保険局	医療課	診療報酬に関すること

3）診療報酬改定に関するその他の交渉ルート

なお，要望の内容によっては直接学会や関係団体から厚生労働省に対して要望を行うことや，日本医師会を介して協議が行われる場合もある．

また，このような形で診療報酬改定に関する要望を行う際には，改訂によって患者の診療がよくなることが大前提であることから，表3の項目に留意して要望書を作成している．

4）小児科学系各学会の役割分担

日本小児科学会，日本小児科医会を中心として小児診療に関係する学会は内保連の中で小児関連委員会を構成している（表4）．そこで役割分担を行いながら小児医療に関する様々な要望を提出している．特に日本小児科学会は小児の入院医療・在宅医療や複数の診療科にまたがる領域に関する要望を，日本小児科医会は小児の外来診療に関する要望を取りまとめている．一方，各疾病に関する治療や検査といった項目に関しては関係の深い加盟学会が担当することとしている．

4. 診療報酬改定の流れと実際の運用

表2 診療報酬改定のタイムスケジュール

		厚生労働省	内保連	日本小児科学会・日本小児科医会など
診療報酬改定年度	4月	診療報酬改定		改定内容の確認 提案内容の採択確認
	5月			
	6月			
	7月			次期診療報酬改定 要望に関する検討
	8月			
	9月			
	10月			
	11月			診療報酬一次提案書 (要望項目)作成
	12月			
	1月	厚生労働省内での 政策強化のための 省内要望を収集	内保連加盟関連学会 (小児関連委員会)に おける優先順位調整	
	2月			診療報酬提案書 作成締切
	3月			
診療報酬改定翌年度	4月		内保連内 ヒアリング	
	5月			
	6月	診療報酬提案書の提出		
	7月		厚生労働省内 ヒアリング	
	8月			
	9月	秋以降，中医協で 改定項目に関する 議論が本格化		
	10月			
	11月			厚生労働省からの 要請に応じた 調査や現状説明
	12月	診療報酬改定に関する 基本方針策定 改定率の決定 (内閣が決定)		
	1月			
	2月	中医協から厚労相へ答申 (診療報酬改定内容の公示)		改定内容の確認 提案内容の採択確認
	3月			

※日程は定型化されたものが示されているわけではなく，その年の状況に応じて随時変更されている

Ⅰ 総論

表3 診療報酬改定の要望として求められる条件

1. 改定内容は医療費全体の枠内におさまるか
2. 有効性，安全性，必要性のエビデンスはあるか
3. 医療技術評価分科会における評価は十分に高いか
4. 学会や内保連からのヒアリングで妥当性と必要度の高さが示されたか
5. 保険医療制度で混乱なく実施できる整合性があるか
6. 中医協の基本問題小委員会と総会で承認される内容か

表4 内保連小児関連委員会：加盟学会一覧

- 日本小児科学会
- 日本小児救急医学会
- 日本小児精神神経学会
- 日本外来小児科学会
- 日本小児血液・がん学会
- 日本小児内分泌学会
- 日本児童青年精神医学会
- 日本小児呼吸器学会
- 日本小児リウマチ学会
- 日本周産期・新生児医学会
- 日本小児循環器学会
- 日本新生児成育医学会
- 日本小児アレルギー学会
- 日本小児神経学会
- 日本先天代謝異常学会
- 日本小児栄養消化器肝臓学会
- 日本小児心身医学会
- 日本てんかん学会
- 日本小児科医会
- 日本小児腎臓病学会
- 日本人類遺伝学会
- 日本小児感染症学会

※すべての学会が内保連に加盟しているわけではない．また，すべての学会が社会保険に関する組織を有するわけではない

文　献

1) 社会保障審議会医療保険部会：(第119回)令和元年9月27日「令和2年度診療報酬改定のスケジュール(案)」 https://www.mhlw.go.jp/content/12401000/000551574.pdf
2) 中央社会保険医療協議会：総会(第253回)平成25年10月30日「診療報酬基本問題小委員会の今後の在り方(案)」 https://www.mhlw.go.jp/file/05-Shingikai-12404000-Hokenkyoku-Iryouka/0000027961.pdf
3) 内科系学会社会保険連合：学会からの要望と診療報酬改定の道筋 https://www.naihoren.jp/modules/activity/index.php?content_id=6

参考文献

・社会保険医療協議会法(昭和25年法律第47号)平成27年5月29日公布(平成27年法律第31号)改正
・社会保険医療協議会令(平成18年政令第373号)
・中央社会保険医療協議会：総会(第329回)議事次第　平成28年3月9日「中央社会保険医療協議会議事規則の改正について」 http://www.mhlw.go.jp/file/05-Shingikai-12404000-Hokenkyoku-Iryouka/0000115334.pdf
・迫井正深：診療報酬の仕組みと改定．日本内科学雑誌　105：2320-2329，2016
・内科系学会社会保険連合　http://www.naihoren.jp/

医療費助成制度

　診療により発生した療養費の中で，医療保険者による療養の給付を差し引いた分については，一部負担金として患者が払わなければならない．医療費助成制度とは，一部負担金が別の財源から支払われることにより，患者の自己負担を軽減もしくは免除する制度である．子どもや障害児者には様々な医療費助成制度があり，ここでは以下の五つを紹介する．

1）地方自治体による子ども医療費助成制度

　すべての地方自治体は，少なくとも就学前の子どもを対象とした医療費助成制度を運用している．全国一律の制度のように思われがちだが，地域によってその名称や対象年齢や助成の方法が異なる．そのため，「引っ越ししたら，今まで請求されなかった医療費の支払いを請求されて驚いた」といった話をよく耳にする．

2）小児慢性特定疾病に対する医療費助成制度

　児童福祉法に基づいた小児慢性特定疾病をもつ患者に対して，原則18歳未満（継続の場合は20歳未満）の子どもを対象に医療費の自己負担分が助成される（令和3年11月現在788疾病）．小児慢性特定疾病に該当しない疾患だが指定難病に該当する疾患をもつ患者は，難病法に基づいた指定難病の医療費助成制度を受けることができる（令和3年11月現在338告示病名）．

3）自立支援医療制度

　「障害者等につき，その心身の障害の状態の軽減を図り，自立した日常生活又は社会生活を営むために必要な医療」（障害者総合支援法）の公費負担制度を自立支援医療という．かつては障害児に対する育成医療，身体障害者に対する更生医療，精神障害者に対する精神通院医療の三つが別々の法律に準拠していたが，現在は障害者総合支援法の中で「自立支援医療」に統合されている．子どもでは，子ども医療費助成制度の対象年齢を超えたてんかんの患者が自立支援医療（精神通院医療）を申請する例が多い．

4）養育医療

　母子保健法に基づき，出生直後に入院した乳児に対し，指定された医療機関で行われた入院診療の自己負担分が給付される．1歳の誕生日の前々日までが対象だが，延長を申請できる場合もある．

5）都道府県による心身障害者医療費助成制度

心身に障害がある者の自己負担金について助成する制度であるが，対象となる障害の程度や助成の内容は地方自治体によって異なる．身体障害者手帳1級・2級及び内部障害3級，療育手帳A，特別児童扶養手当1級受給資格などが対象となっている場合が多い．

＊＊＊

これら以外の医療費助成制度としては以下のものがある．
① 高額療養費制度：医療費の自己負担金が高額になった場合，限度額を超えた分は高額療養費制度から支払われる．
② 日本スポーツ振興センター災害共済給付：学校での災害や負傷に起因する医療を受けた場合に療養に要する費用の額の4/10が給付される（I総論.3-6.様々な状況における給付参照）．
③ ひとり親家庭等医療費助成制度：ひとり親家庭の18歳未満の子どもは，地方自治体の条例に基づいて医療費の助成を受けられる．
④ 労災保険制度：業務上の事由や通勤で病気や怪我をした労働者に対して保険給付される．原則として事業主が保険料を負担する．
⑤ 所得税の医療費控除：納税者が自己と家族のために1年間に支払った医療費に基づき一定額の所得控除を受けることができる．

❶ 地方自治体による子ども医療費助成制度

1）医療費の自己負担について

わが国の70歳未満の被保険者の医療費については，一般に7割が保険者の負担，3割が自己負担ということになっている．しかし，義務教育就学前の乳幼児については，平成20年度よりその自己負担が2割に減額されたことはあまり知られていない（図1）[1,2]．なぜならば自己負担金はすべての自治体で「子ども医療費助成制度」によって助成されるため，患者は自己負担金を意識することがないからである．なお，子ども医療費助成制度は法律の根拠がなく，地方自治体の条例に基づいた地方単独事業として実施されているため，その名称は「子ども医療」「乳幼児医療」「マル乳・マル子」など様々につけられている．本書では「子ども医療費助成制度」で統一して解説する．

2）子ども医療費助成制度の全国の状況

子ども医療費助成制度は市区町村ごとに運用されているため，その対象年齢，通院/入院，所得制限，一部自己負担金のあり方は，地域によって異なる．たとえば福島県のすべての市町村では，入院医療も通院医療も18歳年度末の子どもが医療費助成の対象であ

5. 医療費助成制度

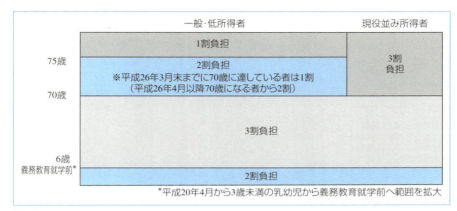

図1 医療費の患者負担割合について

〔厚生労働省：平成27年9月2日子どもの医療制度の在り方等に関する検討会資料「子どもの医療の費用負担の状況」
https://www.mhlw.go.jp/file/05-Shingikai-12401000-Hokenkyoku-Soumuka/0000096264.pdf〕

り，所得制限も医療機関窓口での支払い負担もない．一方で，入院も外来も就学前の患者のみを対象とし，所得制限と窓口の一部負担を設けている他県の市もある．医療費助成の対象年齢については，都道府県が定める年齢までは都道府県が補助し，それ以上の年齢については市区町村が負担する構成となっている．医療費助成のあり方は，その市区町村の財政事情や子育て支援政策によって決められているといってよい[2]．

平成28年4月現在の全国1,741市区町村における子ども医療費助成制度の実施状況[3]をみると，67％の市区町村が入院医療の対象年齢を15歳年度末とし，58％が通院医療の対象年齢を15歳年度末としている．所得制限はないところが多く（82％），一部自己負担はないところのほうがやや多い（61％）．文献3をみると，地域差のバリエーションが大きいことに驚かされる．「引っ越ししたら，今まで請求されなかった医療費の支払いを請求されて驚いた」といった話はよく耳にする．

3）現物給付方式と償還払い方式（図2）[4]

子どもの医療費助成制度による療養費の助成方法としては2種類ある．患者の窓口支払いがなく市区町村から医療機関へ療養費が直接支払われる方式を「現物給付による受領委任払い」とよび，患者が窓口で自己負担金を支払った後に市区町村に領収書を提出して自己負担金（の一部）を償還してもらう方式を「償還払い」とよぶ．子どもが居住する市区町村以外の医療機関を受診すると，現物給付方式ではなく償還払い方式で支払うことが多いため，病院窓口での支払いが発生して驚かれることがある．現物給付方式は患者にとってはありがたい制度だが，医療費が一見タダにみえるため，患者のコスト意識が低下し，医療の受給の増大につながるといわれている．これを波及増という．

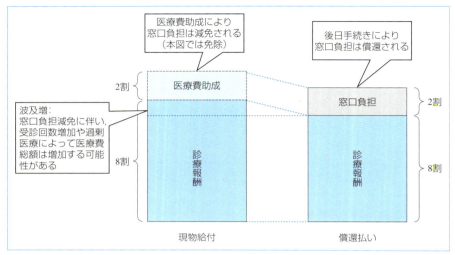

図2 現物給付による委任払い方式と償還払い方式

〔厚生労働省:第100回社会保障審議会医療保険部会資料「子ども医療費助成に係る国保の減額調整措置の在り方について」平成28年11月18日　https://www.mhlw.go.jp/file/05-Shingikai-12601000-Seisakutoukatsukan-Sanjikanshitsu_Shakaihoshoutantou/0000143272.pdf より改変〕

4) 減額調整措置の廃止

　国は医療費の波及増を懸念し，昭和59年から現物給付方式をとる市区町村に対して，国が市区町村に支払う国民健康保険療養費等国庫負担金をその波及増の分だけ減額する措置を行ってきた．これを「減額調整措置」とよび，市区町村にとっては厳しい措置であった[4]．ところが少子化対策の議論を経た末に，平成30年度以降の未就学児の医療費助成の国保減額調整は廃止された．これにより，これまで地方自治体が減額措置にあてていた財源は別の少子化対策に転換できるようになった[5]．小児医療にとっては追い風であるといえよう．

2　小児慢性特定疾病に対する医療費助成制度

1) 国の小児慢性特定疾病対策

　現在の小児慢性特定疾病対策は，昭和43年の先天代謝異常の医療給付事業から始まり，その後，対象疾患の拡大や制度見直しを経て，平成17年に児童福祉法が改正され（以下，改正法），法律に基づく事業として法制化された．その後も対象疾患は拡大され，令和3年現在，16疾患群788疾病が対象となった．小児慢性特定疾病は，①慢性に経過する疾病であること，②生命を長期に脅かす疾病であること，③症状や治療が長期にわ

表1 小児慢性特定疾病の医療費助成に係る自己負担上限額

(単位：円)

階層区分	年収の目安 (夫婦2人子1人世帯)		自己負担上限額		
			一般	重症	人工呼吸器等装着者
I	生活保護等		0		
II	市区町村民税 非課税	低所得 I (〜約80万)	1,250		
III		低所得 II (〜約200万)	2,500		
IV	一般所得 I (〜市区町村民税7.1万円未満, 〜約430万)		5,000	2,500	500
V	一般所得 II (〜市区町村民税25.1万円未満, 〜約850万)		10,000	5,000	
VI	上位所得 (市区町村民税25.1万円以上, 約850万〜)		15,000	10,000	
	入院時の食費		1/2 自己負担		

〔小児慢性特定疾病情報センター　https://www.shouman.jp/〕

たって生活の質を低下させる疾病であること，④長期にわたって高額な医療費の負担が続く疾病であること，を満たす厚生労働大臣が定める疾病である．18歳未満の子どもが対象だが，18歳到達後も引き続き治療が必要と認められる場合には，20歳未満でも対象になる[6]．

　この対策は，①公平で安定的な医療費助成の仕組みの構築，②研究の推進と医療の質の向上，③慢性疾患児の特性を踏まえた健全育成・社会参加の促進，地域関係者が一体となった自立支援の充実，という三つの柱から成り立っている[6]．

2) 医療費助成の申請と自己負担額

　小児慢性特定疾病の医療費助成を受けるためには，各自治体が認定した「指定医」が医療意見書を発行し，家族が各都道府県または指定都市・中核市の窓口(保健福祉担当課や保健所など)に届け出をする．小児慢性特定疾病に係る医療費助成の対象となるのは，各自治体が認定した指定医療機関で受診した際の医療費に限られている．診断書と必要書類を合わせて，保護者が都道府県等の窓口に医療費助成の申請をする．この医療費助成の申請に必要な主な書類は，①申請書，②医療意見書，③住民票，④市区町村民税(非)課税証明書などの課税状況を確認できる書類，⑤健康保険証の写し，⑥医療意見書の研究利用についての同意書，などであり，都道府県(または指定都市・中核市)での審査で認定されれば，都道府県等から医療受給者証が保護者に交付される[7]．

　負担能力等に応じた適正な利用者負担が求められているが(表1)，定められた重症患者認定基準を満たせば自己負担額が減額される[6]．

表2 自立支援事業

必須事業	・相談支援事業 　1. 療育相談指導 　2. 巡回相談指導 　3. ピアカウンセリング 　4. 自立に向けた育成相談 　5. 学校, 企業等の地域関係者からの相談への対応, 情報提供 ・小児慢性特定疾病児童等自立支援員 　1. 自立支援に係る各種支援策の利用計画の作成・フォローアップ 　2. 関係機関との連絡調整等 　3. 慢性疾病児童地域支援協議会への参加
任意事業	・療養生活支援事業 ・相互交流支援事業 ・就職支援事業 ・介護者支援事業 ・その他の自立支援事業

〔小児慢性特定疾病情報センター　https://www.shouman.jp/より作成〕

3) 研究の推進と医療の質の向上・課題

　研究の推進や登録データの精度向上のため, 指定医による直接登録, 経年的なデータ蓄積, 難病患者データとの連携などを進め, 登録データを研究へ活用し研究成果を子ども・国民へ還元することも重要である. 子どもの場合, 乳幼児・子ども医療費助成制度など類似した複数の医療費助成制度が存在することから, 慢性疾患に罹患した子どもでも必ずしも小児慢性特定疾病対策を利用しているわけでなく, 結果として小児慢性特定疾病への登録率の低下を招いていることが課題である. 本来は国の制度である小児慢性特定疾病対策が優先されるべきであり, 小児科医もその利用の促進に努めるべきである[8].

4) 自立支援事業

　小児慢性特定疾病対策では, 幼少期から慢性的な疾病にかかっているため, 学校生活での教育や社会性の涵養に遅れがみられ, 自立を阻害されている子どもについて, 地域による支援の充実により自立促進を図ることを目的に自立支援事業が行われている. 本事業の実施主体は都道府県および指定都市・中核市・児童相談所設置市となり, 必須事業, 任意事業が示されている(表2)[6]. また地域における小児慢性特定疾病児童等の支援内容等について関係者が協議するために, 各実施主体(都道府県, 指定都市, 中核市, 児童相談所設置市)に慢性疾病児童地域支援協議会が設置され, 地域の現状と課題の把握, 地域資源の把握, 課題の明確化, 支援内容の検討等を行い, 小児慢性特定疾病児童等自

表3 小児慢性特定疾病対策と難病対策の比較

	小児慢性特定疾病対策	難病対策
根拠法	児童福祉法	難病の患者に対する医療等に関する法律
対象疾病数	788疾病	338疾病
対象年齢	18歳未満(ただし,引き続き治療が必要と認められる場合には,20歳未満まで)	年齢制限なし
自己負担	医療保険の自己負担分に対して法律に基づき公費助成(難病医療費助成の自己負担額の1/2)	医療保険の自己負担分に対して法律に基づき公費助成
実施主体	都道府県,指定都市,中核市,児童相談所設置市	都道府県,指定都市

〔掛江直子:小児慢性特定疾病対策の現状.小児科臨床 74:614-620,2021 より引用一部改変〕

立支援事業を進めている.

　成人期以降の支援制度としては,平成26年に「難病の患者に対する医療等に関する法律」が成立し,指定難病に338疾病(令和3年)が対象疾患と定められた難病対策がある(表3).小児慢性特定疾病と難病対策は根拠法が異なり,前者は子どもの健全育成を目的とするのに対し,後者は難病の治療研究・克服を目的とするため軽症患者は対象に含まれない.このため,両方の対策の対象となっている疾患の患者であっても,病状によって成人期以降に医療費助成等を受けることができなくなる可能性がある[9].

　小児慢性特定疾病対策では,成人移行を支援する目的で様々な取り組み(小児慢性特定疾病児童成人移行期医療支援モデル事業,移行期医療支援センター設置,成人移行支援コアガイド作成など)がされている.取り組みはまだ発展途上ではあるが,移行支援に対する社会の関心は確実に高くなっており,今後の発展が期待される.

3 自立支援医療制度

　自立支援医療とは,「障害者等につき,その心身の障害の状態の軽減を図り,自立した日常生活又は社会生活を営むために必要な医療であって政令で定めるもの」をいう(障害者総合支援法第5条24項).そして自立支援医療制度とは,これらの医療費の自己負担金を軽減する公費負担医療制度である.自立支援医療には,①育成医療,②更生医療,③精神通院医療の三つがある〔障害者総合支援法施行令(平成18年1月25日政令第10号)第1条の2〕.平成18年度の法改正により,少し枠組みが変わった点も説明しておく.
①育成医療:「障害児のうち厚生労働省令で定める身体障害のある者の健全な育成を図るため,当該障害児に対し行われる生活の能力を得るために必要な医療」.

表4 対象となる障害と標準的な治療の例

①視覚障害		白内障に対する水晶体摘出術
②聴覚障害		難聴に対する補聴器
③言語障害		唇顎口蓋裂に対する歯科矯正
④肢体不自由		先天性股関節脱臼等に対する関節形成術，関節置換術，義肢装着のための切断端形成術など
⑤内部障害	心臓	先天性疾患に対する心内修復手術不整脈疾患に対するペースメーカー埋込み手術
	腎臓	腎臓機能障害に対する人工透析療法，腎臓移植術（抗免疫療法を含む）
	肝臓	肝臓機能障害に対する肝臓移植術（抗免疫療法を含む）
	小腸	小腸機能障害に対する中心静脈栄養法
	免疫	HIVによる免疫機能障害に対する抗HIV療法，免疫調節療法など
	その他の先天性内臓障害	先天性食道閉鎖症，先天性腸閉鎖症，鎖肛，巨大結腸症，尿道下裂，停留精巣等に対する尿道形成，人工肛門の造設などの外科手術

②更生医療：「身体障害者福祉法第四条に規定する身体障害者のうち厚生労働省令で定める身体障害のある者の自立と社会経済活動への参加の促進を図るため，当該身体障害者に対し行われるその更生のために必要な医療」．

③精神通院医療：「精神障害の適正な医療の普及を図るため，精神保健及び精神障害者福祉に関する法律第五条に規定する精神障害者のうち厚生労働省令で定める精神障害のある者に対し，当該精神障害者が病院又は診療所へ入院することなく行われる精神障害の医療」．

1）育成医療・更生医療

育成医療とは旧児童福祉法第20条に基づく18歳未満の障害児に対する医療費の助成制度であった．更生医療とは旧障害者福祉法第4条に基づく障害者に対する医療費の助成制度であった．平成18年度から両者は障害者自立支援法の中で「自立支援医療」として統合される形となり，現在は障害者総合支援法第5条24項に引き継がれている．給付の実施主体は市区町村である．身体障害を除去・軽減する手術等の治療が給付の対象となり，身体障害者手帳の所持が必要である．表4に具体例を示す．ただ，平成27年1月から小児慢性特定疾病及び指定難病医療費助成制度が発足したため，先天性の内臓疾患の多くはそちらの制度で医療費助成を受ける形になった．費用負担額は原則1割負担であるが，所得に応じて自己負担限度額が設定されており，障害が「重度かつ継続」に該当する場合はさらに自己負担限度額が軽減される．

2）精神通院医療

精神通院医療は，精神障害者が精神医療を継続的に受けるための通院医療を助成する

表5 対象となる精神疾患

①症状性を含む器質性精神障害(F0)	⑦生理的障害及び身体的要因に関連した行動症候群(F5)
②精神作用物質使用による精神及び行動の障害(F1)	⑧成人の人格及び行動の障害(F6)
③統合失調症，統合失調症型障害及び妄想性障害(F2)	⑨精神遅滞(F7)
	⑩心理的発達の障害(F8)
④気分[感情]障害(F3)	⑪小児期及び青年期に通常発症する行動及び情緒の障害(F9)
⑤てんかん(G40)	
⑥神経症性障害，ストレス関連障害及び身体表現性障害(F4)	

①〜⑤は高額治療継続者(いわゆる「重度かつ継続」)の対象疾患
(　)内はICD-10コード

ものである．精神障害者とは，「統合失調症，精神作用物質による急性中毒又はその依存症，知的障害，精神病質その他の精神疾患を有する者をいう」(精神保健及び精神障害者福祉に関する法律第5条)．もともと精神保健・精神障害者福祉法第32条に規定された医療費助成制度であったが，平成18年度より育成医療・更生医療と同様，障害者自立支援法の中で「自立支援医療」に統合された．

小児で馴染の深い対象疾患としては，てんかん，精神遅滞，心理的発達の障害(自閉症スペクトラム障害，学習障害，特異的言語発達障害など)，小児期及び青年期に通常発症する行動及び情緒の障害(注意欠陥多動障害，反抗挑戦性障害，行為障害など)が含まれる(表5)．症状がほとんど消失している患者であっても，軽快状態を維持し，再発を予防するためになお通院治療を続ける必要がある場合も対象となる．給付の実施主体は都道府県及び指定都市である．

4 養育医療

1) 養育医療の仕組み

かつては「未熟児養育医療」と呼称していたが，現在は「未熟児」という用語を避けて単に「養育医療」と呼称されている．身体の発育が未熟なままで生まれ入院を必要とする乳児に対して，指定養育医療機関における入院治療費を市区町村が負担する制度である．出生体重が2,000g以下である場合あるいは表6[10]に示す症状がある場合に給付の対象となる[11]．指定養育医療機関以外における医療や入院以外の医療は対象とならない．指定養育医療機関の指定は都道府県知事(政令指定都市および中核都市では市長)が行う．

食事療養標準負担額(ミルク代)を含み，おむつ代などを除く指定養育医療機関への入院にかかる医療費のうち，医療保険で補塡された残りの自己負担分に対して給付が行わ

表6　養育医療の対象

出生時体重 2,000 g 以下のもの
生活力が特に薄弱であって次に掲げるいずれかの症状を示すもの
　・一般状態：a. 運動不安，けいれんがあるもの
　　　　　　 b. 運動が異常に少ないもの
　・体温が摂氏 34 度以下のもの
　・呼吸器，循環器系：a. 強度のチアノーゼが持続するもの，チアノーゼ発作を繰り返すもの
　　　　　　　　　　 b. 呼吸数が毎分 50 を超えて増加の傾向にあるか，または毎分 30 以下のもの
　　　　　　　　　　 c. 出血傾向の強いもの
　・消化器系：a. 生後 24 時間以上排便のないもの
　　　　　　 b. 生後 48 時間以上嘔吐が持続しているもの
　　　　　　 c. 血性吐物，血性便のあるもの
　・黄疸：生後数時間以内に現れるか，異常に強い黄疸のあるもの

〔厚生労働省：未熟児養育事業の実施について．令和 2 年 12 月 25 日　子発 1225 第 2 号．【児発第 668 号（昭和 62 年 7 月 31 日）の第七次改正】〕

れる．給付は，移送料を除いて，原則として現物支給である．世帯全体の前年の所得に応じて自己負担金が発生し，後に請求される．この自己負担金は子ども医療費助成制度により還付されるが，子ども医療費助成制度自体にも所得制限があることが多く，運用は市区町村により異なる．また，助成の主体が市区町村であることから，意見書の書式，助成対象の解釈，申請に必要な書類などに市区町村間で差がある．

2) 養育医療の根拠となる法律

　養育医療は，母子保健法（昭和 40 年法律第 141 号）第 20 条第 1 項の規定による「養育医療の給付」および第 21 条の 4 の規定による「費用の徴収」を根拠としている．また，母子保健法施行令（昭和 40 年政令第 385 号）及び母子保健法施行規則（昭和 40 年厚生省令第 55 号）に基づいて実施される．各市区町村が母子保健法施行細則を交付している．

3) 養育医療の申請手続き

　養育医療の申請には，①養育医療給付申請書，②養育医療意見書，③世帯調書，④被保険者証等の写し，⑤前年分の課税額を証明するもの，⑥個人番号確認書類，及び対象者の場合は，⑦その他の医療費助成事業（子ども・重度心身障害者・ひとり親家庭等）受給者証の写し等を担当部署に提出するが，提出書類の種類は市区町村によって異なる．提出は委任状を添えて病院が代行することがある．医師は養育医療意見書の記載を行う（図 3）[10]．

4) 養育医療の途中変更

　当初の見込みよりも入院期間が短く終了する場合はその時点で養育医療の給付は終了する．入院期間を延長する場合は，意見書を添えて延長の手続きを行う必要がある．指

養育医療意見書						
ふりがな 氏名		男・女	生年月日	令和	年　月　日	
在胎週数	（単胎／双胎（　胎））		出生時の体重		グラム	

症状の概要	1　一般状態	(1)　運動不安・痙攣 (2)　運動が異常に少ない
	2　体温	(1)　摂氏３４度以下
	3　呼吸器 循環器	(1)　強度のチアノーゼ持続 (2)　チアノーゼ発作を繰り返す (3)　呼吸数が毎分５０以上で増加傾向 (4)　呼吸数が毎分３０以下 (5)　出血傾向が強い
	4　消化器	(1)　生後２４時間以上排便がない (2)　生後４８時間以上嘔吐が持続 (3)　血性吐物がある (4)　血性便がある
	5　黄疸	(1)　生後数時間以内に発生　(2) 異常に強い
	その他の所見 （合併症の有無等）	
診療予定期間	令和　年　月　日　から　令和　年　月　日　まで	
現在受けている医療	保育器の使用　人工換気療法　酸素吸入　経管栄養　持続静脈内注射 その他の医療	
症状の経過		

上記のとおり診断する。

令和　年　月　日

医療機関の名称及び所在地

郵便番号

電話番号

医師氏名　印

図3 養育医療意見書

実際の様式は市区町村によって異なる

〔厚生労働省：未熟児養育事業の実施について．令和2年12月25日　子発1225第2号．【児発第668号(昭和62年7月31日)の第七次改正】〕

定養育医療機関の間で転院する場合は移動手続きあるいは移動先での再申請が必要となる．

5) 養育医療と子ども医療費助成制度の違い

養育医療と子ども医療費助成制度の間には，意見書の要否，利用できる地域，給付範囲などに違いがある．養育医療の申請に必要な養育医療意見書は無料で発行される．養育医療の申請は居住する市区町村に対して行うが，養育医療券は居住地とは関係なく全国の指定養育医療機関での利用が可能である．一方，子ども医療費助成制度による支払いの免除は，住民票のある市区町村と契約関係のある医療機関(いわゆる地元の医療機

関)でのみ適応となる．それ以外の医療機関の場合は，自己負担分を支払った領収書を居住する市区町村に提出して還付を受けることになる．食事療養標準負担額(ミルク代)は養育医療では給付の対象となるが，子ども医療費助成制度では対象とならない．ただし，食事療養標準負担額は世帯所得の影響を受けるため，実際の自己負担分の算定は複雑である．また，養育医療の給付範囲には移送にかかる費用が含まれるが，子ども医療費助成制度では移送にかかる費用は対象外であることが多い．

6) 養育医療の運用

厚生労働省の令和3年度行政事業レビューシート(0746)によれば，年度別の執行額の推移は補助率1/2で3,630百万円(平成30年度)，3,601百万円(令和元年度)，3,478百万円(令和2年度)となっており，給付人数(延べ)も例年7万人前後で大きな変化はない[12]．これは1件あたり10万円の補助を受けている計算になる．

5 都道府県による心身障害者医療費助成制度

都道府県や市区町村が実施している心身障害者(児)医療費助成(心身に重度の障害がある者に医療費の助成をする制度)は都道府県および市区町村自治体の実施する医療費助成であり給付制度が多様である．これらは自立支援医療に合わせて補完的に給付される．本項では東京都の例をとりあげ制度の概要について述べる．

東京都は医療費公費負担事業の一環として「心身障害者医療費助成制度」(マル障)として行っている．対象は東京都内在住の身体障害者手帳1級または2級，愛の手帳1度・2度である．対象除外者として所得制限基準額を超える例，生活保護・中国残留邦人等支援給付を受けている例・65歳以上から対象となった例，65歳までにマル障の申請を行わなかった例，後期高齢者医療の被保険者で住民税が課税されいてる例，などで，経済的に困窮するケースへの経済支援としての側面が色濃い制度である．助成は通院および入院に住民税課税対象者は一部自己負担，非課税者は負担なしとなっている．自立支援医療(更生・育成・精神通院)が優先され適応となり，またマル障・ひとり親家庭等医療費助成制度(マル親)・乳幼児医療費助成制度(マル乳)・義務教育就学児医療費の助成(マル子)は重複しない配慮を制度上行っている．医療機関のレセプト申請は併用レセプトで都外は心身障害者医療費請求書で申請する．給付は現金償還払いとなっている．東京都の場合は，医療費公費負担事業が多様に分かれており申請方法が異なるため確認が必要である．

➡ 文　献

1) 国民健康保険法施行規則(昭和33年12月27日　厚生省令第53号)

5. 医療費助成制度

2）厚生労働省：平成 27 年 9 月 2 日子どもの医療制度の在り方等に関する検討会資料「子どもの医療の費用負担の状況」 https://www.mhlw.go.jp/file/05-Shingikai-12401000-Hokenkyoku-Soumuka/0000096264.pdf
3）厚生労働省：「乳幼児等医療費に対する援助の実施状況（平成 28 年 4 月 1 日現在）」 https://www.mhlw.go.jp/file/04-Houdouhappyou-11908000-Koyoukintoujidoukateikyoku-Boshihokenka/0000169978.pdf
4）厚生労働省：第 100 回社会保障審議会医療保険部会資料「子ども医療費助成に係る国保の減額調整措置の在り方について」平成 28 年 11 月 18 日　https://www.mhlw.go.jp/file/05-Shingikai-12601000-Seisakutoukatsukan-Sanjikanshitsu_Shakaihoshoutantou/0000143272.pdf
5）厚生労働省：平成 28 年 12 月 22 日「『ニッポン一億総活躍プラン』に基づく子ども医療費助成に係る国保の減額調整措置に関する検討結果について」　保国発 1222 第 1 号国民健康保険課長通知　平成 28 年 12 月 22 日　http://www.nga.gr.jp/ikkrwebBrowse/material/files/group/2/03%20161217%20kokuho.pdf
6）小児慢性特定疾病情報センター　https://www.shouman.jp/
7）政府広報オンライン：難病と小児慢性特定疾病にかかる医療費助成のご案内　https://www.gov-online.go.jp/useful/article/201412/3.html
8）盛一享徳：小児慢性特定疾病児童等データベースの現状と活用．小児科臨床 74：621-627，2021
9）掛江直子：小児慢性特定疾病対策の現状．小児科臨床 74：614-620，2021
10）厚生労働省：未熟児養育事業の実施について．令和 2 年 12 月 25 日　子発 1225 第 2 号．【児発第 668 号（昭和 62 年 7 月 31 日）の第七次改正】
11）安藤秀雄：母子保健法．安藤秀雄，栗林令子（著），公費負担医療の実際知識 2017 年版．医学通信社，XX-XX，2017
12）厚生労働省：令和 3 年度行政事業レビューシート　事業番号 0746　https://www.mhlw.go.jp/jigyo_shiwake/gyousei_review_sheet/2021/2020_xls/746.xlsx

➡ **参考文献**

・東京都福祉保健局：心身障害費医療費助成制度（マル障）　https://www.fukushihoken.metro.tokyo.lg.jp/iryo/josei/marusyo.html
・東京都福祉保健局：【医療機関関係のみなさまへ】医療助成費の請求方法　https://www.fukushihoken.metro.tokyo.lg.jp/iryo/josei/iryoujoseiseikyuuhouhou.html

福祉制度

1 障害児者のための福祉制度

　18歳未満の障害児に対する福祉制度は，児童福祉法及び障害者の日常生活及び社会生活を総合的に支援するための法律（以下，障害者総合支援法）に書かれ，18歳以上の障害者に対する福祉制度は障害者総合支援法に書かれている．児童福祉法には小児慢性特定疾病が，障害者総合支援法には指定難病が含まれている．また，年金・手当・共済制度に関しては，別の法律に書かれている．

● 障害者総合支援法

　まず体系的に理解しやすい障害者総合支援法から説明する．障害者は，80項目にわたる障害支援区分認定調査を受けて障害の特性や心身の状態を評価され，市区町村審査会で総合的に障害支援区分が判定されて市区町村の認定を受け，障害福祉サービスの支給決定につながる．障害支援区分は区分1～6まであり，数字が大きいほうが重度で介護給付サービスの必要度が高い．たとえば人工呼吸管理を要する障害者は区分6に相当する．18歳未満の障害児の場合は，障害支援区分の判定を受けない代わりに，5領域10項目の調査を受けて障害福祉サービスの支給決定がなされる．

　障害者総合支援法の福祉制度は，障害福祉サービスと地域生活支援事業の二つに大別され，さらに，自立支援医療（I総論.5-3.自立支援医療制度参照）及び補装具（本章後述）の補助も障害者総合支援法に書かれている．

1）障害福祉サービス

　障害福祉サービスには，①居宅や地域で介護を受けるための「介護給付」，②自立訓練や就労移行支援を受けるための「訓練等給付」，及び③相談に乗ってもらうための「相談支援」の三つがある．③の相談支援窓口では，相談支援専門員という障害福祉の専門職が相談にのり，障害福祉サービスの利用計画を作ることとなっている．

　18歳未満の障害児の場合，上記の障害福祉サービスの一部の給付を受けることができる．詳細は図1～3[1]のとおりである．しかし，子どもが障害者総合支援法の障害福祉サービスを申請する例が少ないためか，子どもの保護者が市区町村の障害福祉の窓口で障害福祉サービスを申請すると，「前例がない」といって却下されることがままある．市

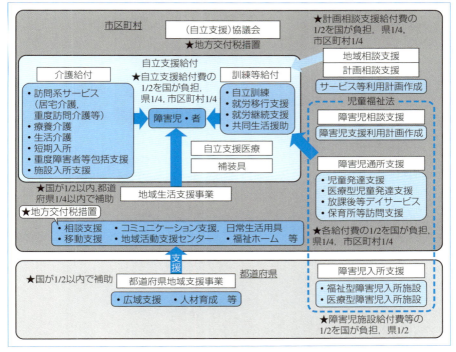

図1 障害福祉サービスの体系①

〔厚生労働省社会援護局障害保健福祉部障害福祉課障害児・発達障害者支援室:医療的ケアを要する重症心身障害児の福祉について 平成26年7月9日 https://www.mhlw.go.jp/file/06-Seisakujouhou-10800000-Iseikyoku/0000071085.pdf より改変〕

区町村の窓口担当者の知識不足が原因のこともままあるため,市区町村の窓口に行くときには相談支援専門員と一緒に行って粘り強く交渉することが必要になることがある.これらの障害福祉サービスは全国一律の制度である.

2) 地域生活支援事業

障害福祉サービスが全国一律であるのに対し,地域生活支援事業は市区町村独自でサービス内容を決めることができる.そのための予算は市区町村に多くの負担がかかることとなっている.地域生活支援事業のメニューとしては,日常生活用具給付,移動支援,意思疎通支援,成年後見制度利用支援,その他障害者等が自立した日常生活または社会生活を営むために必要な事業があげられる.地域生活支援事業の詳細は **a.** に述べ,日常生活用具給付の詳細は **b.** に述べる.市区町村によって提供されるサービス内容は様々なため,障害福祉制度に地域差ができる理由の一つとなっている.

I 総論

				サービス内容	利用者数	施設・事業所数
介護給付	訪問系	居宅介護	者児	自宅で、入浴、排泄、食事の介護等を行う	187,090	20,739
		重度訪問介護	者	重度の肢体不自由者または重度の知的障害もしくは精神障害により行動上著しい困難を有する障害者であって常時介護を必要とする人に、自宅で、入浴、排泄、食事の介護、外出時における移動支援、入院時の支援等を総合的に行う	11,353	7,334
		同行援護	者児	視覚障害により、移動に著しい困難を有する人が外出するとき、必要な情報提供や介護を行う	23,678	5,652
		行動援護	者児	自己判断能力が制限されている人が行動するときに、危険を回避するために必要な支援、外出支援を行う	10,675	1,800
		重度障害者等包括支援	者児	介護の必要性がとても高い人に、居宅介護等複数のサービスを包括的に行う	34	10
	日中活動系	短期入所	者児	自宅で介護する人が病気の場合などに、短期間、夜間も含め施設で、入浴、排泄、食事の介護を行う	38,765	4,448
		療養介護	者	医療と常時介護を必要とする人に、医療機関で機能訓練、療養上の管理、看護、介護及び日常生活の世話を行う	20,915	257
		生活介護	者	常に介護を必要とする人に、昼間、入浴、排泄、食事の介護等を行うとともに、創作的活動または生産活動の機会を提供する	289,517	11,416
	施設系	施設入所支援	者	施設に入所する人に、夜間や休日、入浴、排泄、食事の介護等を行う	126,708	2,584
訓練等給付	居住支援系	自立生活援助	者	一人暮らしに必要な理解力・生活力等を補うため、定期的な居宅訪問や随時の対応により日常生活における課題を把握し、必要な支援を行う	968	245
		共同生活援助	者	夜間や休日、共同生活を行う居で、相談、入浴、排泄、食事の介護、日常生活上の援助を行う	141,810	10,086
	訓練系・就労系	自立訓練(機能訓練)	者	自立した日常生活または社会生活ができるよう、一定期間、身体機能の維持、向上のために必要な訓練を行う	2,090	176
		自立訓練(生活訓練)	者	自立した日常生活または社会生活ができるよう、一定期間、生活能力の維持、向上のために必要な支援、訓練を行う	12,927	1,210
		就労移行支援	者	一般企業等への就労を希望する人に、一定期間、就労に必要な知識及び能力の向上のために必要な訓練を行う	34,554	3,023
		就労継続支援(A型)	者	一般企業等での就労が困難な人に、雇用して就労の機会を提供するとともに、能力等の向上のために必要な訓練を行う	75,870	3,943
		就労継続支援(B型)	者	一般企業等での就労が困難な人に、就労する機会を提供するとともに、能力等の向上のために必要な訓練を行う	282,678	13,891
		就労定着支援	者	一般就労に移行した人に、就労に伴う生活面の課題に対応するための支援を行う	12,835	1,363

(注)1.表中の①者は「障害者」、②児は「障害児」であり、①者が利用できるサービスにマークを付している。 2.利用者数および施設・事業所数は、令和3年1月サービス提供分(国保連データ)

図2 障害福祉サービスの体系②

[厚生労働省社会・援護局障害保健福祉部障害福祉課障害児・発達障害者支援室:医療的ケアを要する重症心身障害児の福祉について 平成26年7月9日 https://www.mhlw.go.jp/file/06-Seisakujouhou-10800000-Iseikyoku/0000071085.pdf より改変]

6. 福祉制度

図3 障害福祉サービスの体系③

			サービス内容	利用者数	施設・事業所数
障害児通所系	児童発達支援	児	日常生活における基本的な動作の指導、知識技能の付与、集団生活への適応訓練などの支援を行う	136,586	8,265
	医療型児童発達支援	児	日常生活における基本的な動作の指導、知識技能の付与、集団生活への適応訓練などの支援及び治療を行う	1,843	89
	放課後等デイサービス	児	授業の終了後または休校日に、児童発達支援センター等の施設に通わせ、生活能力向上のための必要な訓練、社会との交流促進などの支援を行う	247,851	15,834
障害児訪問系	居宅訪問型児童発達支援	児	重度の障害のため外出が著しく困難な障害児の居宅を訪問して発達支援を行う	232	84
	保育所等訪問支援	児	保育所、乳児院・児童養護施設等を訪問し、障害児に対して、障害児以外の児童との集団生活への適応のための専門的な支援などを行う	9,056	977
障害児入所系	福祉型障害児入所施設	児	施設に入所している障害児に対して、保護、日常生活の指導及び知識技能の付与を行う	1,416	185
	医療型障害児入所施設	児	施設に入所または指定医療機関に入院している障害児に対して、保護、日常生活の指導及び知識技能の付与並びに治療を行う	1,838	194
相談支援に係る給付	計画相談支援	児 者	【サービス利用支援】 ・サービス申請に係る支給決定前にサービス等利用計画案を作成 ・支給決定後、事業者等と連絡調整等を行い、サービス等利用計画を作成 【継続利用支援】 ・サービス等の利用状況等の検証（モニタリング） ・事業所等と連絡調整、必要に応じて新たな支給決定等に係る申請の勧奨	189,573	9,082
	障害児相談支援	児	【障害児利用援助】 ・障害児通所支援の申請に係る給付決定の前に利用計画案を作成 ・給付決定後、事業者等と連絡調整等を行うとともに利用計画を作成 【継続障害児支援利用援助】	54,662	5,248
	地域移行支援	者	住居の確保等、地域での生活に移行するための活動に関する相談、各障害福祉サービス事業所への同行支援等を行う	513	303
	地域定着支援	者	常時、連絡体制を確保し障害の特性に起因して生じた緊急事態等における相談、障害福祉サービス事業所等と連絡調整などの緊急時の各種支援を行う	3,882	571

※障害児支援は、個別に利用の要否を判断（支給区分を認定する仕組みとはなっていない）　※相談支援は、個別に利用の要否を判断。支給区分によらず利用要件（支援区分を利用要件としていない）
（注）1. 表中の 者 は「障害者」、児 は「障害児」、児 者 は利用できるサービスにマークをつけている。2. 利用者数及び施設・事業所数は、令和3年1月サービス提供分（国保連データ）
　　 ※障害児支援は、個別に利用の要否を判断する仕組みとし、支援区分を認定する重症心身障害児の福祉と療育について　平成26年7月9日　https://www.mhlw.go.jp/file/06-Seisakujouhou-10800000-Iseikyoku/0000071085.pdf より改変）

[厚生労働省社会援護局障害保健福祉部障害福祉課障害児・発達障害者支援室：医療的ケアを要する重症心身障害者の福祉について　平成26年7月9日　https://www.mhlw.go.jp/file/06-Seisakujouhou-10800000-Iseikyoku/0000071085.pdf より改変]

a. 地域生活支援事業のメニュー

障害者総合支援法第77条より以下に概括する．
一　障害者等の自立した生活に関する理解を深めるための研修及び啓発を行う事業
二　障害者等が自立した生活を営むための自発的な活動に対する支援を行う事業
三　障害者等からの相談に応じるとともに虐待を防止するための事業
四　成年後見制度が必要な障害者にその費用を支給する事業
五　障害者の後見や保佐ができる人材の育成及び活用を図るための研修を行う事業
六　障害のため意思疎通に支障がある障害者等につき手話などの意思疎通支援者の派遣，日常生活用具を給付または貸与する事業
七　意思疎通支援者を養成する事業
八　移動支援事業
九　障害者等を地域活動支援センター等に通わせ創作活動，生産活動，社会との交流を促進する事業

上記の事業のほか，住居を求めている障害者につき低額な料金で福祉ホームを利用させ日常生活に必要な便宜を供与する事業，その他の障害者等が自立した日常生活または社会生活を営むために必要な事業を行うことができる．

b. 日常生活用具の給付・貸与について

日常生活用具には，介護・訓練支援用具，自立生活支援用具，在宅療養等支援用具（電動式痰吸引器や視覚障害者用体温計など），情報・意思疎通支援用具（点字器や人工喉頭など），排泄管理支援用具（ストーマ用装具など）が含まれる．また居宅生活動作補助用具（住宅改修費）も含まれる．子どもではおむつ，吸引器，介護用ベッドの給付を受けることが多い．

3) 自立支援医療及び補装具

自立支援医療については，I総論．5-3．自立支援医療制度を参照されたい．補装具の購入・補修については，身体障害者手帳で一定の障害が認定されている場合に以下のような補装具費が助成される．
①視覚障害：眼鏡，義眼，盲人安全杖
②聴覚障害：補聴器
③肢体不自由：義肢，装具，座位保持装置，（電動）車椅子，歩行器，歩行補助杖
④その他：重度障害者用意思伝達装置

4) 自立支援協議会

障害者総合支援法第89条3項には，「地方公共団体は，単独で又は共同して，障害者等への支援の体制の整備を図るため，関係機関，関係団体並びに障害者等及びその家族並びに障害者等の福祉，医療，教育又は雇用に関連する職務に従事する者その他の関係

者により構成される協議会を置くように努めなければならない」と書かれている．これがいわゆる自立支援協議会である．自立支援協議会は，障害者相談支援事業などの実績を検証・評価し，サービス等利用計画等の質の向上を目指し，個別の相談事例を通じて明らかになった地域の課題を共有し，地域のサービス基盤の整備を着実に進めていく役割を担っている．

◉ 児童福祉法

児童福祉法に基づいて18歳未満の障害児が受けられるサービスは，①障害児通所支援，②障害児入所支援，③障害児相談支援の三つに大別される（発達障害に関しては，本章発達障害の子どもの受けるサービスも参照）．

1）障害児通所支援

a. 児童発達支援

学校に通っていない子ども（未就学児及び中学校卒業生）を通わせて提供する療育のサービスを児童発達支援という．児童発達支援を行う施設には，児童発達支援センターと児童発達支援事業所の2種類がある．児童発達支援センターは規模が大きく，障害児を通わせるだけでなく，地域の障害児やその家族への相談，保育所等訪問支援（後述），障害児を預かる施設への援助・助言も併せて行うなど，地域の中核となって療育の支援を行い，全国に187か所ある（令和元年現在）．児童発達支援事業所は，少数の利用者が通う小規模で身近な療育施設のことが多く，全国に8,265か所（令和2年現在）ある．児童発達支援や放課後等デイサービスの施設が医療的ケア児を受け入れた場合，障害福祉サービスの報酬が令和3年度から大幅に引き上げられた．その報酬を受け取るためには主治医が医療的ケア判定スコア（新版）を記載する必要があるため，この点で小児科医は通所支援施設とかかわりをもつことになる．

b. 医療型児童発達支援

医療型児童発達支援とは，肢体不自由児がリハビリという医療を行うための通所施設サービスである．「医療型」という名前を冠しているが，気管切開などの医療ケアに対応できるわけではない．事業所数は全国に89か所と非常に少ない．

c. 放課後等デイサービス

学校に通学する障害児に対して，放課後等に生活能力向上のための訓練等を継続的に提供する．夏休み等の長期休暇中にも対応する．特別支援学校の授業が終わった後，送迎車が放課後等デイサービス施設へ送迎してくれることもある．障害児の自立を促進しながら，放課後等の居場所作りにも役立っている．全国に1.5万か所あり，児童発達支援と放課後等デイサービスを併用運営しているところも多い．児童発達支援と放課後等デイサービスに通う子どものほとんどは発達障害のある子どもであるが，施設の中には

重症心身障害児を主に通わせる事業所が約500か所あり，その多くは患者家族が施設を立ち上げた歴史をもっている．

d．保育所等訪問支援

保育所等（保育所や幼稚園）に通所している障害児，または通所する予定のある障害児が，保育所等における集団生活の適応のための専門的な支援を必要とする場合に，児童発達支援センターや訪問看護ステーションなどから専門職が派遣され，保育所等に助言するサービスである．実施する施設は全国に977か所ある．

e．居宅訪問型児童発達支援

重度の障害のために外出が著しく困難な子どもに対して，児童発達支援センターから自宅に訪問支援員を派遣して療育を提要するサービスである．平成30年度に発足したばかりの制度で，全国に84か所ある．

2）障害児入所支援

かつて障害児が入所する施設には，重症心身障害児施設，肢体不自由児施設，知的障害児施設，自閉症児施設，盲児施設，ろうあ児施設など様々あったが，平成24年度に整理されて医療型障害児入所施設と福祉型障害児入所施設に大別され，重複障害等に対応するとともに地域の施設不足に対応できるようにした．医療型障害児入所施設は重症心身障害児施設，肢体不自由児施設及び医療を要する自閉症児施設を統合し，全国に194か所ある．福祉型障害児入所施設は185か所ある．多くの患者は契約により入所するが，被虐待児の場合は児童相談所の判断で措置入所となることもある．

3）障害児相談支援

障害者総合支援法に相談支援サービスがあるのと同様に，児童福祉法にも障害児相談支援サービスがある．相談支援専門員という障害福祉の専門職が相談にのってくれ，障害児がサービスを利用する計画（障害児支援計画）を作ってくれる．介護保険におけるケアマネージャーのような存在である．また，医療的ケアが必要な障害児に関しては，医療的ケア児等コーディネーターという医療の専門知識をもった相談支援専門員に相談するのがよい．

● 年金・手当

障害児に関連してもらえる現金給付としては「特別児童扶養手当」「障害児福祉手当」の二つがあり，いずれも「特別児童扶養手当等の支給に関する法律」に書かれている[2]．特別児童扶養手当は障害児を監護・養育する保護者に対して支給される．障害児福祉手当は重度障害児に対して支給される．この二つについては，小児科医が認定診断書を書くことが多い．よく似た名前で「児童扶養手当」があるが，これは母子家庭もしくは父子家庭を対象に支給されるため，医療や障害とは関係がない．

成人の障害者の場合は，「特別障害者手当」と「障害年金」がある[3]．「特別障害者手当」は「特別児童扶養手当等の支給に関する法律」に規定されており，児童福祉手当の成人版である．障害年金には「障害基礎年金」と「障害厚生年金」があり，障害の原因となる病気やけがではじめて医師の診療を受けたときに国民年金に加入していた場合は「障害基礎年金」，厚生年金に加入していた場合は「障害厚生年金」が支給される．障害厚生年金に該当する状態よりも軽い障害が残った場合は，障害手当金（一時金）がある．障害年金における障害の等級は，身体障害者手帳や精神障害者保健福祉手帳における等級とは異なることに注意する必要がある．国民年金への任意加入を怠ったことにより障害基礎年金等が受給できない障害者には「特別障害給付金制度」がある．

⦿ 障害者手帳

　障害者手帳とは，障害のある者が受けることができる手帳である．障害者手帳を取得することにより，障害の種類や程度に応じて様々な福祉サービスを受けることが可能となる．障害者手帳は，一般に①身体障害者手帳，②療育手帳，③精神障害者保健福祉手帳の総称である．

1）身体障害者手帳

　身体障害者福祉法に定める身体上の障害がある者に対して，都道府県知事，指定都市市長または中核市市長が交付する．具体的には「視覚障害，聴覚又は平衡機能の障害，音声機能，言語機能又はそしゃく機能の障害，肢体不自由，心臓，じん臓又は呼吸器の機能の障害，ぼうこう又は直腸の機能の障害，小腸の機能の障害，ヒト免疫不全ウイルスによる免疫の機能の障害，肝臓の機能の障害」をもつ障害者が対象であり，その程度に応じて1〜6級に分けられる．医師意見書・診断書の作成は都道府県が指定した医師による．

2）療育手帳

　知的障害児者への一貫した指導・相談を行うとともに，これらの者に対して各種の援助措置を受けやすくするため，児童相談所または知的障害者更生相談所において知的障害と判定された者に対して，都道府県知事または指定都市市長が交付する．交付対象は，知的機能の障害が発達期（おおむね18歳まで）に現れ，日常生活に障害が生じているため，何らかの特別な援助を必要とする場合である．障害程度によりA（重度），B（それ以外）に分けられる．

3）精神障害者保健福祉手帳

　一定の精神障害の状態（てんかんや発達障害を含む）にあることを認定するものである．指導・相談や各種の福祉サービスを受けやすくし，精神障害者の社会復帰，自立及び社会参加の促進を図ることを目的として，都道府県知事または指定都市市長が交付する．障害程度により1〜3級に分けられる．

● 発達障害の子どもの受けるサービス

1) 発達障害のある子ども,または疑われる子どものための主な相談機関

a. 保健所,保健センター

乳幼児健康診査や保健師による助言を受けることができる.発達障害が疑われる場合はまず,保健所あるいはかかりつけ医に相談するとよい.

b. 地域療育センター

発達障害やその心配のある子どもを対象に診療,療育,評価,相談を行う.直接支援だけでなく医療機関や保育所などとも連携して包括的に支援する.

c. 児童相談所

児童福祉関係の総合窓口となる.療育手帳の申請,福祉型短期入所の判定は児童相談所で行う.療育手帳は知的障害があると判定された子どもに対して都道府県知事または政令指定都市市長が交付する.障害者総合支援法または児童福祉法による福祉サービスや自治体による様々な福祉サービスを受けるときに必要である.なお療育手帳は自治体により名称が異なる.

2) 児童福祉法に基づくサービスと基本的な手続きの流れ

障害児の支援は従来,障害別に分かれていたが,児童福祉法の改正により一元化された.表1に発達障害児が主に利用する障害福祉サービスを,図4に基本的な流れを示す.

3) 障害児通所支援

a. 児童発達支援

対象は集団療育および個別療育を行う必要があると認められる未就学の障害のある子ども.日常生活における基本的な動作の指導や集団生活への適応訓練を行うことが目的である.児童発達支援センターまたは児童発達支援事業所でサービスを受けることができる.児童発達支援センターは地域の障害児支援の拠点として,障害児や家族の支援,障害児を預かる施設に対する支援などを行う.児童発達支援事業所は身近な療育の場である.いずれも施設要件として,児童指導員,保育士,児童発達支援管理責任者の配置が決められている.診療報酬を表2に示す.

利用を希望するときは,住まいの市区町村の福祉課または保健センターが窓口になる.保護者が窓口にサービスの申請をすると,指定障害児相談支援事業者が利用計画案を作成する.利用計画案をもとに市区町村がサービス内容,支給期間,支給量,利用者負担の上限などを決定し,受給者証を発行する.障害児支援利用計画に基づきサービスを行う事業所と契約し,利用開始となる.申請には療育手帳か医師意見書が必要となる.

b. 放課後等デイサービス

対象は小・中・高等学校に就学していて授業の終了後と休業日に支援が必要な子ども.

6. 福祉制度

表1 発達障害児が主に利用する障害福祉サービス(児童福祉法)

障害児通所支援	児童発達支援，放課後等デイサービス
障害児訪問支援	保育所等訪問支援
障害児入所支援	福祉型障害児入所施設
計画相談支援	計画相談支援，障害児相談支援

1. 相談・情報収集
   サービスの利用を希望する保護者は市区町村の福祉課に相談する

2. 利用申請
   具体的に利用希望のサービスが決まったら，保護者は市区町村の福祉課にサービス申請をする

3. 障害児支援利用計画案の作成
   相談支援事業者に依頼して障害児支援利用計画案を作成する．相談支援員は障害児が利用するための支援や調整を行う

4. 支給決定・受給者証発行
   障害児支援利用計画書を市区町村の福祉課に提出する．支給が決定すると受給者証が発行される

5. 相談支援員による利用方法調整
   相談支援員は支給内容をふまえて，サービス利用を希望する事業者と利用方法を調整，障害児利用計画を作成して契約を交わす

図4 障害児通所支援

表2 児童発達支援の診療報酬

報酬単価(利用定員に応じた設定)	児童発達支援センター(重症心身障害児以外)	778〜1,086単位
	児童発達支援事業所(重症心身障害児以外)	486〜885単位
個別サポート加算(Ⅰ)	ケアニーズの高い児童(著しく重度および行動上の課題のある児童)への支援を評価	
個別サポート加算(Ⅱ)	虐待等の要保護児童等への支援について評価	
専門的支援加算	専門的支援を必要とする児童のため専門職の配置を評価	
事業所内相談支援加算	障害児や保護者の相談支援，ペアレントトレーニングを行った場合	
児童指導員等加配加算	基準人員に加えて児童指導員等を加配した場合に評価	

表3　放課後等デイサービスの診療報酬

基本報酬(利用定員に応じた単価)	授業終了後(重症心身障害児以外)	302〜604 単位
	休業日(重症心身障害児以外)	372〜721 単位
個別サポート加算(Ⅰ)	著しく重度および行動上の問題のある児への支援を評価	
個別サポート加算(Ⅱ)	虐待等の要保護児童等への支援について評価	
事業所内相談支援加算	障害児や保護者の相談支援，ペアレントトレーニングを行った場合	
児童指導員等加配加算	基準人員に加えて児童指導員等を加配した場合に評価	

表4　保育所等訪問支援の診療報酬

基本報酬	保育所等訪問支援給付費	988 単位
加算	初回加算	200 単位
	訪問支援員特別加算*	679 単位

*:「訪問支援員特別加算」は専門職員の要件がある

表5　福祉型短期入所の診療報酬

基本報酬	福祉型短期入所サービス費　169〜903 単位
	障害支援区分に応じた単位設定
加算	緊急短期入所受入加算　　　　　180 単位

生活能力の向上のための訓練や自立を促すこと，放課後等の居場所作りが目的である．

放課後等デイサービスは，保護者が障害のある子どもを育てることを社会的に支援する側面もある．診療報酬を表3に示す．手続きの流れは児童発達支援と同様である．

4) 障害児訪問支援

a. 保育所等訪問支援

対象は保育所などの施設に通い，集団での生活や適応に専門的な支援が必要と認められた子ども．専門的な知識をもつスタッフが保育所や幼稚園，認定こども園，学校，特別支援学校，放課後児童クラブなど集団生活を営む施設を訪問し，対象となる子どもの集団生活への適応のために専門的な支援を行うことを目的とする．平成30年からは乳児院や児童養護施設に入所している子どもたちも対象として追加された．訪問先では対象となる子ども本人への直接支援とスタッフに対する間接支援を行う．

保育所等訪問支援事業所は障害児通所支援事業所，障害児相談支援事業所などを兼ねることが多く，管理者，児童発達支援管理責任者，訪問支援員の配置が必要になる．訪問支援員は児童指導員や保育士，理学療法士，作業療法士，言語聴覚士などのリハビリ職員，心理担当職員などである．診療報酬を表4に示す．

保育所等訪問支援を利用するには，保護者が住まいの市区町村の福祉課に相談し，障害児相談支援業者を選ぶ．相談支援業者は訪問先に出向いて支援が必要かアセスメントする．必要と判断した場合は障害児支援利用計画を作成して，市区町村から支給決定を受ける．保育所等訪問を実施する事業所の管理者が個別支援計画を作成して保護者に説明し，利用開始となる．医師の意見書や療育手帳は必要ない．

表6 障害児相談支援の基本報酬

報酬区分	1月当たり
機能強化型障害児支援利用援助費(I)〜(IV)（算定要件による）	1,792〜2,027単位

機能強化型の算定要件は常勤専従の支援専門員1名以上も配置と複数の事業所で24時間の連携体制が組まれていること

表7 サービス利用中にモニタリングを行ったときの報酬

報酬区分	1月当たり
機能強化型継続障害児支援利用援助費(I)〜(IV)（算定要件による）	1,360〜1,613単位

表8 加算

初回加算	利用開始前に月2回以上面談	300単位
集中支援加算	サービス利用中，担当者会議などへの参加	300単位
保育・教育等移行支援加算	サービス利用者を保育所や小学校へ引き継ぐに当たって支援を行った場合	100〜300単位

5）障害児入所支援

a．福祉型短期入所

短期入所とは障害児の家族が疲れを癒したり，用事を済ませたりするために障害者を預かるサービス．知的障害のある子ども，または精神に障害のある子ども（発達障害を含む）は福祉型障害児入所施設に入所する．療育手帳の有無は問わず，児童相談所，医師により療育の必要性が認められた子どもを含む．診療報酬を表5に示す．

6）障害児相談支援

平成27年度から障害児通所支援を利用するすべての障害児の保護者が対象となった．障害児の保護者が市区町村の窓口で通所支援や訪問支援の相談，申請を行ったとき，指定特定相談支援事業所の相談支援専門員により障害児支援利用計画が作成される．

市区町村による支給決定後，サービス担当者会議が開かれ，利用契約した事業所の担当者が個別支援計画を作成する．サービスは相談支援専門員によりモニタリングされ，継続的なサービス利用支援がなされる．障害児相談支援の基本報酬を表6，サービス利用中にモニタリングを行ったときの報酬を表7，加算を表8に示す．

● 重度障害児者の入院医療

重度の障害のある子どもや成人の患者が入院する場合の診療報酬は多岐にわたっており，かなり複雑で理解が困難である．できるだけ簡便に説明する．

表9 小児入院医療管理料の全体像

小児入院医療管理料	1	2	3	4	5
点数	4,750点	4,224点	3,803点	3,171点	2,206点
小児科常勤医数	20以上	9以上	5以上	3以上	1以上
看護配置	7：1以上			10：1以上	15：1以上
病棟の基準	専ら15歳未満の小児を入院させる病棟 （小児慢性特定疾病の対象である場合は20歳未満の者）			専ら小児を入院させる病床が10床以上	—
超重症児(者)入院診療加算・準超重症児(者)入院診療加算	判定基準による判定スコアが25点以上（超重症児），10点以上（準超重症児）の医療ケア児者 介助によらなければ座位保持できない肢体不自由があること				
重症児受入体制加算（1日200点）	—			保育士1名以上，30 m²プレイルームと遊具等，NICUからの転院患者が直近1年間に5以上入院または超重症児または準超重症児が直近1年間に10名以上入院	

〔厚生労働省：基本診療料の施設基準等及びその届出に関する手続きの取扱いについて（通知），令和2年3月5日保医発0305第2号 https://www.mhlw.go.jp/content/12400000/000666310.pdf より作成〕

1）小児病棟における重度障害児

A212 超重症児（者）入院診療加算・準超重症児（者）入院診療加算

1 超重症児（者）入院診療加算
 イ 6歳未満の場合   800点
 ロ 6歳以上の場合   400点

2 準超重症児（者）入院診療加算
 イ 6歳未満の場合   200点
 ロ 6歳以上の場合   100点

　超・準超重症児を病棟に入院させた場合，「超重症児（者）入院診療加算・準超重症児（者）入院診療加算」を算定することができる．加算の対象となる病棟は一般病棟だけでなく，小児入院医療管理料1〜5を算定する小児病棟（表9）[4]，障害者施設等，特殊疾患病棟，療養病棟など幅広く，本項で紹介するすべての病棟で算定できる．超・準超重症児がICU，PICU，NICU出身者である場合には，さらに入院日から5日を限度として「救急・在宅重症児（者）受入加算」（200点）を加算できる．

　超重症児（者）とは，判定基準による判定スコアが25点以上であって，介助によらなければ座位が保持できず，かつ，人工呼吸器を使用する等，特別の医学的管理が必要な状態が6か月以上継続している状態である．また，準超重症児とは，判定基準による判定スコアが10点以上であって，超重症児（者）に準ずる状態である．判定スコアの詳細につ

表10 別添6の別紙14　超重症児(者)・準超重症児(者)の判定基準

以下の各項目に規定する状態が6か月以上継続する場合に，それぞれのスコアを合算する．
1. 運動機能：座位まで
2. 判定スコア(=スコア)
　(1) レスピレーター管理=10
　(2) 気管内挿管，気管切開=8
　(3) 鼻咽頭エアウェイ=5
　(4) O_2吸入またはSpO$_2$ 90％以下の状態が10％以上=5
　(5) 1回/時間以上の頻回の吸引=8
　　　6回/日以上の頻回の吸引=3
　(6) ネブライザー6回/日以上または継続使用=3
　(7) IVH=10
　(8) 経口摂取(全介助)=3
　　　経管(経鼻・胃ろう含む)=5
　(9) 腸ろう・腸管栄養=8
　　　持続注入ポンプ使用(腸ろう・腸管栄養時)=3
　(10) 手術・服薬にても改善しない過緊張で，発汗による更衣と姿勢修正を3回/日以上=3
　(11) 継続する透析(腹膜灌流を含む)=10
　(12) 定期導尿(3回/日以上)=5
　(13) 人工肛門=5
　(14) 体位交換6回/日以上=3

〈判　定〉

1の運動機能が座位までであり(※介助によらなければ座位が保持できない状態)，かつ，2の判定スコアの合計が25点以上の場合を超重症児(者)，10点以上25点未満である場合を準超重症児(者)とする．

〔厚生労働省：基本診療料の施設基準等及びその届出に関する手続きの取扱いについて(通知)．令和2年3月5日保医発0305第2号　https://www.mhlw.go.jp/content/12400000/000666310.pdf〕

いては**表10**[4)]を参照されたい．

・重症児受入体制加算　200点

　小児入院医療管理料3～5については，上記の超・準超重症児(者)入院診療加算に加え，さらに重症児受入体制加算を算定できる．ただし施設基準として，NICUからの転院患者が年間5名以上または超重症児・準超重症児が年間10名以上入院すること，かつ1名以上の常勤保育士及び30 m^{2}以上のプレイルームと遊具等を配置しなければならないことになっている．

2) 一般病棟における重度障害児者

A210 1 難病患者等特別入院診療加算　250点

　規定の「難病患者等」を一般病棟に入院させた場合，一般病棟入院基本料に難病患者等特別入院診療加算を算定することができる．小児入院医療管理料を算定している場合

I 総論

表11 別表第6 難病患者等入院診療加算に係る疾患

多発性硬化症，重症筋無力症，スモン，筋萎縮性側索硬化症，脊髄小脳変性症，ハンチントン病，パーキンソン病関連疾患（進行性核上性麻痺，大脳皮質基底核変性症及びパーキンソン病），多系統萎縮症（線条体黒質変性症，オリーブ橋小脳萎縮症及びシャイ・ドレーガー症候群），プリオン病，亜急性硬化性全脳炎，ライソゾーム病，副腎白質ジストロフィー，脊髄性筋萎縮症，球脊髄性筋萎縮症，慢性炎症性脱髄性多発神経炎，メチシリン耐性黄色ブドウ球菌感染症（開胸心手術または直腸悪性腫瘍手術の後に発症したものに限る），後天性免疫不全症候群（HIV感染を含む），多剤耐性結核

〔厚生労働省：基本診療料の施設基準等の一部を改正する件（令和2年3月5日厚生労働省告示第58号）　https://www.mhlw.go.jp/content/12400000/000602943.pdf〕

表12 特殊疾患入院施設管理加算で述べる「神経難病患者」の定義

多発性硬化症，重症筋無力症，スモン，筋萎縮性側索硬化症，脊髄小脳変性症，ハンチントン病，パーキンソン病関連疾患（進行性核上性麻痺，大脳皮質基底核変性症，パーキンソン病（ホーエン・ヤールの重症度分類がステージ3以上であって生活機能障害度がⅡ度またはⅢ度のものに限る）），多系統萎縮症（線条体黒質変性症，オリーブ橋小脳萎縮症，シャイ・ドレーガー症候群），プリオン病，亜急性硬化性全脳炎，ライソゾーム病，副腎白質ジストロフィー，脊髄性筋萎縮症，球脊髄性筋萎縮症，慢性炎症性脱髄性多発神経炎，もやもや病（ウイリス動脈輪閉塞症）

〔厚生労働省：基本診療料の施設基準等の一部を改正する件（令和2年3月5日厚生労働省告示第58号）　https://www.mhlw.go.jp/content/12400000/000602943.pdf〕

は，これを算定できない．

　ここで規定されている難病患者等とは，難病法に規定される指定難病とは別のもので，多発性硬化症，筋萎縮性側索硬化症，パーキンソン病関連疾患などの神経難病15疾患及び難治性の感染症3疾患の患者のことを指す（表11）[5]．ここの神経難病15疾患は，後に述べる「特殊疾患」に含まれる神経難病16疾患（表12）[5]と比較すると，なぜか1疾患だけ少ない（もやもや病が含まれない）．

|A306 特殊疾患入院医療管理料|　　2,070点

　一般病棟の中に，長期にわたって規定の「特殊疾患患者」をおおむね8割以上入院させる病室を作っている場合，特殊疾患入院医療管理料という特定入院料を算定できる．ただし，当該病院の中に療養病棟，障害者施設等，特殊疾患病棟があってはならない．

　特殊疾患患者とは，脊髄損傷等の重度障害者，重度の意識障害者，筋ジストロフィー患者または「神経難病患者」のことをいう．ここでいう神経難病とは，表12にある16疾患のことである．

　看護配置が10対1以上であること，患者1人あたりの病室床面積が6.4 m^{2}以上であることなどが求められる．診療にかかる費用は管理料の中に包括される（除外薬剤・注射薬の費用を除く）．令和元年6月の調査によれば，全国で32施設，444床とかなり少ない．

3）障害児者の施設における重度障害児者

　医療型障害児入所施設とは，かつての重症心身障害児施設，医療提供を行う肢体不自由児施設及び医療提供を行う自閉症児施設の三つを統合したもので，全国に194か所ある．うち重症心身障害児をみる施設は135か所ある．旧国立病院（国立療養所）が運営している重症心身障害病棟は75か所あり，児童福祉法に指定発達支援医療機関として規定されている．これらの施設は病院でもあるため，入所している子どもに対して健康保険から障害者施設等入院基本料が算定され，さらに国と都道府県の障害福祉の財源から医療型障害児入所施設給付費が給付される．これら子どもが点滴や持続酸素投与など高度な医療を必要とする場合には，医療費が出来高で算定される．

　福祉型障害児入所施設は，かつての自閉症児施設，盲児施設，ろうあ児施設，肢体不自由児療護施設を統合したもので，全国に185か所ある．これらの施設に入所している子どもに対しては，国と都道府県の障害福祉の財源から福祉型障害児入所施設給付費が給付されている．福祉型障害児入所施設は児童福祉施設であって病院ではない．処方などの医療が必要な子どもは，嘱託されている診療所から外来医療として提供されている．外来医療でできることは限られているため，点滴や持続酸素投与など高度な医療が必要になった場合は，近隣の病院へ入院させることになる．

A106 障害者施設等入院基本料

1　7対1入院基本料　　　1,615点
2　10対1入院基本料　　 1,356点
3　13対1入院基本料　　 1,138点
4　15対1入院基本料　　　 995点

　重度の肢体不自由者，脊髄損傷等の重度障害者，重度の意識障害者（いずれも脳卒中の後遺症の患者及び認知症の患者を除く），筋ジストロフィー患者，神経難病患者等が障害者施設等一般病棟に入院した場合，看護配置に応じた障害者施設等入院基本料が算定できる．病棟とよんでいるが，施設と考えたほうが理解しやすい．患者の病態変動が大きく処置が多いため，投薬，検査，注射，処置等の診療にかかる費用は出来高払いとなっている．全国に882施設7.0万床ある（図5）[6]．

　脳卒中の後遺症で重度の意識障害があり，かつ医療区分2・1（後述するが，入院医療の必要度が高くない状態）に相当する患者については，報酬額が療養病棟に合わせて低く設定され，しかも包括払いとなる（除外薬剤・注射薬の費用を除く）．これは，脳卒中患者が当該病棟に多く入ることを制限するためである．

　障害者施設等一般病棟には，下記の2種類ある．
①児童福祉法第42条第2号に規定する医療型障害児入所施設，または同法第6条の2の2第3項に規定する指定発達支援医療機関に係る一般病棟（つまり旧国立療養所の

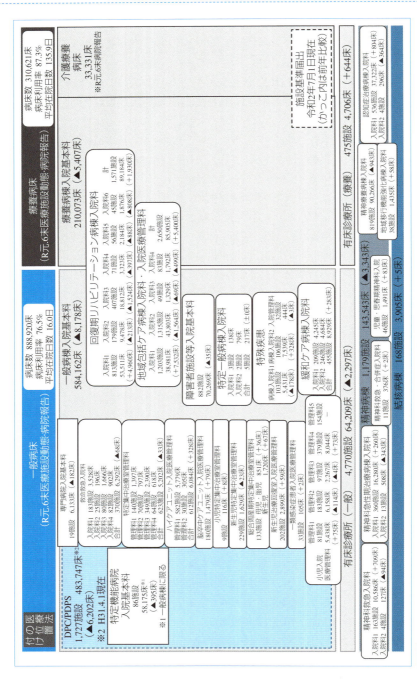

図5 診療報酬における機能に応じた病床の分類(令和元年6月調査)

(中央社会保険医療協議会(入院医療等の調査・評価分科会):令和3年度入院医療等の調査・評価分科会とりまとめ資料. 令和3年10月27日 https://www.mhlw.go.jp/content/12404000/000849059.pdf)

重症心身障害病棟のこと）．

②重度の肢体不自由児（者），脊髄損傷等の重度障害者，重度の意識障害者（いずれも脳卒中の後遺症の患者及び認知症の患者を除く），筋ジストロフィー患者，難病患者等をおおむね7割以上入院させている病棟で，かつ看護配置が10対1以上であること．

7対1入院基本料を算定できるのは，①の施設でかつ超重症児・準超重症児が入院患者の30%以上を占める場合のみである．

A211 特殊疾患入院施設管理加算　350点

障害者施設等一般病棟において，重度の肢体不自由児（者），脊髄損傷等の重度障害者，重度の意識障害者，筋ジストロフィー患者または神経難病患者（いわゆる特殊疾患）をおおむね7割以上入院させている場合に，障害者施設等入院基本料にこの加算を算定できる．看護配置は10対1以上である．

A106 注5 特定入院基本料　969点

障害者施設等一般病棟に90日を超えて入院し，特定除外項目に該当しない場合は，障害者施設等入院基本料から特定入院基本料へ強制的に移行させられ，診療にかかる費用は出来高払いから包括払いに変更される（除外薬剤・注射薬の費用を除く）．

A309 特殊疾患病棟入院料

1　特殊疾患病棟入院料1　2,070点
2　特殊疾患病棟入院料2　1,675点

特殊疾患病棟とは，主として重度の肢体不自由児（者），脊髄損傷等の重度の障害者，重度の意識障害者（いずれも脳卒中の後遺症及び認知症の患者を除く），筋ジストロフィー患者または神経難病患者，つまり特殊疾患患者を長期にわたり入院させる病棟であり，特殊疾患病棟入院料という特定入院料を算定できる．病棟とよぶよりも施設と考えたほうが理解しやすい．

特殊疾患病棟が障害者施設等一般病棟と異なる点は，患者の病態が安定して医療の必要度がやや低いこと，重度の意識障害の患者が比較的多いこと，診療にかかる費用が入院料に包括されていることである（除外薬剤・注射薬を除く）．

同入院料1は特殊疾患患者をおおむね8割以上入院させる病棟で算定され，同入院料2は，医療型障害児入所施設または指定発達支援医療機関，もしくは特殊疾患以外の重度の肢体不自由児（者）や障害者をおおむね8割以上入院させる病棟で算定される．ともに看護配置は10対1以上，専任の常勤医師がいること，患者1人当たりの病室床面積が16 m^2以上であることなどが求められる．

脳卒中の後遺症で重度の意識障害があり，かつ医療区分2・1に相当する患者については，報酬額が療養病棟に合わせて低く設定される．これは，脳卒中患者が当該病棟に多く入ることを制限するためである．

同入院料1を算定する病床は全国に103施設で約5.4千床，同入院料2を算定する病床は106施設で7.5千床あり，障害者施設等一般病棟の882施設7.0万床と比べると数が少ない（図5）[6]．

重症心身障害児施設には，民間・公立が運営する135の医療型障害児入所施設と旧国立療養所が運営する75の重症心身障害病棟（指定発達支援医療機関に同じ）とがあるが，前者は障害者施設等入院基本料の7対1入院基本料を，後者は特殊疾患病棟入院料2を算定しているところが多いようである．

4）療養病棟における重度障害者

A101 療養病棟入院基本料

療養病棟入院料1　入院料A　1,813点　他
療養病棟入院料2　入院料A　1,748点　他

療養病棟は慢性期医療を提供する場であり，入院期間や年齢を問わず療養病棟入院基本料が算定される．主に高齢者の脳卒中の後遺症の患者及び認知症の患者の受け皿になっている．看護配置は20対1である．全国に21万床ある．

医療区分1～3という入院医療の必要度（3が重度）とADL区分1～3という介護の必要度（3が重度）との組み合わせによって，患者は3×3＝9カテゴリーに区分され，入院料はそれぞれの区分に応じてAからIまで設定されている．診療にかかる費用は入院料に包括されている（除外薬剤・注射薬の費用は除く）．

療養病棟入院料1は医療区分2・3該当患者の割合が8割以上の病棟，同入院料2は5割以上の病棟で算定される．医療区分2・3該当患者の割合が5割を切る施設は，「介護医療院」という平成30年度に創設された新しいカテゴリーの介護保険施設に移行している．

❷ 貧困・児童虐待に関する福祉制度

1）貧困

令和元年国民生活基礎調査によれば，わが国の18歳未満の子どものいる世帯数は1,122万で，全世帯数の21.7％にあたる[7]．子どものいる世帯の中でひとり親世帯は72.4万（6.5％）あり，その89％は母子世帯である．生活意識が「苦しい」（「大変苦しい」及び「やや苦しい」）と感じる世帯の割合は全体で54.4％であるが，子どものいる世帯では60.4％，母子世帯では86.7％と高い．

子どものいる世帯の平均世帯収入は年間707.8万円であるが，父子世帯は573万円，母子世帯は348万円と，母子世帯でかなり低い[8]．とはいえ，平成22～27年にかけて父子世帯，母子世帯の収入はそれぞれ118万円，57万円ずつ増加しており，以前よりは改善されたといえる．

わが国の相対的貧困率（貧困線127万円に満たない世帯の割合）は15.4%であり，子どものいる世帯の相対的貧困率いわゆる「こども貧困率」は13.5%である．平成27年と比べると数値はわずかに改善した．ただ，ひとり親世帯の子ども貧困率は48.1%と依然として高く，大人2人以上の世帯の子ども貧困率10.7%を大きく上回っている．

令和元年の国際比較では，わが国のひとり親世帯のこども貧困率は，OECD加盟国35か国中，韓国に次いで第2位と依然として高い[9]．

平成25年に「子どもの貧困対策の推進に関する法律」が制定され，政府は子どもの貧困対策を総合的に推進することとされた．これを受けて内閣府は「子供の貧困対策に関する大綱」を平成26年，令和元年に策定して政策を進め，状況が少し改善された部分もある[10]．しかし，ひとり親世帯，特に母子世帯は依然として貧困と子育てに苦労しているといえる．

以下に，子どもの貧困にかかわる社会制度を紹介する．

a．ひとり親家庭等医療費助成制度

ひとり親家庭における医療費の自己負担分を地方自治体が補助してくれる制度である．これは国の制度ではなく都道府県条例で定められているが，ほとんどの地域でひとり親家庭に対する医療費助成制度が設けられている．

b．生活保護法に基づく医療扶助

生活保護世帯では，医療費の自己負担金は国の公費から支払われる．費用は直接医療機関へ支払われるため（現物給付），患者負担はない．

c．児童扶養手当

ひとり親家庭の生活の安定と自立促進のために支給される手当である．一世帯に月43,160円が支給され，児童2人目に約1万円，3人目に約6千円が加算されていく（令和3年4月現在）．支給対象となる所得限度額が引き上げられただけでなく，父子世帯，配偶者による暴力（DV）による避難母子，障害年金や遺族年金などの年金受給者に対しても支給されるなど，給付の対象枠が少しずつ拡大している．

2）児童虐待

児童相談所における令和2年度の児童虐待の相談対応件数は20.5万件で，児童虐待防止法が制定された平成12年の1.7万件の10倍以上に伸びている[11]．虐待相談の内容の内訳は多い順に，心理的虐待（59%），身体的虐待（24%），ネグレクト（15%），性的虐待（1%）となっている．10年前と比べると心理的虐待の相談件数が12倍に増えているのに対し，後3者は2～3倍の増加にとどまっており，心理的虐待の増加が著しいことがわかる．その背景として，子どもの面前での対配偶者暴力（面前DV）による子どもの心的トラウマが警察から通告される例が増えていることがあげられる．

虐待の相談件数だけでなく，警察が検挙した児童虐待事件の検挙件数も増加の一途を

たどり，令和2年度は2,013件あった[12]．罪種別では多い順に，傷害(41.5%)，暴行(35.8%)，強制性交・わいせつ(12.5%)，殺人(未遂含む)(3.7%)であった．犯罪検挙された加害者別では，父親等(実父，養継父，内縁父含む)が71.4%，母親等が26.9%と，圧倒的に父親が多い．しかし罪種別では，殺人(未遂含む)においてのみ，母親が加害者である割合が高く(59/81＝72.8%)，しかも全員実母である．母親を過度な虐待や心中へと導いてしまう背景としてワンオペ育児や社会的孤立があると考えられる．虐待予防と同時に，育児支援を充実させることが必要である．

平成12年に児童虐待防止法が制定されたが，児童虐待対策の政策は年々新しく追加されている．平成31年に出された「児童虐待防止対策体制総合強化プラン」では，4年間で児童相談所の児童福祉司の増員，市区町村子ども家庭総合支援拠点の設置拡大を盛り込んでいる．

児童虐待に関して小児科医が知っておくべき施設と制度を紹介する．

a. 児童相談所

児童相談所は都道府県及び政令指定都市に設置され，全国に212か所ある(平成30年)．主な業務は，児童や家庭に関する相談に応じ，必要な調査，判定，指導，助言を行うことである．また，児童の一時保護に関する権限をもち，管内の一時保護所に児童を入れるか福祉施設に一時保護委託を行う．里親制度の支援も行っている．

小児科医になじみの深い児童相談所の業務としては，児童虐待(疑い)の事例に介入すること，知的障害を判定して療育手帳を交付すること，退院できない患者が入所できる乳児院や障害児入所施設を探してもらうことなどが，あげられる．

平成12年に児童虐待防止法第6条で児童虐待を受けたと思われる児童を発見した者は，速やかに児童相談所に通告しなければならないと定められたため，児童相談所における児童虐待相談の業務は急速に増加した．それに伴い，警察に必要な情報を提供したり，法務省管轄の人権擁護委員と連携して子どもを一時保護させたり，加害者に対して説示を行うなど，多岐にわたる対応を行い，きわめて多忙である．「児童虐待防止対策体制総合強化プラン」では，児童相談所の児童福祉司の増員を進めている．医師や弁護士が職員としてかかわる児童相談所が，少しずつ増えている．

児童虐待を即時通報できるシステムとして，全国共通の児童相談所ダイヤル「189(いちはやく)」が設定されている．

b. 児童福祉施設

貧困や虐待に苦しむ子どもと母親を保護する福祉施設としては，乳児院，児童養護施設，母子生活支援施設の三つを知って欲しい．

i. 乳児院

乳児院は，かつては「孤児院」とよばれ専ら戦災孤児を預かっていたが，現在は虐待，

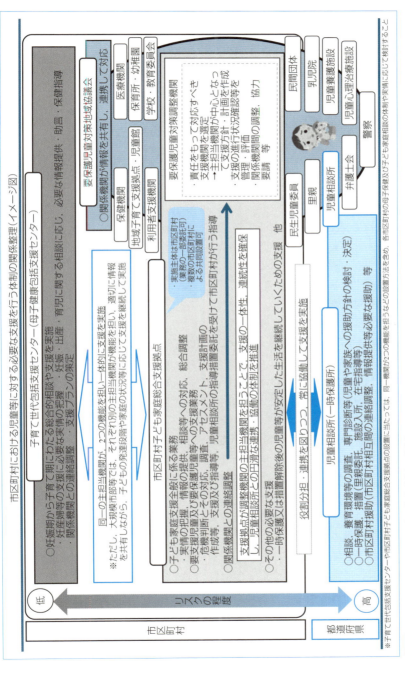

図6 市区町村における子ども家庭支援の体制

（厚生労働省子ども家庭局：市町村・都道府県における子ども家庭相談支援体制の整備に関する取組状況について（第25回社会保障審議会児童部会社会的養護専門委員会 参考資料）．平成31年1月16日 https://www.mhlw.go.jp/content/11920000/000469127.pdf）

保護者の育児放棄，保護者の不在といった理由のために子どもを入所させて養育している．養育するだけでなく，退所した子どもに関する相談に乗り自立のための援助も行っている．「乳児」の名称をもつが，原則3歳未満の子が入所でき，必要な場合には就学前の子どもも預かる．乳児院を退所した後の子どもは，保護者や親族，里親等に引き取られるか，もしくは児童養護施設へ措置変更となる．令和元年福祉行政報告例によると，乳児院は全国で146か所あり，2,768人の乳幼児が入所している[13]．

ⅱ．児童養護施設

児童養護施設は，3歳以上の保護者のない児童，虐待されている児童など養護を要する児童を入所させて養護し，併せて退所した者に対する相談や自立のための援助を行うことを目的とする施設である．全国で612か所あり，24,542人の児童が入所している．

ⅲ．母子生活支援施設

母子生活支援施設は，かつては「母子寮」とよばれ，配偶者のいない母と子どもを入所させて保護するとともに，これらの者の自立の促進のためにその生活を支援し，退所した者について相談や援助を行うことを目的とする施設である．全国で221か所あり，3,371世帯（9,006人）が入所している．

c. 要保護児童対策地域協議会

要保護児童対策地域協議会は，虐待を受けた子ども，受けそうな子どもを「要保護児童」として早期発見し適切に保護するために，市区町村行政が地域の関係者を集めて情報共有し協議する場である．「子どもを守る地域ネットワーク」というソフトなネーミングにしている地域もある．平成16年の改正児童福祉法で創設され，平成20年に各市区町村に設置する努力義務が課され，平成28年にはほとんどの市区町村で設置された．ここに小児科医や看護師が参画することも可能である．

d. 子ども家庭総合支援拠点，子育て世代包括支援センター（図6）[14]

子ども家庭総合支援拠点とは，子ども家庭相談に対応して要支援児童や要保護児童を支援するとともに，要保護児童対策地域協議会を主催し，児童相談所などとの連絡調整を行う機関である．平成29年度の改正児童福祉法で創設された．国は「児童虐待防止対策体制総合強化プラン」の中で令和元年度～令和4年度末までにこれを全国の市区町村に設置させるよう進めている．

それに対して子育て世代包括支援センターは，妊産婦が子育てすることを支援するための機関である．平成29年度の改正母子保健法で法定化され，国はこれを令和2年度末までに各市区町村に配置させた．

これら二つは名称が似ており，ともに厚生労働省子ども家庭局が所管している．施策はそれぞれ虐待防止対策推進室と母子保健課の2か所から発出されているが，国はこれらを一体的に運用することを勧めている．

6. 福祉制度

➡ 文　献

1) 厚生労働省社会援護局障害保健福祉部障害福祉課障害児・発達障害者支援室：医療的ケアを要する重症心身障害児の福祉について　平成26年7月9日　https://www.mhlw.go.jp/file/06-Seisakujouhou-10800000-Iseikyoku/0000071085.pdf
2) 厚生労働省：特別児童扶養手当・特別障害者手当等　https://www.mhlw.go.jp/stf/seisakunitsuite/bunya/hukushi_kaigo/shougaishahukushi/jidou/index.html
3) 日本年金機構：障害年金の制度　https://www.nenkin.go.jp/service/jukyu/shougainenkin/index.html
4) 厚生労働省：基本診療料の施設基準等及びその届出に関する手続きの取扱いについて（通知）．令和2年3月5日保医発0305第2号　https://www.mhlw.go.jp/content/12400000/000666310.pdf
5) 厚生労働省：基本診療料の施設基準等の一部を改正する件（令和2年3月5日厚生労働省告示第58号）　https://www.mhlw.go.jp/content/12400000/000602943.pdf
6) 中央社会保険医療協議会（入院医療等の調査・評価分科会）：令和3年度入院医療等の調査・評価分科会とりまとめ資料．令和3年10月27日　https://www.mhlw.go.jp/content/12400000/000849059.pdf
7) 厚生労働省：2019年　国民生活基礎調査の概況　https://www.mhlw.go.jp/toukei/saikin/hw/k-tyosa/k-tyosa19/index.html
8) 厚生労働省：全国ひとり親世帯等調査　平成28年度調査結果報告　https://www.mhlw.go.jp/stf/seisakunitsuite/bunya/0000188147.html
9) 内閣府男女共同参画局：男女共同参画白書　令和2年版　https://www.gender.go.jp/about_danjo/whitepaper/r02/zentai/index.html
10) 内閣府：子供の貧困対策　https://www8.cao.go.jp/kodomonohinkon/index.html
11) 厚生労働省：児童虐待防止対策　https://www.mhlw.go.jp/stf/seisakunitsuite/bunya/kodomo/kodomo_kosodate/dv/index.html
12) 警察庁：令和2年中における少年の補導及び保護の概況　https://www.npa.go.jp/publications/statistics/safetylife/R02.pdf
13) 厚生労働省：令和元年度福祉行政報告例の概況　https://www.mhlw.go.jp/toukei/saikin/hw/gyousei/19/index.html
14) 厚生労働省子ども家庭局：市町村・都道府県における子ども家庭相談支援体制の整備に関する取組状況について（第25回社会保障審議会児童部会社会的養育専門委員会　参考資料）．平成31年1月16日　https://www.mhlw.go.jp/content/11920000/000469127.pdf

➡ 参考文献

・厚生労働省：障害福祉サービス等　https://www.mhlw.go.jp/stf/seisakunitsuite/bunya/hukushi_kaigo/shougaishahukushi/service/index.html
・全国社会福祉協議会：障害福祉サービスの利用について　2021年4月版　https://www.shakyo.or.jp/download/shougai_pamph/date.pdf
・難病情報センター：難病患者及び小児慢性特定疾病児童等に対する福祉支援等について　https://www.nanbyou.or.jp/wp-content/uploads/upload_files/20190516_024.pdf
・厚生労働省：障害者手帳　https://www.mhlw.go.jp/stf/seisakunitsuite/bunya/hukushi_kaigo/shougaishahukushi/techou.html
・厚生労働省：児童発達支援ガイドライン　https://www.mhlw.go.jp/file/06-Seisakujouhou-12200000-Shakaiengokyokushougaihokenfukushibu/0000171670.pdf
・厚生労働省：放課後等デイサービスガイドライン　https://www.mhlw.go.jp/file/05-Shingikai-12201000-Shakaiengokyokushougaihokenfukushibu-Kikakuka/0000082829.pdf
・厚生労働省：保育所等訪問支援の効果的な実施を図るための手引書．全国児童発達支援協議会．平成29年3月　https://www.mhlw.go.jp/file/06-Seisakujouhou-12200000-Shakaiengokyokushougaihokenfukushibu/0000166361.pdf
・厚生労働省：令和3年度障害福祉サービス等報酬改定の概要　https://www.mhlw.go.jp/stf/newpage_16573.html
・厚生労働省：障害のある人に対する相談支援について　https://www.mhlw.go.jp/bunya/shougaihoken/service/soudan.html
・厚生労働省：診療報酬の算定方法（告示）．令和2年3月5日厚生労働省告示第57号　https://www.mhlw.go.jp/content/12400000/000603748.pdf
・厚生労働省：診療報酬の算定方法の一部改正に伴う実施上の留意事項について（通知）．令和2年3月5日保医発0305第1号　https://www.mhlw.go.jp/content/12400000/000666093.pdf

7 小児科医になじみ深い保険診療以外の診療

1 予防接種

◉ 定期接種

1）定義

予防接種は「疾病に対して免疫の効果を得させるため，疾病の予防に有効であることが確認されているワクチンを，人体に注射し，又は接種」することと定義とされている（予防接種法第2条）[1]．

2）意義

定期接種は感染症から社会を守る観点から市区町村が実施主体となり，国から財政措置を受けて市区町村が費用負担し，接種が勧奨，努力義務のある制度である．

3）種類

A類疾病は，ジフテリア，百日せき，急性灰白髄炎（ポリオ），麻しん，風しん，日本脳炎，破傷風，結核，インフルエンザ菌b型（Hib）感染症，小児の肺炎球菌感染症，ヒトパピローマウイルス（HPV）感染症（予防接種法第2条），及び「人から人に伝染することによるその発生及びまん延を予防するため，又はかかった場合の病状の程度が重篤になり，若しくは重篤になるおそれがあることからその発生及びまん延を予防するため特に予防接種を行う必要があると認められる疾病」としての水痘，B型肝炎，痘そう，ロタウイルス感染症（政令）が規定されている[1]．

B類疾病はインフルエンザ（予防接種法第2条），及び「個人の発病又はその重症化を防止し，併せてこれによりそのまん延の予防に資するため特に予防接種を行う必要があると認められる疾病」としての高齢者の肺炎球菌感染症（政令）が規定されている[1]．

4）法令上の役割

予防接種法で「定期接種」と「臨時接種」が規定されており，厚生労働大臣は予防接種基本計画を定めなければならない．定期接種の実施主体は市区町村長であり（予防接種法第5条），臨時接種のそれは都道府県知事である（予防接種法第6条）．定期接種で健康被害が生じた場合は，実施主体である市区町村長が救済措置としての給付を行う（予防接種法第15条）．集団免疫効果から社会防衛上の重要な予防的措置であるため，定期接種

のA類疾病，臨時接種は予防接種が勧奨され，接種の努力義務が示されている（予防接種法第8，9条）[1]．

なお，病原性の高い新型インフルエンザの場合は，特別措置法による予防接種であり，新型コロナウイルスワクチンは特例的な臨時接種の扱いとなった（令和2年法律第75号）[2]．

5）費用

予防接種法では，要する費用は市区町村の支弁であるが，その支弁に対し都道府県の負担及び国庫の負担が定められている[1]．予防接種を受けたものとその保護者から実費の徴収が可能であるが，経済的理由による費用負担の免除も定められている．実質的に予防接種にかかる費用が公費助成されている．

通常の保険診療と予防接種も含まれる「療養給付と直接関係のないサービス」提供は本来明確に区別されるべきものである．予防接種を行う際，初・再診料（外来診療料を含む）の二重算定を避けるためには，予防接種のための記録と保険診療の診療録を別にして，かつ保険診療終了に一度医療機関外に出たうえで，再度入室してから予防接種を行う（あるいは，その逆の順番でもよい）．この場合は，保険診療と予防接種が独立したサービス提供となるため初・再診料を算定でき，また予防接種の提供に係る費用の徴収も可能である[3]．なお新型コロナウイルスの予防接種においても，予防接種と独立した同日の保険診療における初・再診料を算定できる[4]．

6）定期接種の広域化（市区町村の乗り入れ）

定期接種実施要領総論の「19 他の市町村等での予防接種」に「保護者が里帰り等の理由により，居住地以外の市町村で定期接種を受けることを希望する場合，予防接種を受ける機会を確保する観点から，居住地以外の医療機関と委託契約を行う，居住地の市町村長から里帰り先の市町村長へ予防接種の実施を依頼する等の配慮をすること」と規定されていることに基づき，各自治体では様々な対応がなされている[5]．

◉ 任意接種

1）定義

「任意接種」は予防接種法に基づかずに実施される接種である．

2）意義

任意接種は個人予防が目的であり，国が積極的に推奨するものではない．予防接種で予防可能な病気（vaccine preventable disease：VPDs）を予防する観点で定期接種に重要性が劣るわけではないが，接種費用が自己負担になること，有害事象が発生した場合の補償が定期接種と比べ劣ること，自治体から接種勧奨がされないことなどの理由から，任意接種の接種率は低迷してきた[6]．

3) ワクチンギャップ

　日本では「ワクチンギャップ」とよばれる定期接種ワクチンの世界水準からの遅れがあった[5]．理由としては，財源不足や予防接種の副反応に敏感に反応する傾向や副反応に対する考え方の相違，予防接種に関する正しい情報の不足等が指摘されていた．アメリカでは予防接種諮問委員会(advisory committee on immunization practice：ACIP)が強い権限をもち，政府に対しワクチンの費用対効果，安全性，経済性に基づく提言を行い，定期接種化を推進した．わが国でも厚生科学審議会予防接種・ワクチン分科会等で審議され，定期接種化が検討されてきた．その結果，平成25年にHibワクチン，13価肺炎球菌結合型ワクチン(PCV13)，HPVワクチンが，平成26年に水痘ワクチン，平成28年にB型肝炎ワクチン，令和2年にロタワクチンが定期接種化され，近年急速にワクチンギャップが解消されてきている．

　わが国の予防接種制度では，たとえ定期接種に分類されているワクチンであっても，適用年齢以外で接種した場合は「任意接種」扱いとなる．適用年齢を超えてしまった水痘ワクチン，B型肝炎ワクチンなどがこれに当たる[6]．様々な理由により接種機会を逃した子どもに対するキャッチアップ接種を進めていくことも重要であり，今後の課題である．

4) 種類

　日本小児科学会が推奨する予防接種スケジュールでの任意接種は，おたふくかぜ，インフルエンザ(高齢者以外)，3種混合(DPT：学童期以降の百日咳予防目的)，ポリオ(IPV：学童期以降のポリオ予防目的)が示されている[7]．他に23価肺炎球菌莢膜多糖体ワクチン(PPSV23)，A型肝炎ワクチン，4価髄膜炎菌ワクチン，9価HPVワクチン，黄熱ワクチン，狂犬病ワクチン等，海外渡航時や国内での感染・重症化予防(個人予防)などの目的で接種されている．

5) 費用助成

　任意接種は定期接種と異なり，制度上は公費補助がなく接種者の費用負担は大きくなっていたが，近年，任意予防接種において国の定期接種化を待たずに接種料金を助成する自治体が増えている．おたふくかぜワクチン，子どものインフルエンザワクチンの費用助成は全国に拡がっている．またキャッチアップ接種を助成対象にしている自治体もある．ただし自治体により助成対象となるワクチンが異なっていたり，助成金額も一定していなかったりと，地域間や保護者の収入の差が原因と思われる地域差も存在しており，平等な公衆衛生政策が供給されていない[6]．

6) 料金設定

　任意接種料金は，独占禁止法に抵触するため各医療機関が独自に決めることになっている．地域の実情により金額は異なるが，定期接種料金を参考に各医療機関が決められる．定期接種は市区町村が実施主体であり，医療機関等の間で協議のうえ，それぞれ契

約を結んでいる[8]．定期および任意接種は自由診療であるが，市区町村と医師会との委託契約で予防接種料金が決められる場合は独占禁止法に抵触しない．

予防接種料は，初診料，乳幼児加算，注射実施料の診療報酬単価を参考に算出されている．ワクチン料金，消費税その他を包括してワクチンごとに1回分の接種料金が決められている．

7）救済制度

救済制度については別項（I 総論．3-6．健康被害の救済）を参照されたい．

8）税制上の取扱い

診療報酬は非課税であるが，予防接種による収入は定期・任意に関係なく自由診療であり課税対象となる．医薬品卸会社から購入するワクチン料金には消費税が課されている．一方，自治体によってはワクチンを現物給付しているところもあるが[8]，この場合はワクチン料金にかかる消費税は仕入先の卸会社が負担することになり，医療機関はワクチン料金を除いた接種料金分にかかる消費税の負担だけですむ利点がある．

◉ 健康保険適応のある予防接種

以下に，保険適応がある予防接種をあげる．この場合，保険診療のルールに基づいた保険請求が可能である．また，肺炎球菌ワクチン，4価髄膜炎菌ワクチン，狂犬病ワクチン，B型肝炎ワクチンは薬価基準に収載されている．

①組換え沈降B型肝炎ワクチン（ビームゲン®，ヘプタバックス®-Ⅱ）
- 血友病患者に対しB型肝炎の予防目的で使用した場合．
- HBs抗原陽性でかつHBe抗原陽性の血液による汚染事故後のB型肝炎発症予防（抗HBs人免疫グロブリンとの併用）の目的で使用した場合．
  - ▶当該負傷を原因としてHBs抗原陽性でかつHBe抗原陽性血液による汚染を受けたことが明らかで，洗浄，消毒，縫合等の処置とともに抗HBs人免疫グロブリンの注射に加え，本剤の接種が行われた場合（ただし，業務上では労災保険適用．業務外なら健康保険等適用）．
  - ▶既存の負傷にHBs抗原陽性でかつHBe抗原陽性血液が付着し汚染を受けたことが明らかで，上記と同様の処置が行われた場合（業務上では労災保険適用．業務外では健康保険等適用）．
- B型肝炎ウイルス母子感染の予防（抗HBs人免疫グロブリンとの併用）の目的で使用した場合．

②肺炎球菌ワクチン〔ニューモバックス® NP（23価肺炎球菌ワクチン）〕
- 2歳以上の脾摘患者における肺炎球菌による感染症の発症予防の目的で使用した場合．

③4価髄膜炎菌ワクチン(メナクトラ®)
・エクリズマブ投与患者に使用した場合．

● その他の法令に基づいたワクチン

1）黄熱ワクチン（検疫法）

　黄熱は国際間の伝播予防のため，WHOの国際保健規則（international health regulation：IHR）に基づき，黄熱の罹患リスクが高い国などでは入国時に「予防接種または予防薬の国際証明書：イエローカード」の提示が求められる．日本では，検疫所か，特定の医療機関で黄熱ワクチンの接種と国際証明書の発行を受けることができる．

● 個人輸入ワクチン

　海外渡航者に対する予防医療を提供する医療機関では，国内未承認のワクチンの接種が行われることがある．近年，様々な国・地域への渡航者が増加し，需要が高まっている．海外渡航のためのワクチン接種は自由診療であり，提供する医療機関が個別に定めた費用を，接種を希望する人が支払う．

　輸入ワクチンを提供する機関では，医療従事者の個人輸入という形でワクチンを入荷する．医療従事者による医薬品等の個人輸入は，「治療上緊急性があり，国内に代替品が流通していない場合であって，輸入した医療従事者が自己の責任のもと，自己の患者の診断又は治療に供すること」を目的とする場合に限られる．過去には薬監証明を取得し輸入できていたが，医薬品医療機器等法（医薬品，医療機器等の品質，有効性及び安全性の確保等に関する法律）の改正に伴い，令和2年9月1日以降，薬監証明に代えて輸入確認証を取得することが求められるようになった．地方厚生局（関東信越厚生局，近畿厚生局が主）が監視業務を担当しており，通関前に輸入者（この場合はワクチンを輸入する医療従事者）により提出された申請書をもとに輸入確認にかかわる審査が行われる．問題がない場合には輸入確認の申請が受理される．

　輸入ワクチンは，すでに海外で安全性・有効性が証明され，承認・流通されていても，日本では医薬品医療機器等法による承認がなされていない．したがって重大な健康被害が生じた場合に医薬品副作用被害救済制度の対象外となる．ワクチン接種により健康上の問題が出現したときの対応も含め，接種を希望する人へ十分な説明を行い，同意を得る必要がある．令和4年現在，A型肝炎ワクチン，A型肝炎・B型肝炎混合ワクチン，髄膜炎菌ワクチン，MMR（おたふく・麻しん・風しん）ワクチン，Tdap（破傷風・ジフテリア・百日咳）ワクチン，狂犬病ワクチン，ダニ媒介性脳炎ワクチンなどが旅行医学を専門としたクリニックを中心に提供されている．

2 乳幼児健康診査

1）目的・対象月例
　乳幼児健康診査（乳幼児健診）は母子保健法（第12条及び第13条）の規定により，市区町村が「満一歳六か月を超え満二歳に達しない幼児」に対する1歳6か月児健診，「満三歳を超え満四歳に達しない幼児」に対する3歳児健診を行うことになっている．費用のうち1/2を国，1/4を都道府県，1/4を市区町村が負担する．上記以外に3～4か月児健診がほとんどの市区町村で実施されている．その他一般健診として9～10か月児健診，6～7か月児健診などが市区町村の事業として行われる[9～11]．

　これらの乳幼児健診は対象となる子どもの健康状態を把握し保健指導や子育て支援につなげることが主な目的である．平成3年，3歳児健診に視覚検査が導入され，全国の自治体で視力検査が始まった．3歳児健診で早期発見をねらう弱視の第一の原因は，屈折値の左右差（不同視）による片眼性の弱視（不同視弱視）である．片眼の弱視は外観や行動に現れないため子どもの観察のみでは発見しにくく，問診や視力検査で見落とされることがある．また視力検査ができない子どもの中に屈折異常による視力不良児が隠れている可能性が高く，屈折検査を導入して視覚異常を検出することが望ましい．近年，屈折や眼位検査を行うスクリーニング機器（フォトスクリーナー：スポットビジョンスクリーナーなど）が健診の場で使われる機会が増えてきている[12]．

2）乳幼児健診の手順
　乳児家庭訪問や母子手帳の記録，過去の健診記録，医療機関からの情報をもとに対象者の情報を事前に把握する．健診では問診表の活用や多職種による観察，医師・歯科医師による診察が行われ，一定の判定基準に基づいて疾病のスクリーニング，発育発達状態，子育て状況などの評価が行われる．その結果，「異常なし」「既医療」「保健機関による要観察」「医療機関への要紹介」「医療機関での要精査」などの判定がなされる[9]．

3）委託
　問診や診察，保健指導を医療機関に委託して個別に行うことも可能である（母子保健法）．1歳6か月児健診は85.2％が集団健診，14.8％が医療機関委託健診（個別健診）で行われ，受診率はそれぞれ96.2％，86.8％となっている（平成24年度地域保健・健康増進事業）．

4）乳幼児健診で「医療機関での要精査」となり診察や治療を行った場合の算定方法について

a．乳幼児健診を行った医療機関と同一の医療機関で診療を行った場合
①乳幼児健診によるカルテ記載と医療保険による診療時のカルテ記載は分ける．
②初診料は算定できないが治療に関しては診療報酬を算定できる．

b. 保健機関での集団健診または他の医療機関での個別健診により「医療機関への要紹介」で受診した場合

① 保健所または市区町村の医師，委託された医療機関の医師が健康診断の結果により受診の必要性を認め，必要な医療が可能な保険医療機関を特定して文書により紹介した場合は「紹介のある患者」とみなされる．

② 特定機能病院・500床以上の地域医療支援病院を受診した場合に定額徴収される選定療養費の対象とならない（平成28年度診療報酬改定）．

③ 初診料の算定が可能．

3 学校健診

1) 学校健診とは

　一般的に「検診」と「健診」の違いとして，「検診」は乳がん検診，子宮がん検診のように特定の病気を早期に発見し，早期に治療することを目的とし，「健診」は特定の疾患を発見するのではなく健康であるか否かを評価するものである．

　学校健康診断とは学校保健安全法の規定に基づいて学校で行われ，文部科学省によれば，児童生徒等の健康診断は，「学校教育の円滑な実施とその成果の確保に資することを目的とし，子供の健康の保持増進を図るために実施する」と「学校生活を送るに当たり支障があるかどうかについて疾病をスクリーニングし，健康状態を把握するという役割と，学校における健康課題を明らかにして健康教育に役立てる」の二つの役割がある[13]．また，学習指導要領解説特別活動編において健康安全・体育的行事として例示されており，児童教育活動として実施されるという一面ももっている[14]．健診の項目は，身長，体重，栄養状態，視力，聴力，目の疾患・耳鼻咽喉の疾患・皮膚疾患・心臓疾患などの有無である．

　保険医療機関が関与するのは，学校健診で何らかの異常が発見され精密検査のために紹介される場合と当日欠席したために健診自体を医療機関で受ける場合とである．

2) 精密健診と医療機関での健診との違い

a. 学校健診で異常を指摘された場合

　学校健診で何らかの疾患の疑いありとして紹介され，保険医療機関で精密検査を行う場合には，それぞれの疾患の疑いで保険診療となる．初診料算定に関しては，自他覚的症状がなく健康診断を目的とする受診により疾患が発見された患者について当該保険医が特に治療の必要性を認め治療を開始した場合には，初診料は算定できない．しかし，健康診断で疾患が発見された患者が，疾患を発見した保険医以外の機関において治療を開始した場合には初診料を算定できるとされている．

b. 学校健診を欠席して医療機関で実施する場合

　学校健診そのものを受けずに医療機関でその内容の健診を受ける場合には自費診療である．感染症による欠席などの理由で学校健診の当日に欠席して受けられず，後日の追加日にも受けられず，やむなく医療機関で健診を行うといった場合にも保険診療にはならない．

　ここで注意すべきは子ども医療費助成制度・乳幼児医療費助成制度の扱いである．この制度は乳幼児を育てる家庭が必要とする医療が受けられるよう医療費の自己負担額の一部を助成する制度であり，平成28年度の調査[15]で全国のすべての都道府県及び市区町村で援助を実施しているが，自費の健診はこれに該当しない．したがって，学校健診で精査が必要として紹介される場合には，子ども医療費助成制度・乳幼児医療費助成制度による補助を受けられるが，欠席して健診そのものを医療機関で受ける場合には補助を受けられない．

4 ヘルス・スーパービジョン診察―小児医療の新たな形の提案―

1) わが国の小児医療・小児保健・保険診療の現状と課題

　社会構造の変化及び医学・医療の発展に伴い子どもの疾病構造は大きく変化した．疾病の診断・原因究明・治療を追求する小児医療の発展の成果として，重症の器質的疾患を経験する子どもは減少した．一方で，発達の問題や精神・行動上の問題を呈する子どもは増え，国内の調査では，特に10歳以降に「精神と行動の障害」による疾病負担が増加することが報告されている[16]．より多くの医療的ケア児や慢性疾患をもつ子どもが自宅で生活できるようになり，心身の健康管理及び発達発育支援のために家族支援や地域連携が必要とされている．事故・外傷，虐待，貧困も，子どもの心身の健康に大きな影響を与えている．このように，子どもの器質的疾患に加え，心理社会的な問題に対しても幅広く対応することが小児科医に求められるようになっている．

　しかし，心理社会的な問題から生じる健康課題をいかに予防するかという視点は十分に普及していない．わが国には，母子手帳，地域保健師活動，乳幼児健診，学校健診などすばらしい小児保健の基盤がある．乳幼児健診および学校健診は「疾病」「異常」の早期発見・早期介入，すなわち二次予防が主目的である．子どもの心身の健康をさらに支援するためには，積極的な一次予防の視点を加える必要がある．それぞれの子ども・家庭の心理社会的な状況と健康の社会的決定要因を考慮しながら，細やかに個別の保健指導・健康教育を行うことが望ましい．小児期に十分な予防医療を提供することは，個人のヘルスリテラシーを向上させ，成人期の健康増進および医療費抑制につながる可能性

がある．

わが国では，国民皆保険制度および乳幼児・子ども医療費助成制度のもと，大部分の子どもが医療費の負担なく気軽に医療的ケアを受けることができる．医療機関，受診回数，診療科の選択に制限はなく，医療へのフリーアクセスが実現している．すばらしい制度であるが，この保険診療制度は，一次予防を行ううえでの障壁となっている可能性がある．第一に，国民皆保険は傷病（検査，処置，処方）を単位として事業者に医療費が支払われ，概して，予防的介入は診療報酬の直接の対象ではない．第二に，フリーアクセスであるがゆえに，保護者（親）は都合や好みにあわせて医療機関や医師を選んで受診することができる．子どもの場合，発達・発育状況や養育環境の評価のため，かかりつけ医が継続的・長期的に子どもを診る・見守ることが望ましいが，健診や傷病の際に対応する医療従事者は，都度，異なり得る．第三に，傷病ありきの保険診療制度であり，患者は受診動機がない場合，医療機関に受診しない．医療者は，患者が受診するまで健康状態を把握することができない．特に思春期には身体的疾患罹患が少なく，勉学や部活を優先する傾向もあり，医療機関への受診頻度はかなり減少する．受診行動に至るには保護者と本人の両者の受診動機が必要であり，日常生活（主に学校生活）に支障が出てからはじめて受診することは珍しくない．

子どもの心身の健康を支援することは小児科医の役割であるが，わが国では彼らへの積極的な一次予防が難しい現状がある．

2）アメリカの小児保健戦略"Bright Futures"と医療保険制度

効果的な一次予防を行うために参考になる制度として，アメリカの小児保健戦略"Bright Futures"を紹介する．

アメリカでは1960年代にサブスペシャリスト（分野別専門医）の増加に伴ってジェネラリスト（総合医）が減少し，患者のニーズにあう効果的な全人的医療を提供することが難しくなった．増大する医療費を抑えるためにも，予防医学を中心としたプライマリケアが重視されるようになった．現在，アメリカの小児医療はプライマリケアが中心である．小児医療の領域でプライマリケア医として従事するのは，総合小児科医または家庭医療医，または両分野のナースプラクティショナーである．かかりつけ医制度のもと，プライマリケア医が医療ケアの窓口となり，患者と信頼関係を築きながら長期的なケアを行う．患者がより高次の医療介入を要する場合は，プライマリケア医が必要なサブスペシャリティ科医師へ紹介し，連携を取りながら患者のケアを行う．

アメリカは文化・言語・人種の異なる人口を抱え，健康課題も多岐にわたり，その程度も決して軽くない．子どもの人口全体の健康を向上させるために立ち上げられたのが，アメリカ小児科学会，保健福祉局，母子保健局主導で展開されている小児保健戦略"Bright Futures"だ．この戦略の主軸となっている政策が，かかりつけプライマリケア

7. 小児科医になじみ深い保険診療以外の診療

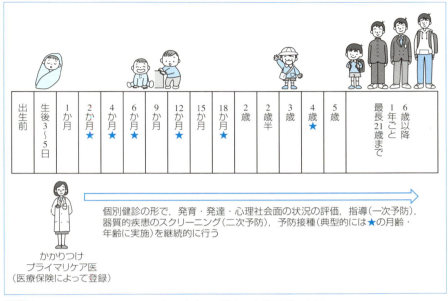

図1 推奨されるヘルス・スーパービジョン診察の実施月齢・年齢

医による health supervision visit（ヘルス・スーパービジョン診察）である[17]．ヘルス・スーパービジョン診察は日本の健診に相当するが，内容は大きく異なり，かかりつけ医のクリニックにて，通常子ども1人につき30分以上をかけ，医療面接・身体診察・発達評価・カウンセリング・予防接種を行う．対象は出生前から21歳のすべての子ども（基礎疾患のある子どもも含む）である（図1）．思春期には，子どもと医師が1対1で話し合うことが推奨されている．一次予防と二次予防の両者が目的で，かつ一次予防が重視されている．医療面接では健康の社会的決定要因を含む心理社会面の状況を詳細に聴取し評価する．リスク因子・保護因子に応じて子ども本人および保護者へ指導・助言をする．わが国のような集団健診や学校健診はなく，就学後は，かかりつけ医によるヘルス・スーパービジョン診察を受けて，学校活動へ参加するために必要な健康クリアランスをもらう．予防接種と診察を組み合わせることで，受診率もワクチン接種率も維持できる仕組みとなっている．ヘルス・スーパービジョン診察を通じて，かかりつけ医が最長で約20年もの間，子ども・家族とかかわることで，より効果的な予防と情報の集約が可能となり，さらにその子どもがより健康な成人になることで，結果的に医療費を抑えることができる．

ここで，アメリカの医療保険制度を説明する．アメリカは世界で最も医療費の高い国

である．医療保険制度は非常に複雑で，社会経済的状況が医療アクセスに大きく影響する．国民皆保険制度ではなく，職業・収入・居住地域により，それぞれの個人・家庭が民間の医療保険に加入する．一定の規模以上の民間の医療保険会社を health maintenance organization（HMO）とよび，加入者は保険の種類やランクを選択し，応じた定額を支払うことで規定の医療ケアサービスを受けることができる．かかりつけ医制度であるので，保険に加入すれば，かかりつけ医をもつことができる．しかし，社会経済状況の格差はそのまま医療アクセスの格差となる．保険のランクが低いほど安価だが，医療アクセスが悪く受診できる医療機関や医師の選択肢が制限され，高額な保険では医師・医療機関・サービスにおける選択の自由度が高い．貧困のため民間の保険に加入できない場合には，低所得者向けの公的保険 Medicaid に加入できる．子どもの貧困は深刻で，2020 年時点の報告では，Medicaid および公的保険小児対象プログラム Children's Health Insurance Program（CHIP）には 4,426 万人の子どもが加入し，19 歳以下の子ども 430 万人（19 歳以下総人口の 5.6％）が無保険（すなわち医療アクセスがない）であった[18,19]．無保険率はヒスパニック系の子どもで最も高く，人種間の経済的格差が浮き彫りとなっている．

　前述のようにアメリカの医療保険制度には問題点も多いが，予防的介入を実践するには有用な点が二つあり，ヘルス・スーパービジョン診察の実践を支えている．一つ目は，予防のための行為に診療報酬を付けられる点である．たとえば，医療者によるカウンセリング（健康教育・指導）には，要した時間や対象患者のリスクの程度に応じて異なるコード（診療報酬番号）があり，医療者の負担度に見合った報酬を請求できる[20]．「新規受診した 1 歳の子どもへリスク因子を減らすためのカウンセリングを 15 分行った」場合と，「再診の 13 歳の子どもへリスク因子を減らすためのカウンセリングを 30 分行った」場合では異なるコードを付けて診療報酬が請求できる．行動変容のカウンセリングも様々なコードがあり，「合併症のないアルコール乱用に対するカウンセリング」「アルコール中毒に対するカウンセリング」「オピオイド乱用に対するカウンセリング」など多岐にわたる．患者のリスクの度合いを医療者が判定して診療報酬が請求できるため，医療者の負担度が評価され報酬を得られる．二つ目は，疾病治療目的の医療行為よりも予防的ケアのほうが診療報酬の対象となりやすい．保険会社にとっては治療よりも予防的ケアのほうがはるかに安価に抑えられるからだ．たとえば歯牙のフッ素塗布は保険会社が支払うが，う歯治療は患者本人の自己負担となるという具合である．

　アメリカは，医療費抑制のためにも，国民全体の健康促進のためにも，国も保険会社も予防的な医療行為を重視し，それらへ誘導するように医療報酬が支払われる仕組みとなっている．この制度のもと，かかりつけプライマリケア医が医療の窓口かつ健康のゲートキーパーとして機能できる．

3）わが国への応用の検討

　アメリカの形式をわが国へそのまま導入することは不可能であり適切ではないが，保険診療に支えられた積極的な予防医療を実践している点は大変参考になる．わが国でも子どもへの予防医療がより提供しやすい診療報酬制度になることを期待する．

➡ 文　献

1) 予防接種法　https://elaws.e-gov.go.jp/document?lawid=323AC0000000068
2) 厚生労働省：予防接種法及び検疫法の一部を改正する法律等の施行について〔予防接種法〕　https://www.mhlw.go.jp/web/t_doc?dataId=00tc5481&dataType=1&pageNo=1
3) 厚生労働省：「療養の給付と直接関係ないサービス等の取扱いについて」の一部改正について　https://www.mhlw.go.jp/content/12400000/000610155.pdf
4) 厚生労働省：新型コロナウイルス感染症に係る診療報酬上の臨時的な取扱いについて（その49）　https://www.mhlw.go.jp/content/000794308.pdf
5) 厚生労働省：定期接種実施要領　https://www.mhlw.go.jp/bunya/kenkou/teiki-yobou/10.html
6) 勝田友博：ワクチンギャップは解消された？　小児科診療 83：1397-1405，2020
7) 日本小児科学会：日本小児科学会が推奨する予防接種スケジュール（2021年3月24日版）　https://www.jpeds.or.jp/uploads/files/vaccine_schedule.pdf
8) 厚生労働省：予防接種にかかる費用の効率化について　https://www.mhlw.go.jp/content/10906000/000564407.pdf
9) 平成26年度厚生労働科学研究費補助金（成育疾患克服等次世代育成基盤研究事業）乳幼児健康診査の実施と評価ならびに多職種連携による母子保健指導のあり方に関する研究班：標準的な乳幼児期の健康診査と保健指導に関する手引き　https://www.mhlw.go.jp/file/06-Seisakujouhou-11900000-Koyoukintcujidoukateikyoku/tebiki.pdf
10) 厚生省児童家庭局長通知：乳幼児に対する健康診査の実施について　平成10年4月8日児発285号．母子保健行政法令・通知集平成24年．母子保健事業団，2016
11) 厚生労働省雇用均等・児童家庭局母子保健課：乳幼児健康診査に係る発達障害のスクリーニングと早期支援に関する研究成果―関連法規と最近の厚生労働科学研究等より―．平成21年3月　https://www.mhlw.go.jp/bunya/kodomo/boshi-hoken15/
12) 日本眼科医会：屈折検査の導入（二次検査）．3歳児健診における視覚検査マニュアル～屈折検査の導入に向けて～．27-35．令和3年7月　https://www.gankaikai.or.jp/school-health/2021_sansaijimanual.pdf
13) 文部科学省初等中等教育局健康教育・食育課：学校健康診断をめぐる現状と経緯について　https://www.mext.go.jp/content/1422788_2_1.pdf
14) 松永夏来：児童生徒等の健康診断の見直しについて．小児保健研究 75：2-7，2016
15) 厚生労働省雇用均等・児童家庭局母子保健課：平成28年度「乳幼児等に係る医療費の援助についての調査」結果の送付について　https://www.mhlw.go.jp/stf/houdou/0000169981.html
16) 五十嵐　隆（研究代表者）：子どもの身体的・精神的・社会的（biopsychosocial）な健康課題に関する調査研究　研究報告書．平成29年度子ども・子育て支援調査研究事業，厚生労働省，2018　https://www.mhlw.go.jp/content/11900000/000520474.pdf
17) Hagan JF, et al.（eds.）：Bright Futures：Guidelines for Health Supervision of Infants, Children, and Adolescents. 4th ed. Elk Grove Village, American Academy of Pediatrics, 2017
18) Medicaid. gov：Children's Health Insurance Program（CHIP）　https://www.medicaid.gov/chip/index.html
19) United States Census Bureau. Uninsured Rates for Children in Poverty Increased 2018-2020　https://www.census.gov/library/stories/2021/09/uninsured-rates-for-children-in-poverty-increased-2018-2020.html
20) American Academy of Pediatrics：Coding for Pediatric Preventive Care, 2021　https://downloads.aap.org/AAP/PDF/Coding%20Preventive%20Care.pdf

➡ 参考文献

・厚生労働省医薬・生活衛生局監視指導・麻薬対策課：医薬品等輸入確認要領（令和2年9月）　https://www.mhlw.go.jp/content/000459116.pdf

I 総論

8 子どもにまつわる諸制度をつなぐ法律

1 子どもの生活に関係する法律・制度の知識（成育基本法）

1）概要

　日常診療の中ではあまり意識することはないが，小児医療の各業務はそれぞれの法律・制度によって社会の中で位置付けられている．新型コロナウイルス感染症への対応は，このことを否が応でも意識させられた．今後も小児医療が社会とともに発展し，成長していくには，小児診療に携わる者は，新興感染症の対応だけに限らず，日常の小児診療と各法律との関係を理解し，ともに発展させる姿勢が求められる．

　たとえば，疾病の治療と予防医療は，医学の発展に伴い，個々人の特性に合わせ連続的に提供されることが理想となってきたが，現在の法制度では区別されている．そのため予防医療に位置付けされる予防接種や乳幼児健診等は，それぞれの根拠の法制度を理解することで，現場では疾病の治療と連続的に提供する工夫が必要である．また，個々の患児や家族に適切な公費負担制度や，地域の医療資源を有効に活用することも小児診療に携わる者には求められる．さらに各地域で策定される各種計画（保健医療計画，障害者基本計画，母子保健計画，がん対策推進計画等）に対して，その制度を理解し医療従事者の立場から関わり，よりよい方向に協力することで地域医療に貢献することも求められてきている．

　今後小児医療が，従来の病院の中で疾病だけを診て治療していた「小児医療」から，患児と家族の人生によりそった「成育医療」に発展するためには，小児診療に携わる者の各法律や制度の理解，そして活用は必須になると思われる．またそのような働きかけを通して，より医学的な視点からの理想に近い法制度を提案することも期待される．

2）小児診療に関係する種々の法律

　表1に小児診療に関係する種々の法律や制度を示した．小児診療に関係する保健・医療・福祉に係る支援制度は，多様に存在する．しかし，それぞれの法制度を所管する行政の担当部署は別々で連続性がなく，有機的連携がとれていないことがよく経験される．現場で小児診療に携わる者は多様な各制度を理解し，目の前の患児に対し最適な医療支援制度を組み立てる工夫が求められる．

8. 子どもにまつわる諸制度をつなぐ法律

表1 小児診療に関係する種々の法律

法律	概要	所管
健康保険法	健康保険制度を定めた法律．保険診療，診療報酬と療養担当規則など	厚生労働省保険局医療課
予防接種法	予防接種の実施その他必要な措置など	厚生労働省健康局健康課予防接種室
感染症法（感染症の予防及び感染症の患者に対する医療に関する法律）	感染症予防のための諸施策と患者の人権への配慮を調和させた感染症対策．症状の重さや病原体の感染力などから，感染症を一類〜五類の5種の感染症と指定感染症の指定	厚生労働省健康局結核感染症課
児童福祉法	適切な法養育を受け，健やかな成長・発達や自立等を保障されること等を基本原理として規定．小児慢性特定疾病，要保護児童対策地域協議会など	厚生労働省子ども家庭局母子保健課，健康局難病対策課
母子保健法	母性及び乳幼児の健康の保持・増進を図るための，健診，保健指導等の基本的な母子保健事業	厚生労働省子ども家庭局母子保健課
学校保健安全法	学校における児童生徒等及び職員の健康の保持増進，学校健診など	文部科学省
障害者総合支援法	障害児医療，サービスなどなど	厚生労働省障害保健福祉部
発達障害者支援法	発達障害への医療，サービスなど	厚生労働省障害保健福祉部
児童虐待防止法	児童虐待を受けたと思われる児童を発見した者に対する，市区町村または児童相談所等への通告義務　児童虐待を受けた者の教育の改善・充実，自立支援のための施策の実施	厚生労働省子ども家庭局家庭福祉課
健やか親子21（第2次）	母子保健分野の国民運動　地域間での健康格差や，個人や家庭状況の違い等の多様性を認識した母子保健サービスの展開等を目標に10年後に達成すべき指標を設定して関連の取り組みを推進	厚生労働省子ども家庭局母子保健課

※その他：医療法・医師法（厚生労働省医政局），がん対策基本法（厚生労働省がん・疾病対策課），アレルギー対策基本法（がん・疾病対策課），子ども・子育て支援法（内閣府）など

3）成育基本法

上記のような行政の縦割りの問題に対応するため，既存の各施策の連携促進と，また理念法による各法制度の後押しを目的として，令和元年に「成育過程にある者及びその保護者並びに妊産婦に対し必要な成育医療等を切れ目なく提供するための施策の総合的な推進に関する法律（成育基本法）」が施行された（図1[1]）．

この法律は理念法といわれているが，特筆すべきことは，国・地方公共団体・保護者・医療関係者の「責務」が明記されていることである．医療関係者とは医師，歯科医師，薬剤師，保健師，助産師，看護師，その他，心理士・理学療法士・作業療法士・言語聴覚

I 総論

名称
「成育過程にある者及びその保護者並びに妊産婦に対し必要な成育医療等を切れ目なく提供するための施策の総合的な推進に関する法律」（平成30年法律第104号）

法律の目的
次代の社会を担う成育過程にある者の個人としての尊厳が重んぜられ，その心身の健やかな成育が確保されることが重要な課題となっていること等に鑑み，児童の権利に関する条約の精神にのっとり，成育医療等の提供に関する施策に関し，基本理念を定め，国，地方公共団体，保護者及び医療関係者等の責務等を明らかにし，並びに成育医療等基本方針の策定について定めるとともに，成育医療等の提供に関する施策の基本となる事項を定めることにより，成育過程にある者及びその保護者並びに妊産婦に対し必要な成育医療等を切れ目なく提供するための施策を総合的に推進する．

主な内容
- 定義
- 基本理念
- 国，地方公共団体，保護者，医療関係者等の責務
- 関係者相互の連携及び協力
- 法制上の措置等
- 施策の実施の状況の公表
- 成育医療等基本方針の策定（閣議決定・公表・最低6年ごとの見直し）と評価
- 基本的施策：
  成育過程にある者・妊産婦に対する医療/成育過程にある者等に対する保健/教育及び普及啓発/記録の収集等に関する体制の整備等/調査研究
- 成育医療等協議会の設置

施行日
令和元年一二月一日から施行

図1 成育基本法について

〔厚生労働省子ども家庭局母子保健課：行政歯科保健担当者研修会 平成31年3月19日「最近の母子保健行政の動向」 https://www.mhlw.go.jp/content/10900000/000493890.pdf より改変〕

士，栄養士など小児保健にかかわる関係者すべてを含んでいる．また，国の責務として「成育医療等基本方針」を策定し（図2[2,3]），必要な財政措置を行い閣議決定することや，定期的に厚生労働省内に医療従事者や有識者から成る「成育医療等協議会」を設置し，その意見を聴くこと等が規定されている．また国は，毎年1回，成育過程にある者等の状況及び成育医療等の提供に関する施策の実施状況を公表しなければならないことも明記されている．

今後は，この成育基本法に基づいて，現場で小児診療に携わる者だけでなく，国，地方公共団体，地域社会が協力して，理想的な成育医療を提供するため，力強く取り組むことが期待される．

8. 子どもにまつわる諸制度をつなぐ法律

| 基本的方向 | 成育過程にある者等を取り巻く環境が大きく変化している中で，成育医療等の提供に当たっては，医療，保健，教育，福祉などのより幅広い関係分野での取組の推進が必要であることから，各分野における施策の相互連携を図りつつ，その需要に適確に対応し，子どもの権利を尊重した成育医療等が提供されるよう，成育過程にある者等に対して横断的な視点での総合的な取組を推進する。|

成育医療等の提供に関する施策に関する基本的な事項

（成育過程にある者等に対し必要な成育医療等を切れ目なく提供するための施策を総合的に推進）

(1) 成育過程にある者及び妊産婦に対する医療
① 周産期医療等の体制　▶総合周産期母子医療センター及び地域周産期母子医療センター等の整備を通じた地域の周産期医療体制の確保等
② 小児医療等の体制　▶子どもが地域において休日・夜間を含めいつでも安心して医療サービスを受けられる小児医療体制の充実等
③ その他成育過程にある者に対する専門的医療等　▶循環器病対策基本法等に基づく循環器病対策の推進等

(2) 成育過程にある者等に対する保健
① 総論　▶妊娠期から子育て期にわたるまでの様々なニーズに対する地域における相談支援体制の整備の推進等
② 妊産婦等への保健施策　▶産後ケア事業の全国展開等を通じた，成育過程にある者とその保護者等の愛着形成の促進等
③ 乳幼児期における保健施策　▶乳幼児健診による視覚及び聴覚障害や股関節脱臼等の早期発見及び支援体制の整備等
④ 学童期及び思春期における保健施策　▶生涯の健康づくりに資する栄養・食生活や運動等の生活習慣の形成のための健康教育の推進等
⑤ 生涯にわたる保健施策　▶医療的ケア児等について各関連分野が共通の理解に基づき協働する包括的な支援体制の構築等
⑥ 子育てや子どもを持つ家庭への支援　▶地域社会全体で子どもの健やかな成長を見守り育む地域づくりの推進等

(3) 教育及び普及啓発
① 学校教育及び生涯学習　▶妊娠・出産等に関する医学的・科学的に正しい知識の普及・啓発の学校教育段階からの推進等
② 普及啓発　▶「健やか親子21（第2次）」を通じた子どもの成長や発達に関する国民全体の理解を深めるための普及啓発の促進等

(4) 記録の収集等に関する体制等
① 予防接種，乳幼児健康診査，学校における健康診断に関する記録の収集，管理・活用等に関する体制，データベースその他の必要な施策　▶PHR
② 成育過程にある者が死亡した場合におけるその死亡原因に関する情報の収集，管理・活用等に関する体制，データベースその他の必要な施策　▶CDR 等

(5) 調査研究　▶成育医療等の状況や施策の実施状況等を収集し，その結果を公表・情報発信することによる，政策対応に向けた検討等
(6) 災害時等における支援体制の整備　▶災害時等における授乳の支援や液体ミルク等母子に必要となる物資の備蓄及び活用の推進等
(7) 成育医療等の提供に関する推進体制等　▶各種施策に関する各地域の優良事例の横展開を通じた各地域の施策の向上等

その他の成育医療等の提供に関する施策の推進に関する事項

▶国・地方公共団体は，施策の進捗状況や実施体制等を客観的に評価し，必要な見直しにつなげるPDCAサイクルに基づく取組の適切な実施等

図2　成育医療等の提供に関する施策の総合的な推進に関する基本的な方針　概要

〔厚生労働省：第5回成育医療等協議会　令和2年10月30日「成育医療の提供に関する施策の総合的な推進に関する基本的な方針　概要」．https://www.mhlw.go.jp/content/11908000/000689453.pdf より改変〕

2 医療的ケア児支援法

1) 背景：「新たな障害―医療的ケア児―」

　障害児医療の対象は肢体不自由・知的障害・内部障害・聴覚障害・視覚障害・行動障害をはじめ多岐にわたり必要な医療も個別性が高く，"児の生活と発育を助ける"医療・福祉・教育・行政を含む地域資源との協働した支援が欠かせない．その一方，医療の進歩とともに高い医療依存度を特徴とする"医療行為が恒常的に欠かせない"新たな障害（のちに医療的ケア児として定義）をもつ児が増加している．措置の対象として，重症心身障害に超重症児という概念が定義されたが，同時に歩ける重症児といった重症心身障害児の枠にはまらない新たな重症児の存在も明らかとなった[4]．医療的ケア児は現在約2万人いると推定されている[5]．医療的ケア児の家族は高い割合で心身のストレス・強い介護疲労・片時も離れられないことからの外出困難・医療機関への受診困難・育児不全感・社会孤立感を抱え，移動支援・預かり支援（日中預かり支援・レスパイト入院を含む）への強いニーズがある[6]．このような背景から国・地方公共団体・児童福祉法・教育基本法の定める施設管理者の責務として医療的ケア児の生活のための看護師配置を含む必要な支援の措置が義務付けられ，ワンストップの相談支援機能を念頭に置いたセンターの設置を骨子とする「医療的ケア児及びその家族に対する支援に関する法律」（医療的ケア児支援法）が公布施行された[7]．また運用に当たって障害福祉サービス等報酬における医療的ケア児の判定基準確立のための研究により，医療の見守り度と医療処置の内容に応じた「医療的ケア判定スコア」という新しい指標が採用された．このスコアは主治医が簡便に採点でき短時間でスコアが付けられるため，重症心身障害の認定と違い，退院前からの早期の医療・福祉サービスの給付計画がきわめて立てやすいことが利点である[8〜10]（図3）[11]．

2) 法律の内容[5]（図4）

　日常生活及び社会生活を営むために恒常的に医療的ケア（人工呼吸器による呼吸管理，喀痰吸引その他の医療行為）を受けることが不可欠である児童（18歳以上の高校生等を含む）を医療的ケア児として定め，その個別性に対応して日常生活・学習生活・社会生活への社会全体による切れ目のない継続的支援を定めた．高校卒業後や医療的ケア離脱後も含み，児と家族の選択の意思を最大限に尊重する配慮を求めた．事業の具体的責務は，国・地方公共団体と，児童福祉法に定められた保育所等（家庭的保育事業・放課後児童健全育成事業を含む）・学校教育法に定められた学校（幼稚園・小学校・中学校・高等学校・義務教育学校・中等教育学校・特別支援学校）の各設置者が負い，医療的ケア児の利用のための看護師の配置を含む適切な支援の措置を義務付けた．また，医療的ケア児と家族（保護者の就労・きょうだい児支援を含む）の生活に必要な支援の措置と，関係資源との

連携調整・相談支援体制・情報共有促進の整備・広報啓発・人材確保・研究開発を定めた．

その実現のため，児と家族及び関係者の求めに応じ，ワンストップで専門的な情報の提供・助言を含む相談支援・関係する医療・保健・福祉・教育・労働等の各資源との連絡調整・医療的ケアの情報提供と研修業務を目的に都道府県知事の定める専門性のある人材を有する「医療的ケア児支援センター」の設置が定められた．

医療的ケア児支援法の成立と相まって，医療・福祉・教育にまたがる場所での生活を実現する看護師配置と必要な実地研修・生活支援のための事業が様々な分野で予算化された[5]．

① 医療的ケア児等総合支援事業：ⅰ）医療的ケア児や重症心身障害児の地域受け入れの促進のため「医療的ケア児支援センター」の設置，ⅱ）連携調整する「医療的ケア児等コーディネーター」の養成研修・地域間の関係職種との情報交換や症例検討会の実施，ⅲ）障害児通所支援事業所等の職員への喀痰吸引等指導の研修実施，ⅳ）障害児通所支援事業所と保育所等（幼稚園を含む）との併行通園の推進，ⅴ）障害児通所支援事業所等での医療的ケア児等に対応する看護職員の確保・求職者や現任看護職員の育成のための研修・紹介・フォローアップの実施，ⅵ）医療的ケア児等とその家族への支援（居場所づくり支援・自宅への看護職員の派遣と見守り・きょうだい児支援など），ⅶ）短期入所先への訪問保育士の派遣，ⅷ）災害時対応マニュアルの作成，ⅸ）直面する課題に対する児と家族への支援の実施（図5）．

② 診療報酬改定（令和2年4月〜）：医療的ケア児の主治医等からの学校医等への診療情報提供を診療情報提供料（Ⅰ）として評価．訪問看護ステーションから地方自治体への訪問看護情報提供療養費1の算定対象に15歳未満の小児の利用者を追加．訪問看護ステーションから学校等への訪問看護情報提供療養費2の算定回数を拡大．情報提供先も保育所等及び幼稚園を追加[12]．

③ 障害福祉サービス等報酬改定（令和3年4月〜）[13]：障害児通所支援での医療的ケア判定スコアに基づいた医療的ケア児の基本報酬の創設．医療型短期入所施設の障害支援区分5以上の医療的ケアのある強度行動障害または遷延性意識障害・医療的ケア判定スコア16点以上を特別重度支援加算の対象に追加．児童発達支援・放課後等デイサービス・福祉型障害児入所施設における看護職員配置加算の要件を判定スコア合計40点以上に整理．福祉型短期入所・重度障害者包括支援・自立訓練（生活訓練）・就労移行支援，就労継続支援，共同生活援助，児童発達支援，放課後等デイサービスで医療連携体制加算に，高度な医療的ケアを必要とする者の受け入れが可能となるよう新単価を創設．生活介護では2名以上の医療的ケア判定スコアに該当する利用者の受け入れで常勤看護職員等加配加算．共同生活援助に医療的ケア対応支援加算を創設．

Ⅰ　総論

障害福祉サービス等利用における医療的ケアの判定スコア（医師用）

医療的ケア（診療の補助行為）		基本スコア 日中	基本スコア 夜間	基本スコア
1　人工呼吸器（鼻マスク式補助換気法，ハイフローセラピー，間歇的陽圧吸入法，排痰補助装置，高頻度胸壁振動装置を含む）の管理 注）人工呼吸器及び括弧内の装置等のうち，いずれか一つに該当する場合にカウントする．		☐		10点
2　気管切開の管理 注）人工呼吸器と気管切開の両方を持つ場合は，気管切開の見守りスコアを加点しない．（人工呼吸器10点＋人工呼吸器見守り0〜2点＋気管切開8点）		☐		8点
3　鼻咽頭エアウェイの管理		☐		5点
4　酸素療法		☐	☐	8点
5　吸引（口鼻腔・気管内吸引）		☐		8点
6　ネブライザーの管理		☐		3点
7　経管栄養	（1）経鼻胃管，胃瘻，経鼻腸管，経胃瘻腸管，腸瘻，食道瘻	☐		8点
	（2）持続経管注入ポンプ使用	☐		3点
8　中心静脈カテーテルの管理（中心静脈栄養，肺高血圧症治療薬，麻薬など）		☐		8点
9　皮下注射 注）いずれか一つを選択	（1）皮下注射（インスリン，麻薬など）	☐		5点
	（2）持続皮下注射ポンプ使用	☐	☐	3点
10　血糖測定（持続血糖測定器による血糖測定を含む） 注）インスリン持続皮下注射ポンプと持続血糖測定器とが連動している場合は，血糖測定の項目を加点しない．		☐	☐	3点
11　継続的な透析（血液透析，腹膜透析を含む）		☐		8点
12　導尿 注）いずれか一つを選択	（1）利用時間中の間欠的導尿	☐		5点
	（2）持続的導尿（尿道留置カテーテル，膀胱瘻，腎瘻，尿路ストーマ）	☐		3点
13　排便管理 注）いずれか一つを選択	（1）消化管ストーマ	☐		5点
	（2）摘便，洗腸	☐	☐	5点
	（3）浣腸	☐	☐	3点
14　痙攣時の坐剤挿入，吸引，酸素投与，迷走神経刺激装置の作動等の処置 注）医師から発作時の対応として上記処置の指示があり，過去おおむね1年以内に発作の既往がある場合		☐		3点

(a)　基本スコア合計
＜日中＞　＜夜間＞

図3　医療的ケアの判定スコア

〔厚生労働省社会・援護局障害保健福祉部障害福祉課：令和3年度報酬改定における医療的ケア児に係る報酬（児童発達支援及

8. 子どもにまつわる諸制度をつなぐ法律

見守りスコア			見守りスコアの基準(目安)		
高	中	低	見守り高の場合	見守り中の場合	見守り低の場合(0点)
☐	☐	☐	自発呼吸がない等のために人工呼吸器抜去等の人工呼吸器トラブルに対して直ちに対応する必要がある場合(2点)	直ちにではないがおおむね15分以内に対応する必要がある場合(1点)	それ以外の場合
	☐	☐	自発呼吸がほとんどない等ために気管切開カニューレ抜去に対して直ちに対応する必要がある場合(2点)		それ以外の場合
	☐	☐	上気道狭窄が著明なためにエアウェイ抜去に対して直ちに対応する必要がある場合(1点)		それ以外の場合
	☐	☐	酸素投与中止にて短時間のうちに健康及び患者の生命に対して悪影響がもたらされる場合(1点)		それ以外の場合
	☐	☐	自発運動等により吸引の実施が困難な場合(1点)		それ以外の場合
	☐	☐	自発運動等により栄養管を抜去する/損傷させる可能性がある場合(2点)		それ以外の場合
	☐	☐	自発運動等により注入ポンプを倒す可能性がある場合(1点)		それ以外の場合
	☐	☐	自発運動等により中心静脈カテーテルを抜去する可能性がある場合(2点)		それ以外の場合
	☐	☐	自発運動等により皮下注射を安全に実施できない場合(1点)		それ以外の場合
	☐	☐	自発運動等により持続皮下注射ポンプを抜去する可能性がある場合(1点)		それ以外の場合
	☐	☐	血糖測定とその後の対応が頻回に必要になる可能性がある場合(1点)		それ以外の場合
	☐	☐	自発運動等により透析カテーテルを抜去する可能性がある場合(2点)		それ以外の場合
	☐	☐	自発運動等により持続的導尿カテーテルを抜去する可能性がある場合(1点)		それ以外の場合
	☐	☐	自発運動等により消化管ストーマを抜去する可能性がある場合(1点)		それ以外の場合
	☐	☐	痙攣が10分以上重積する可能性や短時間のうちに何度も繰り返す可能性が高い場合(2点)		それ以外の場合

(b) 見守りスコア合計

(a)+(b)判定スコア <日中>

(a)+(b)判定スコア <夜間>

び放課後等デイサービス)の取扱い等について.令和3年3月23日 https://www.mhlw.go.jp/content/000763142.pdf]

Ⅰ　総論

◎医療的ケア児とは

日常生活及び社会生活を営むために恒常的に医療的ケア（人工呼吸器による呼吸管理、喀痰吸引その他の医療行為）を受けることが不可欠である児童（18歳以上の高校生等を含む。）

立法の目的

- 医療技術の進歩に伴い医療的ケア児が増加
- 医療的ケア児の心身の状況に応じた適切な支援を受けられるようにすることが重要な課題となっている

⇒医療的ケア児の健やかな成長を図るとともに、その家族の離職の防止に資する

⇒安心して子どもを生み、育てることができる社会の実現に寄与する

基本理念

1. 医療的ケア児の日常生活・社会生活を社会全体で支援
2. 個々の医療的ケア児の状況に応じ、切れ目なく行われる支援
   → 医療的ケア児が医療的ケア児でない児童等と共に教育を受けられるように最大限に配慮しつつ適切に行われる教育に係る支援等
3. 医療的ケア児でなくなった後にも配慮した支援
4. 医療的ケア児と保護者の意思を最大限に尊重した施策
5. 居住地域にかかわらず等しく適切な支援を受けられる施策

国・地方公共団体の責務 → 保育所の設置者、学校の設置者等の責務

支援措置

国・地方公共団体による措置
- 医療的ケア児が在籍する保育所、学校等に対する支援
- 医療的ケア児及び家族の日常生活における支援
- 相談体制の整備・情報の共有の促進・広報啓発
- 支援を行う人材の確保・研究開発等の推進

医療的ケア児支援センター（都道府県知事が社会福祉法人等を指定又は自ら行う）
- 医療的ケア児及びその家族の相談に応じ、又は情報の提供若しくは助言その他の支援を行う
- 医療、保健、福祉、教育、労働等に関する業務を行う関係機関等への情報の提供及び研修並びに普及啓発を行う　等

保育所の設置者、学校の設置者等による措置
- 保育所における医療的ケアその他の支援
  → 看護師等又は喀痰吸引等が可能な保育士の配置
- 学校における医療的ケアその他の支援
  → 看護師等の配置

施行期日：公布の日から起算して3月を経過した日（令和3年9月18日）
検討条項：法施行後3年を目途としてこの法律の実施状況等を勘案した検討
　　　　　医療的ケア児の実態把握のための具体的方策、災害時における医療的ケア児に対する支援の在り方についての検討

図4　医療的ケア児及びその家族に対する支援に関する法律の全体像

[厚生労働省：医療的ケア児等とその家族に対する支援施策　https://www.mhlw.go.jp/stf/seisakunitsuite/bunya/hukushi_kaigo/shougaishahukushi/service/index_00004.html]

8. 子どもにまつわる諸制度をつなぐ法律

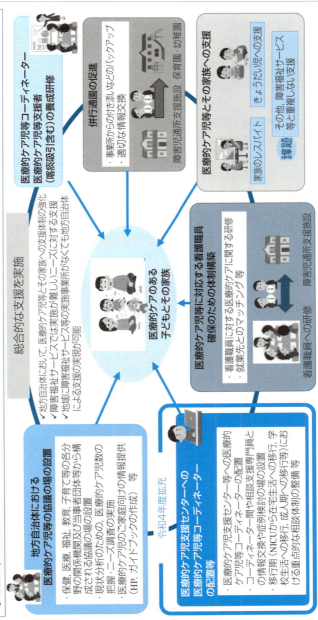

図5 医療的ケア児支援センターの活動概要

[厚生労働省：医療的ケア児等とその家族に対する支援施策 https://www.mhlw.go.jp/stf/seisakunitsuite/bunya/hukushi_kaigo/shougaishahukushi/service/index_00004.html]

④医療的ケア児保育支援事業：保育所等で看護師等の配置や保育士等の喀痰吸引等に係る研修の受講等の支援．
⑤障害児受入強化推進事業：放課後児童クラブにおける医療的ケア児に対する支援に必要な看護職員の配置等に要する経費の補助．
⑥医療的ケア看護職員配置：登下校時の送迎車両に同乗する看護師も含む看護師配置支援．
⑦学校における医療的ケア実施体制構築事業：学校の医療的ケア児の受け入れ体制と専門性をもつ医療的ケア看護職員の育成のための研修方法の調査研究．
⑧医療型短期入所事業所開設支援事業：医療機関職員の実地研修等の実施．
⑨医療的ケア児等医療情報共有サービスの運用．
⑩在宅医療関連講師人材養成事業：在宅医療・訪問看護に係る専門知識や経験を豊富に備えた地域の人材育成を推進する講師の養成．

＊＊＊

　保険診療医は，このような流れの中，地域のケア担当者会議への参加，教育・福祉現場への診療情報提供・医療的ケア児支援センターや福祉教育施設での実地研修指導など[14,15]，地域に赴いて連携を求められる機会が今後増えていくことが予想される．その意味で診療情報提供書の中身は，児の診断と治療経過や医学管理の状況の情報提供のみならず，医療的ケアを含む障害の状況や生活における留意点・体調変化時のファーストエイド・急変時や気管カニューレの計画外抜去での応急処置としての再挿入を含む緊急時対応のマニュアル作成指導・災害時の地域連携のうえで有用な，生活に重点を置いた医療情報の提供と必要に応じて施設の垣根を越えて地域に赴いての多職種連携がより求められると考える．重い障害をもつ子どもや家族の未来を担う一翼として「地域を創る保険診療医」としての活動を期待したい．

➡ 文　献

1) 厚生労働省子ども家庭局母子保健課：行政歯科保健担当者研修会　平成31年3月19日「最近の母子保健行政の動向」 https://www.mhlw.go.jp/content/10900000/000493890.pdf
2) 厚生労働省：第5回成育医療等協議会　令和2年10月30日「成育医療の提供に関する施策の総合的な推進に関する基本的な方針　概要」　https://www.mhlw.go.jp/content/11908000/000689453.pdf
3) 厚生労働省：成育医療等の提供に関する施策の総合的な推進に関する基本的な方針について．令和3年2月9日閣議決定　https://www.mhlw.go.jp/content/000735844.pdf
4) 国立成育医療研究センター：平成30年度厚生労働省委託事業　在宅医療関連講師人材養成事業—小児を対象とした在宅医療分野—．小児在宅医療に関する人材養成講習会テキスト．21-28，2019　https://www.mhlw.go.jp/content/10800000/000491021.pdf
5) 厚生労働省：医療的ケア児等とその家族に対する支援施策　https://www.mhlw.go.jp/stf/seisakunitsuite/bunya/hukushi_kaigo/shougaishahukushi/service/index_00004.html
6) 厚生労働省令和元年度障害者総合福祉推進事業：医療的ケア児者とその家族の生活実態調査報告書．令和2年3月，三菱UFJリサーチ＆コンサルティング　https://www.mhlw.go.jp/content/12200000/000653544.pdf
7) 医療的ケア児及びその家族に対する支援に関する法律　令和3年法律第81号　https://www.mhlw.go.jp/content/

000801675.pdf
8) 田村正徳(研究代表者)：障害福祉サービス等報酬における医療的ケア児の判定基準確立のための研究．厚生労働科学研究費補助金(障害者政策総合研究事業) 総合研究報告書 平成30年〜令和元年度(平成31年度) https://mhlw-grants.niph.go.jp/system/files/2019/192131/201918009B_upload/201918009B20201105150903555002.pdf
9) 前田浩利，他：障害福祉サービス等報酬における医療的ケア児の判定基準確立のための研究―(1)研究の全体像．日本医師会雑誌 149：1811-1815，2021
10) 前田浩利，他：障害福祉サービス等報酬における医療的ケア児の判定基準確立のための研究―(2)医療的ケア児者の運動機能向上による介護者の日常生活およびケア(特に経管栄養)の負担．日本医師会雑誌 149：2003-2006，2021
11) 厚生労働省社会・援護局障害保健福祉部障害福祉課：令和3年度報酬改定における医療的ケア児に係る報酬(児童発達支援及び放課後等デイサービス)の取扱い等について．令和3年3月23日 https://www.mhlw.go.jp/content/000763142.pdf
12) 文部科学省初等中等教育局特別支援教育課：医療的ケア児に関わる主治医と学校医等との連携等について(通知)．元文科初第1708号 令和2年3月16日 https://www.mext.go.jp/content/20200525-mxt_tokubetu02-000007449_04.pdf
13) 厚生労働省：令和3年度障害福祉サービス等報酬改定における主な改定内容 令和3年2月4日 https://www.mhlw.go.jp/content/000759620.pdf
14) 日本訪問看護財団：学校における医療的ケア実施対応マニュアル 看護師用．文部科学省令和元年度学校における医療的ケア実施体制構築事業 https://www.mext.go.jp/content/20210927-mxt_tokubetu01-000010176_1.pdf
15) 日本訪問看護財団：学校における教職員によるたんの吸引等(特定の者対象)研修テキスト(例)．文部科学省令和元年度学校における医療的ケア実施体制構築事業，令和2年(2020年) https://www.jvnf.or.jp/katsudo/kenkyu/2019/caretext_teacher_all.pdf

➡ 参考文献

・成育過程にある者及びその保護者並びに妊産婦に対し必要な成育医療等を切れ目なく提供するための施策の総合的な推進に関する法律(平成30年法律第104号)
・成育過程にある者及びその保護者並びに妊産婦に対し必要な成育医療等を切れ目なく提供するための施策の総合的な推進に関する法律施行令(平成元年政令第170号)

I 総論

9 小児医療に適切な保険診療を構築する仕組み

1 医療上の必要性の高い未承認薬・適応外薬と公知申請

　小児科領域では，小児に対する薬事承認のない薬剤や保険適応のない薬剤(オフラベル使用)が多く存在することは周知の事実である．未承認薬とは薬事承認も保険適用も受けておらず，成人も含めて国内で使用することのできない薬剤をいう．保険適応外薬とは，医薬品として薬事承認(保険適用)されているものの，特定の効能・効果については薬事承認されていないもの(適応外使用)や，成人には認められていても小児に対して承認されていないもの(小児適応外)をいう．昨今の医療の進歩に伴い新規医薬品が数多く出現する中，未承認薬は保険外併用療養の枠組みの中で厳格にその使用が検討され，将来の薬事承認を見据えた準備をしていく必要がある．また適応外薬は古くから慣例的に使用されてきたという面があり，有効性安全性に対する評価や医薬品副作用被害対策などの点で多くの問題をはらんでいるため，その解消が喫緊の課題となっている．近年ではこれら未承認薬や適応外薬の取り扱いが統一されてきているとともに，小児関連薬剤の用法用量の変更や剤形追加に対する必要性も認識されつつあり，ここではその概略を説明する．

1) 医療上の必要性の高い未承認薬・適応外薬

　表1に「医療上の必要性の高い未承認薬・適応外薬検討会議」における検討事項を示した[1]．厚労省に設置された本会議では，これまでに第Ⅰ回から第Ⅳ回要望にかかわる検討が行われている．検討事項は平成22年の第1回開催時には医療上の必要性と公知申請への該当性の2点であったが，その後追加され現在では表1に示したように人道的見地からの治験の該当性や特定用途医薬品への該当性も検討されることとなった．これらの検討を通して，必要な薬剤の開発を促進する仕組みとして機能するようになっている．小児科領域ではこれに該当するであろう薬剤は数多く存在すると思われる．新薬に限らず以前から用いられている薬剤でも該当するものがあれば要望することが可能である．

　図1[1]には，学会(あるいは患者団体)等から出された要望書のおおよその流れを示している．検討の受け皿は「医療上の必要性の高い未承認薬・適応外薬検討会議」である．製薬会社にも見解を求めたうえで，要望された薬剤をどのように扱うかが決定される．

9. 小児医療に適切な保険診療を構築する仕組み

表1 「医療上の必要性の高い未承認薬・適応外薬検討会議」における検討事項

1. 医療上の必要性：以下の(1)および(2)の両方に該当する
(1)適応疾患の重篤性が次のいずれかの場合
　ア　生命の重大な影響がある疾患(致死的な疾患)
　イ　病気の進行が不可逆的で，日常生活に著しい影響を及ぼす疾患
　ウ　その他日常生活に著しい影響を及ぼす疾患
(2)医療上の有用性が次のいずれかの場合
　ア　既存の療法が国内にない
　イ　欧米等の臨床試験において有効性・安全性等が既存の療法と比べて明らかに優れている
　ウ　欧米等において標準的療法に位置付けられており，国内外の医療環境の違い等を踏まえても国内における有用性が期待できると考えられる
2. 公知申請への該当性及び追加実施が必要な試験
3. 人道的見地から実施される治験への該当性：以下の(1)および(2)の両方に該当する
(1)適応疾患の重篤性(承認まで待てない)：生命に重大な影響がある疾患(致死的な疾患)
(2)医療上の有用性(既存の有効な治療法がない)：既存の治療法に有効なものが存在しない
4. 特定用途医薬品の指定基準への該当性
　小児の疾病又は薬剤耐性を有する病原体による疾病の診断，治療又は予防を用途とする医薬品について
(1)対象とする用途に関して開発を行う必要があること
(2)対象とする用途の需要が著しく充足していないこと
(3)対象とする用途に対して特に優れた使用価値を有すること

〔厚生労働省：第46回　医療上の必要性の高い未承認薬・適応外薬検討会議．令和3年8月4日　https://www.mhlw.go.jp/stf/shingi2/0000198856_00017.html より作成〕

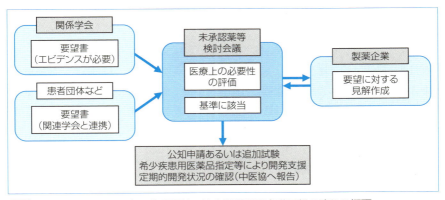

図1 医療上の必要性の高い未承認薬・適応外薬検討会議要望の流れの概要

〔厚生労働省：第46回　医療上の必要性の高い未承認薬・適応外薬検討会議．令和3年8月4日　https://www.mhlw.go.jp/stf/shingi2/0000198856_00017.html より作成〕

対象となる薬剤は，国内に開発企業のある場合には公知申請に該当するか追加試験による妥当性の評価が必要か，検討される．また，国内に開発企業がない場合には開発企業を募集し，公知申請に該当するか追加試験による妥当性の評価が必要か企業を支援しながら検討することになる．その結果，追加試験（臨床試験あるいは臨床治験）を行って妥当性を確認する必要があるとされた場合には，希少疾患用医薬品に指定され新たに臨床治験が実施されることになる．公知申請と判断される場合は次項に示す．

例をあげると，オセルタミビルの1歳未満への適応は，平成25年に第3回医療上の必要性の高い未承認薬・適応外薬の要望募集に日本感染症学会・日本小児感染症学会・日本未熟児新生児学会の3学会から要望され，厚生労働省医薬・生活衛生局審査管理課より日本小児感染症学会に使用実態調査の依頼が出された．日本小児感染症学会は2015-2016及び2016-2017シーズンに前方視調査を行い，その結果を受けて平成28年11月24日に保険適用が，平成29年3月24日に薬事承認が降りている．

また，新成長戦略や規制・制度改革に係る対処方針といった閣議決定，中央社会保険医療協議会での議論等をふまえて，審査等の効率化・重点化が図られている．その結果，医療上の必要性の高い未承認薬・適応外薬検討会議において医療上の必要性が高いとされた抗がん剤は，速やかに先進医療会議で先進医療Bとしての適格性を確認されることになる[2]．

2）公知申請

前項で示したように，医療上の必要性の高い未承認薬・適応外薬として要望された薬剤のうち，「医療上の必要性の高い未承認薬・適応外薬検討会議」での検討の結果，公知申請が可能と判断されたものが該当する．

たとえば，アミノベンジルペニシリン（ABPC）やメトトレキサートなどのように欧米の教科書に以前より記載され，日本においても小児科領域で広く使われている薬剤などの場合である．公知申請とされた適応外薬は，薬事・食品衛生審議会の事前評価が終了した時点で，適応外薬に係る有効性・安全性について公知であることが確認されたとして，薬事承認を待たずに保険適応となる[3]．公知申請にかかわる事前評価が終了した適応外薬の保険適応は，厚労省HPで参照できる[4]．

3）特定用途医薬品の指定制度[5]

本制度は令和元年の薬機法改正で導入された．既承認医薬品のうち小児に対する用法用量が設定されていない，必要な剤形がないなど，医療上のニーズが著しく充足されていない医薬品の研究開発の促進に寄与することを目的とする制度である．要望は関係学会の他，企業や個人等からも受け付けられ，「医療上の必要性の高い未承認薬・適応外薬検討会議」での検討を経て最終的に特定用途医薬品として指定を受けると優先審査や再審査期間の付与といったインセンティブが与えられるため，特に小児医薬品開発の促進

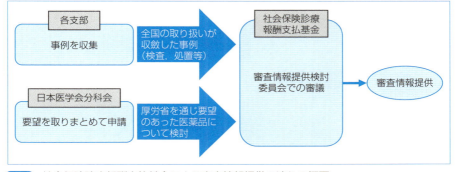

図2 社会保険診療報酬支払基金による審査情報提供の流れの概要

〔厚生労働省：第46回　医療上の必要性の高い未承認薬・適応外薬検討会議．令和3年8月4日　https://www.mhlw.go.jp/stf/shingi2/0000198856_00017.html より作成〕

に寄与することが期待されている．

2　「55年通知」と審査情報提供事例

前項（医療上の必要性の高い未承認薬・適応外薬と公知申請）では未承認薬や適応外薬に対して薬事承認を得るための方策をみてきたが，実際にはそのハードルは非常に高い．そこで，薬事承認がなくても保険診療の中で保険償還を認める仕組みがあり，その根拠となっているのがいわゆる「55年通知」[6]である．「55年通知」により社会保険診療報酬支払基金による審査では，再審査期間が終了した医薬品が学術上の根拠と薬理作用に基づき処方された場合には，個々の症例ごとに個別に保険適用の可否が判断される．さらにその中でも専門的医学的見地から判断されて広く使われているようなケースでは，審査に関する支部間で取り扱いの差異が生じないように，審査情報提供事例として公表されることとなる．

　図2[1]に審査情報提供に係る流れを示す．支払基金に設置される「審査情報提供検討委員会」は原則として年2回開催されており，審議対象となる医薬品については日本小児科学会をはじめとした日本医学会の分科会からの要望を集める形が取られている．公表された事例における小児関連の適応外薬をみてみると，初回の平成19年以降平成24年までは活発に申請が行われていたものの，その後は令和3年2月に起立性調節障害に対するミドドリンが認められるまで，事例がない状況が続いていた[7]．

　この状況に鑑みて，令和3年1月から日本小児科学会はその分科会に対して，本スキームの積極的な利用に関する情報提供を行っている．具体的には，再審査期間を終了して

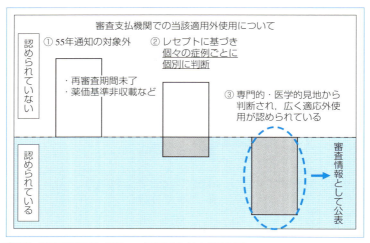

図3 適応外使用に係る55年通知の対応（概念図）

〔中央社会保険医療協議会：第189回総会資料　適応外使用の保険適用について（平成23年4月20日）　https://www.mhlw.go.jp/stf/shingi/2r98520000018toj-att/2r98520000018tzy.pdf〕

おり，Minds準拠の学会診療ガイドライン等で妥当性が確認できる場合などでは，審査情報提供事例として公表される可能性がある（図3）[8]．適応外薬が審査情報提供事例として公表されることは，広く保険診療として認められることを意味している．各学会では，このような手続きがあることを理解し，積極的に活用していくべきである．

→ 文　献

1) 厚生労働省：第46回　医療上の必要性の高い未承認薬・適応外薬検討会議．令和3年8月4日　https://www.mh.w.go.jp/stf/shingi2/0000198856_00017.html
2) 厚生労働省：「厚生労働大臣の定める先進医療及び施設基準の制定等に伴う手続き等の取扱いについて」の一部改正について．令和3年2月1日　https://www.mhlw.go.jp/content/12400000/000866120.pdf
3) 中央社会保険医療協議会：公知申請とされた適応外薬の保険適用について．平成25年6月12日資料　https://www.mhlw.go.jp/stf/shingi/2r98520000033s56-att/2r9852000003429r_1.pdf
4) 厚生労働省：公知申請に係る事前評価が終了した適応外薬の保険適用について　https://www.mhlw.go.jp/bunya/iryouhoken/topics/110202-01.html
5) 厚生労働省：特定用途医薬品の指定制度について　https://www.mhlw.go.jp/stf/newpage_12717.html
6) 厚生労働省：保険診療における医薬品の取扱いについて．昭和55年9月4日保発第69号　https://www.mhlw.go.jp/web/t_doc?dataId=00tb0199&dataType=1&pageNo=1
7) 社会保険診療報酬支払基金：審査情報提供事例（薬剤）　https://www.ssk.or.jp/shinryohoshu/teikyojirei/yakuzai/index.html
8) 中央社会保険医療協議会：第189回総会資料　適応外使用の保険適用について（平成23年4月20日）　https://www.mhlw.go.jp/stf/shingi/2r98520000018toj-att/2r98520000018tzy.pdf

→ 参考文献

・厚生労働省：厚生科学審議会疾病対策部会　第30回難病対策委員会資料　https://www.mhlw.go.jp/stf/shingi/0000020587.html

小児科医に必要な書類の知識

1 診断書

　子どもの場合，予防接種によりその頻度こそ減少傾向にあるが，治癒証明書を発行する機会は多い．また，診断書は学校に提出する他，入院証明書として生命保険の決定のため保険会社の様式に合わせて発行することがある．本項では上記2点に関する一般的な注意点に関して解説する．

1）治癒証明書

　治癒証明書は感染した児童生徒が適切な期間登校停止することにより，学校での感染蔓延を予防するために用いられる．第一種から第三種学校感染症として該当する疾患は学校保健安全法に規定されている（表1）[1]．

　記載の必要事項としては，記載した医師の氏名と医療機関名とともに疾患名及び治療期間を記載する．その根拠は学校保健安全法施行規則及び「学校において予防すべき感染症の解説」に各感染症の概要と併せて記載されているため，一度目を通しておくとよい．費用に関しては医療機関に一任されている．

2）診断書・入院証明書

　診断書は学校，幼稚園や保育所に対して病状を説明するため，入院証明書は保険会社に対して治療が行われていたことを医学的に証明するために用いられる．様式は任意だが，後者は各社所定の様式があるため，それに合わせて記載する．

　記載の必要事項としては，記載した医師の氏名と医療機関名とともに診断名，入院（通院）期間及治療内容を記載する．費用に関しては医療機関に一任されている．

2 学校生活管理指導表

　日本学校保健会が発行している学校生活管理指導表（以下，指導表）[2]の目的は，保護者と学校・幼稚園・保育所とで医師の診断及び指示に関する情報を共有することで，特定の疾患を有し医学的に医療が必要な子どもに対する取り組みを実践することである．

　指導表には子どもが有する疾患によって心臓疾患・腎疾患用（幼稚園用，小学生用，中学・高校生用），アレルギー疾患用，糖尿病患児の治療・緊急連絡法等の連絡表があるの

表1 学校感染症の種類と出席停止期間

	疾患名	出席停止期間
第一種	エボラ出血熱，クリミア・コンゴ出血熱，痘そう，南米出血熱，ペスト，マールブルグ病，ラッサ熱，急性灰白髄炎，ジフテリア，重症急性呼吸器症候群（病原体がコロナウイルス属SARSコロナウイルスであるものに限る）及び鳥インフルエンザ，新型コロナウイルス感染症（令和3年2月より）	治癒するまで
第二種	インフルエンザ ※鳥インフルエンザ（H5N1）及び新型インフルエンザ等感染症は除く	発症（発熱を発症の目安とする）後5日間，かつ解熱後2日（幼児では3日）を経過するまで ※発症した日，解熱した日をいずれも0日目とする
	百日咳	特有の咳が消失するまで，または5日間の適正な抗菌薬治療が終了するまで
	麻しん	解熱後3日を経過するまで
	流行性耳下腺炎	耳下腺，顎下腺または舌下腺の腫脹が発現した後5日間を経過し，かつ全身状態が良好になるまで
	風しん	発疹が消失するまで
	水痘	全ての発疹が痂皮化するまで
	咽頭結膜熱	主要症状が消失した後2日を経過するまで
	結核及び髄膜炎菌性髄膜炎	医師が感染の恐れがないと認めるまで
第三種	コレラ，細菌性赤痢，腸管出血性大腸菌感染症，腸チフス，パラチフス，流行性角結膜炎，急性出血性結膜炎その他の感染症	医師が感染の恐れがないと認めるまで

〔学校保健安全法施行規則 第18条・第19条 https://elaws.e-gov.go.jp/document?lawid=333M50000080018〕

で，目的に応じて選択する．

1）心臓疾患・腎疾患

学校心臓検診や学校検尿で病気がみつかった場合や，すでに診断・治療を受けている場合，その程度により学校生活に制限が必要となる場合がある．指導表による学校での生活管理の指標として，教科体育に掲げられている全運動種目への取り組み方によって強度を分類している．平成21年の指導表改訂で，適正範囲での体育の授業参加への配慮や，小学生用の指導表での学年別運動強度の提示などが改訂されている[3,4]．

2）アレルギー疾患用

アレルギー疾患の場合，就学時・入園時に保護者から特別な配慮や管理を希望する申し出があれば，指導表を配布する．保護者はかかりつけ医に指導表を記載してもらい，学校・幼稚園・保育所に提出する．食物アレルギーは自然寛解することも多いため，配

慮や管理が必要な間は，原則毎年指導表を提出する．大切なことは，正しい判断に基づく必要最小限の除去と，学校・幼稚園・保育所に子どもの重症度が伝わる記載である．アレルギー症状誘発時に使用する緊急薬品や，緊急連絡医療機関の記載も重要である[5]．

指導表の作成費用に関しては，子どもが有する疾患の重症度を評価し，それに基づいて管理区分を決定して記載することに対する対価設定が医療機関に委ねられていることから価格統一することはできないため，金額に違いが生じている．

3 意見書（公的手続きに必要な診断書を含む）

意見書は，医療費助成，手当や各種障害福祉サービスを申請するに当たり，行政に対して患者の病状を説明するための公的文書である．書類の細かいことについては，医療ソーシャルワーカーや市区町村担当課などに問い合わせされたい．本項では，法律に則った公式の意見書だけでなく，小児科医が日常診療の中で公的機関から記載を求められる診断書も含めて，幅広く解説する．

1）資格のある医師が書く書類

a. 小児慢性特定疾病の医療意見書

小児慢性特定疾病患者は，医療費助成が受けられる．小児慢性特定疾病の医療意見書を作成する医師は，あらかじめ都道府県知事等に指定された「指定医」でなければならない．指定医を取るためには，学会専門医を取得し治療経験が5年以上なければならない．提出先は，本項にあげた他のすべての書類と異なり，保健所である．

b. 身体障害者手帳診断書

身体障害者は，身体障害者手帳診断書に基づいて障害と障害等級の認定を受ける．身体障害者手帳診断書を作成する医師は，身体障害者福祉法第15条の規定に基づく指定を受けた医師（15条指定医）でなければならない．提出先は，指定都市・中核市もしくは都道府県である．

c. 自立支援医療（精神通院医療）の意見書

てんかん等の精神疾患で外来通院する患者は，自立支援医療（精神通院医療）の助成が受けられる．これの診断書を作成する医師は，都道府県の指定を受けた指定自立支援医療機関（精神通院医療）における，精神保健指定医もしくは精神医療従事年数3年以上の医師でなければならない．書類の提出先は市区町村である．

d. 特別児童扶養手当認定診断書（知的障害・精神の障害用）

療育手帳Aもしくは身体障害者手帳1・2級を取得している子どもの保護者は，特別児童扶養手当を受給できる．子どもが療育手帳Aでない発達障害をもつ場合，医師が特別児童扶養手当認定診断書（知的障害・精神の障害用）を書いて提出すれば，特別児童扶

養手当を受給できることがある．そのためには，所定の診断書に診断名と症状と日常生活能力を詳細に記載しなければならない．医師は，できる限り精神保健指定医もしくは精神医療従事年数3年以上の医師であるよう指導されている．提出先は市区町村である．

2）一般の小児科医が書ける書類

a．養育医療意見書

NICUに入院した新生児は，入院医療費に対して養育医療の助成がある．養育医療の意見書は指定養育医療機関（NICUの病院）の医師が記載する．提出先は保健センターである（I総論．5-4．養育医療参照）．

b．学校生活管理指導表

心疾患や食物アレルギーなどの慢性疾患をもつ子どもに関し，学校生活管理指導表の記載を求められることがある．運動制限の程度を記載する簡単なものがほとんどであるが，アレルギー疾患用の書式だけはかなり細かい．提出先は学校である（I総論．10-2．学校生活管理指導表参照）．

c．学校における医療的ケア指示書

医療的ケア児が学校へ通って医療的ケアを受ける場合，医療的ケア指示書でケアの内容を細かく記載を求められる．書式は地域や学校によって異なるが，注入のメニューや投与時間，吸引カテーテルの挿入長など細かいことを記載しなければならないことが多い．この文書を書くと「C007-2介護職員等喀痰吸引等指示料（240点）」という診療報酬を算定できる．提出先は学校である．

d．医療的ケア判定スコア（医師用）

医療的ケア児が児童発達支援・放課後等デイサービス（合わせて障害児通所支援という）に通う場合に，令和3年度から医療的ケア判定スコアを付けると事業所に報酬が付くこととなった．そのために主治医は，医療的ケア判定スコア（医師用）のチェック項目に，患者が日常的に必要とする医療的ケアをチェックする．医師の資格要件はないが，主治医であることが必要である．提出先は障害児通所支援施設である（I総論．8-2．医療的ケア児支援法参照）．

e．障害支援区分の医師意見書

18歳以上の障害者は，認定された障害支援区分に基づいて，支給される障害福祉サービスが決定される．障害支援区分の判定は，認定調査員が調査した80項目にわたるデータからコンピュータによってまず一次判定がなされる．この認定調査は介護保険の要介護認定の認定調査を基礎に作られているため，身体障害のない知的障害や精神疾患の患者は，過少評価されてしまう．そのため，市区町村は医師に対して医師意見書を求め，そのデータを加味して一次判定処理される．また，二次判定を協議する市区町村審査会でも医師意見書の記載は勘案される．1）b．の身体障害者手帳診断書とは別物で，医師

の資格は問われない．厚生労働省の「医師意見書記載の手引き」を見て書くとよい．提出先は市区町村である．

f. 障害児通所支援サービス受給者証のための診断書

発達障害のある子どもが障害児通所支援を利用するためには，療育手帳もしくは障害児通所支援サービス受給者証を取得する必要がある．受給者証を取得するためには医師の診断書を求められることが多い．医師の資格や診断名に要件はないが，いろいろ書いた最後に「そのため療育が必要である」と書くことが重要である．提出先は市区町村の障害福祉担当部署である．

g. 保育所の加配保育利用申請のための診断書

発達障害のある子どもが保育所に通うに当たり，加配保育士を付けるために医師の診断書をもってくるよう，保護者が保育所から求められることがある．医師の資格に要件はなく，特定の書式もないが，発達障害に該当する診断名を書くことが重要なようである．提出先は保育所だが，そこから市区町村の保育担当部署へ行く．

h. 保育給付認定のための診断書

両親が共働きではないが，病児・障害児を育てるためにきょうだいの子どもを保育所に預けたい場合がある．本来は保育給付の対象にならないが，保護者が同居の親族(長期入院をしている親族を含む)を常時介護または看護していることが認められると，保育給付認定を受けられることがある．そのための診断書に特定の書式はないが，「保護者は障害のある当該児を常時介護するため，そのきょうだいは保育に欠ける」と書くことが重要である．提出先は市区町村の保育担当部署である．

➡ 文 献

1) 学校保健安全法施行規則　第18条・第19条　https://elaws.e-gov.go.jp/document?lawid=333M50000080018
2) 日本学校保健会：学校生活管理指導表　https://www.hokenkai.or.jp/kanri/kanri_kanri.html
3) 住友直方：学校心臓検診の心電図—注意すべき心電図と学校生活管理指導表の書き方は？—．治療 101：286-298，2019
4) 大友義之：腎疾患をもつ児童・生徒の学校生活管理．小児科診療 79：1591-1598，2016
5) 石黒智紀，他：学校生活管理指導表(アレルギー疾患用)の作成法．MB Derma 307：229-235，2021

➡ 参考文献

・日本学校保健会：学校において予防すべき感染症の解説．平成30(2018)年3月　https://www.gakkohoken.jp/book/ebook/ebook_H290100/index_h5.html#1/
・川戸 仁：治癒証明書．医師のためのオールラウンド医療文書 書き方マニュアル．メジカルビュー社，20-21，2015
・一杉正仁：入院証明書．医師のためのオールラウンド医療文書 書き方マニュアル．メジカルビュー社，43-45，2015
・荒木絵里子：医療文書の書き方．小児科診療 77(Suppl.)：1014-1015，2014
・椎原弘康：医療費助成申請書(医師意見書等)の書き方．小児内科 47：1145-1154，2015
・川戸 仁：小児慢性特定疾病 医療意見書．医師のためのオールラウンド医療文書書き方マニュアル．メジカルビュー，22-23，2015
・小児慢性特定疾病情報センター：疾患概要，『診断の手引き』，医療意見書　https://www.shouman.jp/medical/
・厚生労働省社会・援護局障害保健福祉部：障害者総合支援法における障害支援区分　医師意見書記載の手引き．平成26年(2014年)4月　https://www.mhlw.go.jp/file/06-Seisakujouhou-12200000-Shakaiengokyokushougaihokenfukushibu/8.pdf
・精神科 医療関係者向け e-らぽーる：障害者総合支援法　https://medical.mt-pharma.co.jp/articles/yy-support-law/index.shtml

Ⅱ 各論

1 医科点数表を用いた算定方法

1 医科点数表の構成と算定方法

誰しも，診療報酬点数表をはじめてみたときには，その厚さと文字の多さに圧倒される．また，何とか読み解こうとしてもその複雑怪奇な文書構成に心が折れる体験をする．実は，この診療報酬点数表を使い慣れた者でも，時にその記載内容を理解しきれず誤解してしまうことはしばしば経験する．一気にすべてを理解しようとせず，自分が比較的よく使う項目から少しずつ理解することを勧める．また，医事課の職員など，診療報酬点数表に詳しい友人を作ることを勧める．

1）医科診療報酬点数表の基本的な構造

基本的な構造は，告示と通知から構成されている．告示は，国が診療報酬点数表やその運用にかかわる基準などを広く国民に知らしめるためのもので各省の大臣名で発出されているものである．これに対し通知は，各省などが所管の機関や職員に法令の解釈や運用方針を示すものである．診療報酬にかかわる通知には，保険局長名で出されるものと，保険局医療課長名で出されるものがある．一般に使用される診療報酬点数の書籍には，それぞれ「保発」「保医発」などと表現されて記載されている．

表1と表2には告示の内容をわかりやすく書き直してある．「医科診療報酬点数表」と「厚生労働大臣が定める基準等」の大きな2群で構成されている．表1の医科診療報酬点数表は，まさにわれわれが行う医療行為の定価を示したもので，表2の厚生労働大臣が定める基準等は表1の点数表を使うに当たってどのような条件を満たしていれば表1の点数が算定できるかの基準を示したものである．さらに，地方厚生局に様々な届け出や報告を行う際には，この中にある「様式」で定められたとおりに提出する必要がある．

2）告示

表1の医科診療報酬点数表の構造を説明する．大きく基本診療料と特掲診療料に分かれている．そして，各項目はアルファベットのAからNまでと数字の組み合わせで識別されている．基本診療料（Aと数字で識別）はさらに5つの群に分けてあり，関連する項目がAの0番台，Aの100番台，Aの200番台，Aの300番台，Aの400番に分類されている．類似した構造は，特掲診療料の中の「C在宅医療」でも使われている．

特掲診療料は，項目により複雑な部分（「B医学管理等」「D検査」など）や，とにかく数

1. 医科点数表を用いた算定方法

表1 医科診療報酬点数表

基本診療料
 初・再診料 （A000〜A002）
 入院基本料 （A100〜）
 入院基本料等加算 （A200〜）
 特定入院料 （A300〜）
 短期滞在手術等基本料 （A400）
特掲診療料
 B 医学管理等
 C 在宅医療
 D 検査
 E 画像診断
 F 投薬
 G 注射
 H リハビリテーション
 I 精神科専門療法
 J 処置
 K 手術
 L 麻酔
 M 放射線治療
 N 病理診断
介護老人保険施設入所者に係る診療料
経過措置

表2 厚生労働大臣が定める基準等

告示1	材料価格基準
告示2	入院時食事療養費・入院時生活療養費
告示3	基本診療料の施設基準等
告示4	特掲診療料の施設基準等
告示5	入院患者数・医師等の員数の基準等
告示6	特定疾患療養管理料・特定疾患処方管理加算の対象疾病
告示7	医療保険と介護保険の給付調整
省令	保険医療機関及び保険医療養担当規則
告示8	療担規則及び薬担規則並びに療担基準に基づき厚生労働大臣が定める掲示事項等
告示9	保険外併用療養費関連告示

 字が多い部分（K手術）などがある．これは，過去数十年間の診療報酬改定の歴史の中で，厚生労働省の担当官と各診療科の先輩たちが創意工夫を凝らした結果である．過去の改定の中で，類似した項目に数字で区別をつける努力をしたため，複雑な表現になっている．たとえば，「B001-2-2 地域連携小児夜間・休日診療料」「B001-2-4 地域連携夜間・休日診療料」「B001-2-6 夜間休日救急搬送医学管理料」や，「B001 特定疾患治療管理料　18 小児悪性腫瘍患者指導管理料」「B001 特定疾患治療管理料　23 がん患者指導管理料」「B001 特定疾患治療管理料　24 外来緩和ケア管理料」などである．

 表2に示す厚生労働大臣が定める基準等も，きわめて重要な内容を含んでいる．たとえば，「A307 小児入院医療管理料」の算定要件（告示3の第9の9），施設基準に係る届出（告示3の別添7の様式9，様式48から様式48の3まで），勤務医の負担軽減に係る報告（告示3の別添7の様式13の2）はこの中に示されている．さらに複雑なことに，「A307 小児入院医療管理料」の告示と通知の中にも一部記載があり，この点数表を読み解こうとする者は，言葉の迷路に迷いこんでしまう．迷路を体験したい方は，実際に診療報酬

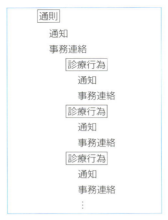

図1 A〜Nの各項目の基本構造

点数表のA307にかかわる項目を探してみることを勧める.

3) 通知と事務連絡

図1には，表1に示したアルファベットのAからNまでの大項目の内部の構造を示した．各項目は，告示と通知で構成されている．告示は，表の中で四角で囲まれている通則とそれぞれの診療行為の部分である．それぞれの告示の内容について，必要に応じて通知（さらには事務連絡）が添えられている．

通則は，多くの場合AからNまでの大項目の一番はじめに記載されている．これは，そこに含まれる項目（診療行為）すべてにかかわる使い方の基本（原則）を示している．また，告示だけでは説明が足りないと思われる部分は，告示に続けて通知が添えられている．さらに，通知だけでは足りない場合には事務連絡として医療機関と厚生労働省担当官の質疑応答が記載されている場合もある．それぞれの診療行為も同じような構造だが，その場合の通知はその診療行為のみにかかわる内容である．

別項（Ⅱ各論.5-9.麻酔表9）の☐部分が告示で，☐部分が通知である（この例では事務連絡は示されていない）．告示された「L001-2 静脈麻酔」はその実施条件によって1〜3の三つの区分があり，それぞれ算定できる点数が異なる．この三つのすべてに告示の中の注1と注2がかかっていることになる．その下の通知には，静脈麻酔という診療行為の定義や算定要件や具体的な算定方法などについての説明が追加されている．

4) 医学的な特殊性への配慮

「A基本診療料」は診療所や病院（あるいは病棟）全体に適応され，それぞれの基準に沿って運用される．「C在宅医療」でも同様である．しかし，臨床の場には必ず突出した例外が存在する．通常よりも並外れて症状が重い，より濃厚な対応が必要，その症例に

特化した特別な対応が必要，一般的ではない医療を提供している場合，などである．「A基本診療料」や「C在宅医療」の運用に当たって，これら症例ごとあるいは医療形態ごとの特殊性に対処するために様々な工夫がされている．以下にいくつか例をあげてみたい．

「A000初診料」をみると，通常は282点であるが，注2では初診料の逓減について，注6では乳幼児加算について，注7では時間外加算などが種々告示されている．さらにその後には「A000初診料」にかかわる通知や事務連絡が延々と続いている．

A200番台の入院基本料等加算の項では，「A204-2臨床研修病院入院診療加算」「A221-2小児療養環境特別加算」「A232がん拠点病院加算」「A234-2感染防止対策加算」「A246入退院支援加算」等々の様々な加算が告示されている．A300番台の特定入院料の項では，「A301-4小児特定集中治療室管理料」「A302新生児特定集中治療室管理料」「A307小児入院医療管理料」「A311-4児童・思春期精神科入院医療管理料」など特定の患者に対し特化した治療を提供する場合の管理料が告示されている．これらの加算や管理料は，医療機関の医療の質の担保や日本全体の医療システム構築そのものにかかわっている．

これに対し「B医学管理等」では，特定の疾病や病態など患者の特殊性に配慮した告示が並んでいる．「B001特定疾患治療管理料 5小児科療養指導料」「B001-2小児科外来診療料」「B004退院時共同指導料1」「B009診療情報提供料(I)」などである．

5) 診療報酬の算定

一般には，表1にある基本診療料と特掲診療料の中の診療行為から，該当する項目の点数の合算で算定する．具体的な算定方法などについては別項(II 各論.2)を参照されたい．

医科点数の算定法として「L麻酔」の中の「L001-2静脈麻酔」の使い方を例示する．II 各論.5-9.麻酔の項(表9)に静脈麻酔の点数表を収載したので参考にされたい．さて小児の加算を例にとると，5歳の子どもに検査のために静脈注射用麻酔剤を用いた場合，検査が5分で終了すれば「L001-2静脈麻酔1」の120点を算定し，その場合には「L001-2静脈麻酔」の注1の加算12点が適応される．合計132点を請求することになる(実際の保険請求では，この他に「L200薬剤料」「L300特定保険医療材料料」も合わせて算定する)．

もし，2歳の子どもに十分な体制のもとに静脈注射用麻酔剤を用いた検査を15分かけて行った場合はどうだろうか？ この場合には，「L001-2静脈麻酔2」の600点を算定することになる．幼児加算は，「L麻酔」の通則(表としては示していない)に記載された100分の20を加えることができるため120点が幼児加算となり，合計720点を請求することになる(実際の保険請求では，この他に「L200薬剤料」「L300特定保険医療材料料」も合わせて算定する)．

このように，個々の診療行為について算定要件にあった点数や加算を一つ一つ積み重ね，最終的にその患者の外来あるいは入院診療の総点数が算出されることになる．

6）診療報酬点数表の算定要件で使われる表現

独特の言い回しに"専従"と"専任"があり，状況に応じてその表現する比率は若干の差がある．一般には，専従と表現された場合には勤務時間のほとんどを当該業務に従事することをいう．専任と表現された場合には多くの時間を当該業務に従事することをいう．なお，兼任と表現された場合には他の業務とのかけもちが可能である．

算定要件の中の医師要件などに，"専ら"という表現も使われる．多くの場合は，その診療科を専門的に診療しているときに用いられる．

2 出来高払いと診断群分類による包括払い

1）二つの支払い方法

医療費は一つ一つの医療行為に対して定められた対価としての診療報酬を積算して算出する出来高払いが原則である．この算出方法の問題点は，診療を行った分だけ請求する仕組みのために検査・投薬過剰になりやすいことである．また，小児，特に新生児医療では投薬の調整が微量で，医療費の算出が非常に煩雑になることも指摘された．これらの短所を改善することを目的に，実際に使用した医療資源量を入院日数の統計と合わせて診療報酬で集計し，傷病ごとに入院1日当たりで点数を定めた支払い方法が診断群分類(diagnosis procedure combination：DPC)による支払いである．最も医療資源を投入した傷病名(実際には手術・処置，副病名や重症度等も)を設定すると，それに応じて1日当たりの投薬料や検査料等が規定されている．DPCを用いた支払いは，現在入院診療のみに適応されており，外来診療は適応外である．入院日数による算定基準，DPC対象病院の分類や算定包括範囲等，DPCによる支払い方法の詳細は別項(II 各論. 6. DPC)を参照されたい．

2）小児医療における支払い方法

小児医療では患者の特性上，診療行為が発育に及ぼす影響を常に考慮することから，不必要な投薬や放射線検査等は必要最小限にとどめることが前提である．一方，少子化の影響，予防接種の普及や急性疾患の管理技術が向上したこと等の要因に伴い患者数は減少している．前述した出来高払いの原則に従って診療を行うと，小児科では初診料・再診料といった基本診療料(診察料)が主体になり，他の診療科と比べて収益が少なく，採算がとれなくなることが経営上および医療体制を確保する問題の一つとされてきた．そこで，小児の入院診療に関しては図2のように小児入院医療管理料や新生児特定集中治療室管理料等の特定入院料が定められ，そこには医療費計算の煩雑さや人件費比率の高さが考慮されている．

また，小児の外来診療では自ら訴えることのできない患者から身体所見をとったり，

1. 医科点数表を用いた算定方法

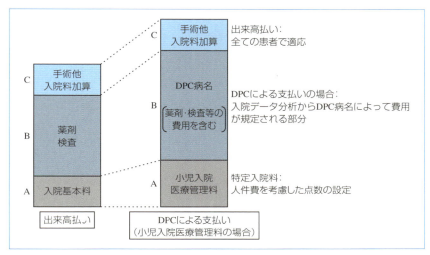

図2　出来高払いとDPCによる支払い（入院）
いずれの場合も原則Aは固定される．出来高払いの場合，BとCは診療実績分だけが追加される．DPCの場合，Cは診療実績分だけ追加されるが，Bの値は診断名で固定されて定額なので，診療が追加されるとその分実費のみが増えるので減算扱いとなる

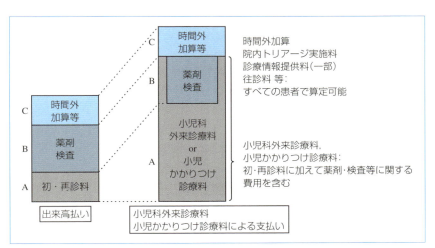

図3　出来高払い，小児科外来診療料及び小児かかりつけ診療料による支払い
いずれの場合もAは固定される．出来高払いの場合，BとCは診療実績分だけが追加される．小児科外来診療料/小児かかりつけ診療料の場合，Cは診療実績分だけ追加されるが，Bの値はAに含まれているので，診療が追加されるとその分実費のみが増えて減算扱いとなる

侵襲や将来への影響に考慮して必要最低限の検査や投薬に抑えたり，自宅での療養に関する注意点を口頭指導したりする等，成人診療に比較して特徴的な医療技術が多いことから，それに関する評価として，図3のように「B医学管理等」の中に小児科外来診療料や小児かかりつけ診療料をはじめとする医学管理料が設定されていった．

3）小児医療における支払いの問題点

前項で示されたとおり，検査，投薬は特定入院料，小児科外来診療料や小児かかりつけ診療料に含まれているため，特に外来診療でたとえばアレルゲン特異的IgE検査のように複数の検体検査で評価することが必要になる場合，結果として包括範囲を超えてしまうことで，医療機関によっては経営上影響を及ぼす可能性がある．あくまで単回の診察における事象なので，継続して診療することで全体の収支は確保されるが，診療報酬の構造が医師による患者にとって適切な診療方針の決定に影響を及ぼしうることは本来望ましくない．

例にあげたように，小児医療に対する医療ニーズも時代とともに変化する．すべての患者に適応する支払い制度の策定は困難だが，医療ニーズへの対応，保険診療の適切性と経営収支のバランスが維持できるような対応が望まれる．

Ⅱ 各論

2 外来診療の基本算定項目

1 外来診療の基本診療料

　保険医療機関の外来診療の基本診療料は，初診料と，再診料(200床以上の保険医療機関の場合は，外来診療料になる)からなる．

　平成8年度の診療報酬改定から小児科外来診療料が導入され，3歳未満の乳幼児については，当該診療料を採用する場合は，保険医療機関単位で算定されるようになった．令和2年度からは6歳未満に対象年齢が変更となった．当該診療料は，対象となるすべての患者に対する診療日1日ごとの包括制である(患者を選択することはできないが，一部に当該診療料を算定できない場合がある．また包括は一部除外項目がある)．令和2年度から届け出が必要となった(当初は届け出が必要だったが，平成28年度の改定から不要になっていた)．

　また，平成28年度の改定より小児かかりつけ診療料が導入された．当該診療料は，施設基準が適合しているものとして届け出た保険医療機関において，算定要件を満たしかつ同意等を得た患者に対する診療日1日ごとの包括制である．患者ごとに診療報酬請求の月単位で採否を決定できる．令和2年度からは未就学児までに対象が変更となった．

　各診療料の詳細については，それぞれの項目を参照されたい．令和3年9月現在の加算等を含めた各診療料の診療報酬点数を，表1にまとめた．

⦿ 初診料

A000 初診料

1) 初診料の算定

　保険医療機関において初診を行った場合に初診料288点を算定する．ただし，小児科外来診療料または小児かかりつけ診療料を算定している患者においては，それぞれの診療料の相応する初診時の点数を算定する(本章小児科外来診療料，小児かかりつけ診療料参照)．病院の場合は，紹介率・逆紹介率や妥結率が低いと算定する点数が288から214点に減点される(低紹介率初診料)．なお，患者の希望で直接200床以上の病院を受診した場合，初診料の他に選定療養費として患者から徴収することも可能である．

表1 診療報酬点数

初診料（病院・診療所共通）						
	一般 （6歳以上）	6歳未満	小児科標榜特例 （6歳未満）	小児科外来診療料		小児かかり つけ診療料
時間内	288	363（+75）	―	院外	599	631
				院内	716	748
時間外	373（+85）	488（+200）	488（+200）	院外	684（+85）	831（+200）
				院内	801（+85）	948（+200）
休日	538（+250）	653（+365）	653（+365）	院外	849（+250）	996（+365）
				院内	966（+250）	1,113（+365）
深夜	768（+480）	983（+695）	983（+695）	院外	1,179（+580）	1,326（+695）
				院内	1,296（+580）	1,443（+695）
時間外特例	518（+230）	633（+345）	休日診療所等で初診を行った場合			

※紹介率や妥結率の低い病院は初診料の基本点数が288から214点に減点となる（時間外もすべて）
※機能強化加算（要届出）は80点を加算
※小児科外来では，時間外等での加算は初診時115点，再診時70点減点する

再診料						
	一般 （6歳以上）	6歳未満	小児科標榜特例 （6歳未満）	小児科外来診療料		小児かかり つけ診療料
時間内	73	111（+38）	―	院外	406	438
				院内	524	556
時間外	138（+65）	208（+135）	208（+135）	院外	471（+65）	573（+135）
				院内	589（+65）	691（+135）
休日	263（+190）	333（+260）	333（+260）	院外	596（+190）	698（+260）
				院内	714（+190）	816（+260）
深夜	493（+420）	663（+590）	663（+590）	院外	926（+520）	1,028（+590）
				院内	1,044（+520）	1,146（+590）
時間外特例	253（+180）	323（+250）	休日診療所等で再診を行った場合			

※紹介率や妥結率の低い病院は再診料の基本点数が73から54点に減点となる（時間外もすべて）

a．低紹介率初診料

紹介率＝（紹介患者数＋救急患者数）÷初診患者数（別紙様式28参照）

逆紹介率＝逆紹介患者数÷初診患者数

紹介患者とは，他の病院や診療所から紹介状を持参してきた患者のことを指し，健康診断等で精査加療の必要性が指摘され，それを文書にして持参した場合を含む．

また，初診患者数とは「患者の傷病について医学的に初診と言われる診療行為があった患者数」のことで，特定機能病院の場合はそこから夜間休日に受診した患者数を除し

たもの，地域医療支援病院等，特定機能病院以外の病院ではそれからさらに救急搬送された患者や病院救急車を含む救急車で転院搬送された患者を除いたものと規定する．

紹介率・逆紹介率に関する減算基準を以下に記す．
- 特定機能病院，200床以上の地域医療支援病院：紹介率50％未満かつ逆紹介率50％未満．
- 上記以外の400床以上の病院：紹介率40％未満かつ逆紹介率30％未満．

b. 特定妥結率初診料(許可病床数が200床以上の病院に限る)

妥結率＝(卸売販売業者と当該保険医療機関との間で取引価格が定められた医療用医薬品の薬価総額)÷(当該保険医療機関における薬価基準で計算した医療用医薬品の薬価総額)(別紙様式35参照)

妥結率とは，薬剤の実勢価格を明らかにするため各保険医療機関に対して義務付けている調査項目である．薬剤は先に納入してから価格交渉することが一般的で，価格が決定しないまま「未妥結」の状態になっている薬剤が多いと医薬品の市場実勢価格が把握できず，薬価改定に反映できないことからそれを減らすことを目的としている．

妥結率に関する減算基準は現在50％未満である．

2) 初診料の算定に関する注意事項

①特に初診料が算定できない旨の規定がある場合を除き，患者の傷病について医学的に初診といわれる診療行為があった場合に，初診料を算定する．同一の保険医が別の医療機関において，同一の患者について診療を行った場合は，最初に診療を行った医療機関において初診料を算定する．

②患者が異和を訴えて診療を求めた場合，診断の結果，疾病と認めるべき徴候のない場合でも初診料を算定できる．

③自他覚症状がなく健康診断を目的とする受診により疾病が発見された患者について，当該保険医が，治療の必要性を認め治療を開始した場合には，初診料は算定できない．ただし，当該保険医以外の保険医(当該疾患を発見した保険医の属する保険医療機関の保険医を除く)において治療を開始した場合には，初診料を算定できる．たとえば，乳幼児健診で疾病を認め，自院で診療を開始した場合には，初診料は算定できず，再診料を算定する．

④1傷病の診療継続中に他の傷病が発生して診療を行った場合は，それらの傷病に係る初診料は，併せて1回とし，第1回の初診のときに算定する．前の傷病の転帰を明確にしない限り，後の傷病の診療において初診料は算定できない．

⑤患者が任意に診療を中止し，1月以上経過した後，再び同一の保険医療機関において診療を受ける場合には，その診療が同一病名又は同一症状によるものであっても，その際の診療は，初診として取り扱う．ただし，慢性疾病等明らかに同一の疾病又は負

傷であると推定される場合の診療は，初診として取り扱わない（慢性疾病を示す病名のときは注意が必要である）．

3) 初診料の加算について

a. 乳幼児加算

6歳未満の乳幼児に対して初診を行った場合は，75点を加算する．ただし，b. または c. に規定する加算を算定する場合は算定しない．

b. 時間外加算，休日加算，深夜加算

保険医療機関が表示する診療時間（表2）以外の時間，休日または深夜において再診を行った場合は下記の点数を所定点数に加算する．

6歳未満			6歳以上		
時間外	200点		時間外	85点	
休　日	365点		休　日	250点	
深　夜	695点		深　夜	480点	

c. 時間外特例医療機関（休日診療所）の初診料

ただし，専ら夜間における救急医療確保のために設けられている保険医療機関においては，別に厚生労働大臣が定める時間（表2）に初診を行った場合は，時間外特例加算を230点算定する．6歳未満の乳幼児の場合は345点を加算する．

d. 小児科標榜保険医療機関における夜間・休日・深夜の診療に係る特例（小児科特例加算）

小児科を標榜する保険医療機関にあっては，当該保険医療機関が表示する診療時間内であって，別に厚生労働大臣が定める夜間の時間，休日または深夜において6歳未満の乳幼児に対して初診を行った場合にそれぞれ200点，365点または695点を加算する．

すなわち，小児科標榜保険医療機関においては，表示する診療時間が，夜間で厚生労働大臣が定める時間・深夜または休日にかかっている場合，診療時間内であってもその時間での6歳未満の乳幼児に対する初診では加算が算定できる．なお，診療を行う保険医が小児科以外であっても算定できる．

表2 診療時間に関する定義

時間外	おおむね午前8時前と午後6時以降（土曜日は，午前8時前と正午以降）で，表示する診療時間以外の時間．日曜日以外を休診日とする保険医療機関においては当該休診日．標準的でない診療時間を設定している保険医療機関においては，その表示する診療時間以外の時間
夜間・早朝	当該地域において一般の保険医療機関がおおむね診療応需の態勢を解除した後，翌日に診療応需の態勢を再開するまでの時間（深夜及び休日を除く）であり，標準的にはおおむね午前8時前と午後6時以降（土曜日は，午前8時前と正午以降）で深夜及び休日を除いたもの
深夜	年間を通して午後10時から午前6時まで
休日	日曜日及び国民の祝日並びに12月29日から1月3日まで

e. 夜間・早朝等加算

別に厚生労働大臣が定める施設基準「1週当たりの診療時間が30時間であること」を満たす保険医療機関(診療所に限る)が，当該保険医療機関が表示する診療時間内であっても，午後6時(土曜日は正午)から午前8時までの間(深夜及び休日を除く)，休日または深夜に初診を行った場合に50点を加算する．ただし，時間外特例加算，小児科特例加算と併せて算定できない．

f. 機能強化加算

厚生労働省が定める施設基準に適合しているとして地方厚生局長に届け出た医療機関(200床未満の病院及び診療所)において初診を行った場合は，機能強化加算80点を加算する．

機能強化加算は外来医療における適切な役割分担を図り，より的確で質の高い診療機能を評価する観点から，かかりつけ医機能を有する医療機関の初診を評価する．年齢，疾患，診療科に関係なく，すべての初診患者に算定できる．

小児科では，小児かかりつけ診療料，在宅時医学総合管理料(在宅療養支援診療所及び在宅療養支援病院に限る)の届け出を行っていることが必要である．

急な病気の際の診療や慢性疾患の指導管理，必要に応じて専門的な医療を要する際の紹介，発達段階に応じた助言・指導等を行う健康相談，予防接種の接種状況を確認し，接種の時期について指導，予防接種の有効性と安全性に関する情報提供，電話による問い合わせに対応することが，かかりつけ医機能として求められる．院内での掲示や文書で患者が持ち帰ることができるようにする．

4) 指導料・管理料

①初診時に算定する小児科関連の指導料及び管理料
- 本章**乳幼児育児栄養指導料**参照．

②初診時に算定できない小児科関連の指導料および管理料
- 特定疾患療養管理料：初診の日から1か月以内の管理の費用は初診料に含まれる．
- 小児科療養指導料：初診の日の同月内に行った指導は，初診料に含まれる．本章**小児科療養指導料**参照．
- てんかん指導料：小児科療養指導料と同じ．本章**てんかん指導料**参照．

⦿ 再診料

A001 再診料　　73点

1) 再診料の算定

再診の場合，基本診療料である再診料と乳幼児加算，時間外・休日・深夜加算及び外来管理加算等の加算部分からなる．診療報酬の請求は診療録(カルテ)に基づいて行われ

る．診療事実を適切に記載していれば問題ないが，医師が他の者(事務職員等)に指示，指導，処方等のオーダーの入力代行等をさせることがないようにする．診療の都度，妥当適切な病名を診療録に記載する．また，電子カルテのパスワードは定期的に見直し，不正アクセスの防止に努める必要がある．再診料と外来診療料は，許可病床数によりいずれかを算定する．注意点として初診または再診が行われた同一日であるかどうかにかかわらず，当該初診・再診に伴う一連の行為とみなされる場合には，これらの費用は当該初診料・再診料・外来診療料に含まれ算定できない．

電話再診は，患者の病状の変化に応じ，医師の指示を受ける必要がある場合に限り再診料が算定できる．電話再診の内容を診療録に記載する．ただし，電話等を通じた指示が，当日の初診・再診に付随する一連の行為である場合や，単なる定期的な病状報告を受ける内容のものである場合は算定できないなどの注意が必要である．

2) 再診料の算定に関する注意事項

① 診療所または保険医療機関(一般病床数が200床以上のものを除く)において，再診を行った場合にその都度(同一日において2以上の再診があっても可)算定する．
② 2以上の傷病について同時に再診を行った場合の再診料は，当該1日につき1回に限り算定する．同一保険医療機関において，同一日に他の傷病について，別の診療科を再診として受診した場合は，現に診療継続中の診療科1つに限り，再診料37点を算定できる．「A傷病について診療継続中の患者が，B傷病に罹り，B傷病について初診があった場合，当該初診については，初診料は算定できないが，再診料を算定できる.」
③ 患者またはその看護に当たっている者から電話等によって治療上の意見を求められて指示をした場合においても，再診料を算定することができる．ただしこの場合は，後述する外来管理加算は算定しない．

3) 再診療の加算について

a. 乳幼児加算

6歳未満の乳幼児に対し再診を行った場合は，38点を所定点数に加算する．ただし，時間外・休日・深夜において，時間外加算等を算定する場合は算定できない．乳幼児の看護に当たっている者から電話等によって治療上の意見を求められ指示した場合でも乳幼児加算を算定できる．

b. 時間外加算，休日加算，深夜加算

保険医療機関が表示する診療時間以外の時間，休日または深夜において再診を行った場合は下記の点数を所定点数に加算する．

6歳未満	時間外	135点	6歳以上	時間外	65点
	休 日	260点		休 日	190点
	深 夜	590点		深 夜	420点

2. 外来診療の基本算定項目

c. 時間外特例医療機関(休日診療所)の再診料

専ら夜間における救急医療の確保のために設けられている保険医療機関にあっては，夜間であって別に厚生労働大臣が定める時間において再診を行った場合は180点，6歳未満の乳幼児の場合は250点を所定点数に加算する．別に厚生労働大臣が定める時間とは平日午後6時から翌朝午前8時までの間，土曜日にあっては正午からとする．深夜とは午後10時から午前6時までの間とする．

時間外加算を算定すべき時間，休日，深夜または夜間・早朝等に患者またはその看護に当たっている者から電話等により治療上の意見を求められて指示した場合は時間外加算，休日加算，深夜加算または夜間・早朝等加算を算定する．ただし，ファクシミリ，電子メール等による再診についてはこれらの加算は算定できない．

d. 小児科標榜保険医療機関における夜間・休日・深夜の診療に係る特例(小児科特例加算)

小児科を標榜する保険医療機関にあっては，夜間であって別に厚生労働大臣が定める時間，休日，深夜において6歳未満の乳幼児に対して再診を行った場合は当該保険医療機関が表示する診療時間に限り，所定点数を加算できる．

e. 夜間・早朝等加算

保険医療機関(診療所に限る)が午後6時(土曜日にあっては正午)から午前8時までの間(深夜及び休日を除く)，休日又は深夜であって，当該保険医療機関が表示する診療時間内の時間において再診を行った場合は，夜間・早朝等加算として50点を所定点数に加算する．診療所の夜間・早朝等の時間帯の診療を評価し，時間外・休日・深夜等を診療時間として表示している場合であっても，時間外・休日・深夜加算を算定できる制度で，乳幼児の時間外特例といわれていたが，成人の場合も50点の算定が可能である．

f. 外来管理加算

処置，リハビリテーション等(診療報酬点数のあるものに限る)を行わずに計画的な医学管理を行った場合に算定できる．医師が自ら身体診察を行い，説明等をすることにより算定するものであり，事務職員やコンピュータによる自動入力は不可である．

外来管理加算を算定するに当たっては，医師は丁寧な問診と詳細な身体診察(視診，聴診，打診，及び触診等)を行い，それらの結果を踏まえて病状や療養上の注意点等を丁寧に説明するとともに，患者の療養上の疑問や不安を解消するため次の取り組みを行う．
①問診し，患者の訴えを総括する．
②身体診察によって得られた所見及びその所見に基づく医学的判断等の説明を行う．
③これまでの治療経過を踏まえた療養上の注意等の説明・指示を行う．

外来管理加算を算定する場合の注意事項を以下にあげる．
①患者からの聴取事項や診察所見の要点を診療録に記載する．

表3 時間外対応加算の施設基準

時間外対応加算1	診療所を継続的に受診している患者からの電話等による問い合わせに対し、原則として当該診療所において、<u>常時対応できる体制</u>がとられていること．やむを得ない場合は速やかに患者にコールバックすることができる体制がとられていること
時間外対応加算2	加算1の条件から、常時対応をはずし、標榜時間外の夜間の数時間（<u>おおむね準夜帯まで</u>）は、原則として当該診療所において対応できる体制がとられていること
時間外対応加算3	診療所（連携している診療所を含む）を受診している患者からの電話等による問い合わせに対し、<u>複数の診療所による連携により対応する体制</u>がとられていること．連携する診療所の数は当該診療所を含めて最大三つまでとする．当番日以外においては、留守番電話等により、当番の診療所や地域の救急医療機関等の案内を行う

②外来管理加算は、標榜する診療科に関係なく算定できる．
③往診料を算定した場合にも算定できる．
④本人が受診せず、看護に当たっている者から症状を聞いて薬剤を投与した場合は外来管理加算を算定できない．
⑤患者またはその看護に当たっている者から電話等によって治療上の意見を求められて指示をした場合、外来管理加算は算定できない．

g. 時間外対応加算（表3）

別に厚生労働大臣が定める施設基準に適合しているものとして地方厚生局等に届け出た保険医療機関（診療所に限る）において再診を行った場合には、当該基準に係る区分に従い、次に掲げる点数をそれぞれ所定点数に加算する．

　イ　時間外対応加算1　　5点
　ロ　時間外対応加算2　　3点
　ハ　時間外対応加算3　　1点

算定に当たっては、当該保険医療機関において、算定する区分に応じた対応を行うとともに、緊急時の対応体制や連絡先等について院内掲示、連絡先を記載した文書の交付、診察券への記載等の方法により患者に対し周知する．

◉ 外来診療料

|A002 外来診療料|　74点

外来診療料は医療機関の機能分担、請求の簡素化を目的として設定された．

1）外来診療料の算定

外来診療料として、200床以上の保険医療機関で再診を行った場合に74点を算定する．同一日に別の診療科を再診として受診した場合は37点を算定する．

2）外来診療料の算定に関する注意事項

① 紹介率，逆紹介率が基準より低い特定機能病院，地域医療支援病院は55点を算定する．
② 紹介率，逆紹介率が基準より低い特定機能病院，地域医療支援病院以外の400床以上の病院は55点を算定する．
③ 医療用医薬品の取引価格の妥結率が施設基準を満たす場合は55点を算定する．
④ 上記①〜③の場合，同一日に別の診療科を再診として受診した場合は27点を算定する．
⑤ 同一日に別の診療科を再診した場合，外来迅速検査加算，乳幼児加算，時間外加算は算定できない．

3）外来診療料の包括範囲

所定点数には別記処置や検査が包括されている．以下に小児科で行われる検査や処置の一例を示す（小児科で通常行う機会が少ない処置は省略した）．

① 尿中一般物質定性半定量検査：比重，pH，蛋白定性，グルコース，ウロビリノゲン，ウロビリン定性，ビリルビン，ケトン体，潜血反応，試験紙法による尿細菌検査（亜硝酸塩），食塩，試験紙法による白血球検査（白血球エステラーゼ），アルブミン．
② 尿中特殊物質定性定量検査：尿蛋白，先天代謝異常尿スクリーニングテスト，尿浸透圧，アルブミン定量．
③ 尿沈渣
④ 糞便検査：虫卵検出，糞便塗抹顕微鏡検査，糞便中ヘモグロビン/トランスフェリン定性・定量．
⑤ 血液検査：末梢血一般，末梢血液像，網赤血球数，赤沈，血液浸透圧，血中微生物検査，赤血球抵抗試験など．
⑥ ネブライザー，超音波ネブライザー．

▶注1．処置に必要な薬剤：医療材料は包括されない（別途請求）．
▶注2．包括されている検査でも採血料，検体検査判断料は包括されていないので算定可能．

4）外来診療料の加算について

a．外来迅速検体検査加算

検査実施日のうちに検査結果の説明を行った場合や文書による情報提供（検査結果のコピーなど）を行った場合などに算定可能．

▶注1．尿中一般物質定性半定量検査，尿沈渣，糞便中ヘモグロビン，末梢血液一般検査，赤沈．以上は外来診療料に包括されているので加算できない．
▶注2．HbA1c，血液化学検査（総ビリルビン，総蛋白，アルブミン，尿素窒素，ク

レアチニン，尿酸，ALP，ChE，γ-GTP，AST，ALT，LDH，CK，Na，K，Cl，Ca，血糖，総コレステロール，HDL コレステロール，LDL コレステロール，中性脂肪，CRP，TSH，fT3，fT4．

以上は包括されていないので加算ができる．

b．乳幼児加算

6歳未満の乳幼児に対し再診を行った場合は，38点を所定点数に加算する．なお，時間外加算と同時算定できない．

c．時間外・休日・深夜加算

保険医療機関が表示する診療時間以外の時間，休日，深夜に再診を行った場合にそれぞれ65点，190点，420点を加算する．

6歳未満の小児の場合はそれぞれ135点，260点，590点を加算する．

⦿ 小児かかりつけ診療料

1）沿革

当該管理料は，小児のかかりつけ医機能を推進する観点から，小児外来医療において，継続的に受診し，同意のある患者について，適切な専門医療機関等と連携することにより，継続的かつ全人的な医療を行うことを総合的に評価するために，平成28年度の診療報酬改定に新設された包括的診療点数である．

施設基準に適合しているものとして届け出た保険医療機関において，未就学児（6歳以上の患者にあっては，6歳未満から小児かかりつけ診療料を算定しているものに限る．令和2年から未就学児までに対象が変更となった）の患者であって入院中の患者以外のものに対して診療を行った場合に算定する．

2）算定点数

B001-2-11 小児かかりつけ診療料

①保険薬局において調剤を受けるために処方箋を交付する場合

 イ 初診時 631点
 ロ 再診時 438点

②①以外の場合

 イ 初診時 748点
 ロ 再診時 556点

③小児抗菌薬適正使用支援加算（初診時，月1回） 80点

3）小児かかりつけ診療料の包括範囲

小児かかりつけ診療料は包括点数で，下記の点数を除きすべて所定点数に含まれる．

①初診料・再診料及び外来診療料の時間外加算・休日加算・深夜加算

②時間外特例加算
③小児科特例による時間外加算
④初診料の機能強化加算
⑤地域連携小児夜間・休日診療料
⑥院内トリアージ実施料
⑦夜間休日救急搬送医学管理料
⑧診療情報提供料(Ⅰ)
⑨電子的診療情報評価料〔診療情報提供料(Ⅰ)の算定時に〕
⑩診療情報提供料(Ⅱ)
⑪診療情報提供料(Ⅲ)
⑫往診料

小児かかりつけ診療料はそれぞれ下記の点数を加算する．

初診時			再診時		
時間外	200点		時間外	135点	
休　日	365点		休　日	260点	
深　夜	695点		深　夜	590点	
特　例	345点		特　例	250点	

時間外等の加算は，小児かかりつけ診療料では，6歳未満の加算と同じである．一方，小児科外来診療料では，初診時115点，再診時70点減点する（126頁；表1参照）．

当該診療料は，保険医療機関ごとに対象となる患者に対してのみ算定する．

平成30年度改定では，「初診料の機能強化加算」「小児抗菌薬適正使用支援加算」などが導入された．初診料の機能強化加算は，年齢を問わず全患者を対象に算定可能である．また，「小児抗菌薬適正使用支援加算」は，小児科外来診療料でも算定できる．

4) 算定時の注意（留意事項）

①小児かかりつけ診療料は，かかりつけ医として，患者の同意を得たうえで，緊急時や明らかに専門外の場合を除き継続的かつ全人的な医療を行うことについて評価したものであり，原則として1人の患者につき1か所の保険医療機関が算定する．なお，月の途中で転医した場合など，やむを得ず2か所の保険医療機関で算定する場合には，診療報酬明細書の摘要欄にその理由を記載すること．

②小児かかりつけ診療料は，当該保険医療機関を4回以上受診（予防接種の実施等を目的とした保険外のものを含む）した未就学児（6歳以上の患者にあっては，6歳未満から小児かかりつけ診療料を算定しているものに限る）の患者を対象とする．

③再診が電話等により行われた場合にあっては，小児かかりつけ診療料は算定できない．

④同一日において同一患者の再診が2回以上行われた場合であっても，1日につき所定の点数を算定する．

⑤同一月において，院外処方箋を交付した日がある場合は，当該月においては，「1．処方箋を交付する場合」の所定点数により算定する．ただしこの場合であっても，夜間緊急の受診の場合等やむを得ない場合において院内投薬を行う場合は，「2．処方箋を交付しない場合」の所定点数を算定できるが，その場合には，その理由を診療報酬明細書の摘要欄に記載する．

⑥当該医療機関が院内処方を行わなかった場合は，「処方箋を交付する場合」の所定点数を算定する（令和2年に変更）．

⑦小児かかりつけ診療料の算定にあたっては，以下の指導等を行うこと．

　ア　急性疾患を発症した際の対応の仕方や，アトピー性皮膚炎，喘息その他乳幼児期に頻繁にみられる慢性疾患の管理等について，かかりつけ医として療養上必要な指導及び診療を行うこと．

　イ　他の保険医療機関と連携の上，患者が受診している医療機関をすべて把握するとともに，必要に応じて専門的な医療を要する際の紹介等を行うこと．

　ウ　患者について，健康診査の受診状況及び受診結果を把握するとともに，発達段階に応じた助言・指導を行い，保護者からの健康相談に応じること．

　エ　患者について，予防接種の実施状況を把握するとともに，予防接種の有効性・安全性に関する指導やスケジュール管理等に関する指導を行うこと．

　オ　当該診療科を算定する患者からの電話等による緊急の相談等に対しては，原則として当該保険医療機関において，常時対応を行うこと．常勤の小児科医が配置された医療機関においては，夜間（深夜を含む）及び休日の相談等について，当該医療機関での対応に代えて，地域において夜間・休日の小児科外来を担当する医療機関又は都道府県が設置する小児医療に関する電話相談の窓口（♯8800等）を案内することも可能である．

　カ　かかりつけ医として，上記アからオまでに掲げる指導等を行う旨を患者に対して書面（別紙様式10を参考とし，各医療機関において作成すること）を交付して説明し，同意を得ること．また，小児かかりつけ医として上記アからオまでに掲げる指導等を行っている旨を，当該保険医療機関の外来受付等の見やすい場所に掲示していること．

⑧小児かかりつけ診療料を算定した場合は，小児科外来診療料は算定できない．

⑨小児抗菌薬適正使用支援加算は平成30年に新設された．抗菌薬の適正な使用を推進するため，「抗微生物薬適正使用の手引き」（厚生労働省健康局結核感染症課）を参考に，抗菌薬の適正な使用の普及啓発に資する取り組みを行っている（表4）．

　小児抗菌薬適正使用支援加算は，急性気道感染症または急性下痢症により受診した患者であって，診察の結果，抗菌薬の投与の必要性が認められないために使用しないもの

2. 外来診療の基本算定項目

表4 小児抗菌薬適正使用支援加算の施設基準

- 抗菌薬の適正な使用を推進するための体制が整備されている
- 薬剤耐性（AMR）対策アクションプランに位置付けられた「地域感染症対策ネットワーク（仮称）」に係る活動に参加し，または感染症にかかる研修会に定期的に参加している
- 算定にあたっては，施設基準を満たしておればよく，届け出は必要ない

表5 小児かかりつけ診療科の施設基準

① 専ら小児科又は小児外科を担当する常勤の医師が1名以上配置されていること
② 小児科外来診療料を算定していること
③ 時間外対応加算1又は時間外対応加算2に係る届出を行っていること
④ ①に掲げる医師が，以下ア～オの項目のうち，三つ以上該当すること
 ア 在宅当番医制等により，初期小児救急医療に参加し，休日又は夜間の診療を月1回以上の頻度で行っていること
 イ 母子保健法第12条又は第13条の規定による乳幼児の健康診査（市町村を実施主体とする1歳6か月，3歳児等の乳幼児の健康診査）を実施していること
 ウ 予防接種法第5条第1項の規定による予防接種（定期予防接種）を実施していること
 エ 過去1年間に15歳未満の超重症児又は準超重症児に対して在宅医療を実施した実績を有していること
 オ 幼稚園の園医又は保育所の嘱託医に就任していること

に対して，療養上必要な指導及び検査結果の説明を行い，文書により説明内容を提供した場合に，初診時に月に1回に限り算定する．なお，インフルエンザウイルス感染の患者またはインフルエンザウイルス感染の疑われる患者については算定できない．

5）小児かかりつけ診療料の施設基準

当該保険医療機関において，小児の患者のかかりつけ医として療養上必要な指導等を行うにつき必要な体制が整備されていること（表5）．

● 小児科外来診療料

1）概要

小児科外来診療料は小児科を標榜する保険医療機関であれば算定できる．算定する場合は地方厚生局に対して届け出を行う必要がある．

小児科外来診療料は保険医療機関における入院中の患者以外の患者であって6歳未満のすべての患者を対象とする．診療報酬の請求については，下記の場合を除き小児科外来診療料により行う．

① 小児かかりつけ診療料を算定している患者．

②在宅療養指導管理料を算定している患者(他の保険医療機関で在宅療養指導管理料を算定している場合であっても算定対象にはならないので注意する必要がある).
③厚生労働大臣が定める薬剤であるパリビズマブを投与している患者については,投与当日に限り小児科外来診療料の算定対象とはならない.

2)内容

B001-2 小児科外来診療料

①保険薬局において調剤を受けるために処方せんを交付する場合

 イ 初診時 599点
 ロ 再診時 406点

②①以外の場合

 イ 初診時 716点
 ロ 再診時 524点

3)小児科外来診療料の包括範囲

小児科外来診療料は包括点数で,下記の点数を除きすべて所定点数に含まれる.

①初診料,再診料及び外来診療料の時間外加算,休日加算,深夜加算及び小児科特例加算
②地域連携小児夜間・休日診療料
③院内トリアージ実施料
④夜間休日救急搬送医学管理料
⑤診療情報提供料(Ⅱ)(Ⅲ),往診料(往診料の加算を含む)

小児科外来診療料はそれぞれ下記の点数を加算する.

初診時	時間外	85点	再診時	時間外	65点
	休 日	250点		休 日	190点
	深 夜	580点		深 夜	520点
	特 例	230点		特 例	180点

この場合6歳未満の乳幼児加算(初診時115点及び再診時70点)は算定できないので注意する必要がある.

4)算定時の注意

①再診が電話等により行われた場合には小児科外来診療料は算定できない.
②小児科外来診療料は1日単位の包括点数であり,同一日において,同一患者の再診が2回以上行われた場合であっても,1日につき所定の点数を算定する.
③同一月において,院外処方箋を交付した日がある場合は,当該月においては,処方箋を交付する場合の所定点数を算定する.ただしこの場合であっても,夜間の緊急受診のやむを得ない場合において院内投薬を行う場合は,院外処方箋を交付しない場合の

所定点数を算定できるが，その理由を診療報酬明細書の概要欄に記載する．
④常態として院外処方箋を交付する保険医療機関において，患者の症状又は病態が安定していること等のため同一月内において投薬を行わなかった場合は，当該月については，院外処方箋を交付しない場合の所定点数を算定する．
⑤当該届出を行った保険医療機関において，6歳未満の小児が初診を行いそのまま入院となった場合の初診料は，小児科外来診療料ではなく，基本診察料の初診料を算定し，当該初診料の請求は入院の診療報酬明細書により行う．
⑥6歳の誕生日が属する月において，6歳の誕生日前に当該保険医療機関を受診し，小児科外来診療料を算定した場合にあっては6歳の誕生日後に当該保険医療機関を受診しても，当該月の診療に係る請求は小児科外来診療料により行う．
⑦当該届出を行った保険医療機関のうち，許可病床数が200床以上の病院においては，他の保険医療機関等からの紹介なしに受診した6歳未満の乳幼児の初診については，保険外併用療養費に係る選定療養の対象となる．したがって，小児科外来診療料の初診時の点数を算定した上に，患者からの特別の料金を徴収できる．

5）小児科外来診療料（包括払い）と出来高払いの選択

　小児科外来診療料は平成8年度診療報酬改定で導入された．初・再診料を含む包括医療であり，小児科を標榜する保険医療機関であれば算定できる．1日単位で報酬が決められている．受診回数の制限はない．算定要件は入院中の患者以外の患者であって6歳未満のすべての患者が対象である．原則として検査，画像診断，投薬，注射，処置，診断情報提供料（Ⅰ）等の追加的な医療行為は算定できない．

　包括払いでは診療報酬の上限があらかじめ定められているため，上限を超えた検査，処置等，すなわち，喘息，アレルギー等の慢性疾患患者ではIgE特異的アレルゲン検査，その他内分泌検査や食物負荷試験等の高額検査が上乗せで請求できない．したがって，各種検査の割合が高い医療機関は出来高払いを選択することになる．また，包括制では重症患者や診断が難しい希少疾患等を診療することは難しくなると指摘されている．しかしながら保険請求の簡素化による医療事務の負担軽減や過剰な検査や投薬が減る方向にインセンティブが働くことによるメリットが考えられる．

　一方，出来高払い制はこのような上限はないため，出来高払い医療機関のほうが1件当たりの診療報酬は高くなりやすい．もちろん，各医療機関が出来高払い制と包括払い制を自由に選択できる制度は確保されており，どちらを選択するかは各医療機関の判断に任せられる．乳幼児の場合，問診に時間がかかり，診察・処置等の際に介助に人出を要し，投薬・検査も少ないなど出来高払い制になじまない点が多い．労多いことに対する評価が十分ではなく，適切に点数設定がなされるのであれば包括払い制選択が多くなると思われる．

小児科外来診療料導入当時，ウイルス迅速検査はまだ普及していなかったが，現在は日常診療ではあたり前になってきている．インフルエンザ迅速検査や溶連菌検査，RSウイルス検査等は外来診療に直結し，早期治療による重症化予防のために必須検査になっている．他にも各種外来迅速検査の普及やアレルギー検査の需要増加，新薬の登場等により外来医療の質が飛躍的に向上している．包括点数はひとたび点数が設定されると引き上げが難しい傾向にあるが，診療内容の進歩に合わせて点数の引き上げが実施されないと当然賄えなくなる．小児科外来診療料導入後の適正な評価がなされてこなかったため，出来高払い制に対する優位性は少なくなってきている．

かかりつけ医機能推進の観点からみて，十分な配慮がなされるべき点はあるが，小児の外来診療においては，前述したように成人と比べて手間がかかるなどといったことから，適切に評価がなされ，出来高払いと選択可能であれば，初・再診を含む包括払いは今後も継続されると思われる．

● オンライン診療料

1）オンライン診療とは

オンライン診療は「遠隔医療のうち，医師—患者間において，情報通信機器を通して，患者の診察及び診断を行い診断結果の伝達や処方等の診療行為を，リアルタイムにより行う行為」[1]を指す．基本的にオンライン診療という場合，医師と患者がお互いの画像をみることができる「テレビ電話」形式のものを指し，「電話診療」とは区別している．電話診療よりもオンライン診療のほうが視覚情報が多いため，格段に有効であり安全性が高まる．

もともと，平成9年にはじめて遠隔医療が認められた際は，「離島・僻地の患者」「特定の慢性疾患の患者」「原則初診対面」という条件が例示されていたが，平成27年に厚労省が，前述の条件は例示にすぎず，これらの条件に該当しない患者に対しても医師の判断のもと遠隔医療を行うことは問題ない，という事務連絡を発出した．この事務連絡が，実質的な「オンライン診療解禁」となり，規制緩和や医療分野のICT活用の重要性から保険適用に向けた議論が進み，平成30年度診療報酬改定で「オンライン診療料」が新設された．

しかし，その診療報酬は対面診療に比べ3割以上低く，ほとんど普及が進まなかった．令和2年度改定で少し見直しが行われたところで，新型コロナウイルス感染症の世界規模の大流行が発生し，状況が一変した．厚労省は令和2年4月に，初診時も含めオンライン診療・電話診療を時限的に容認することを決め，受診歴のない初診患者の初診料算定が可能になり，現在もこの運用は続いている．具体的な運用，算定点数はII 各論．8 新型コロナウイルス感染症，医療制度と診療報酬の項に譲る．

2）オンライン診療と電話診療の令和2年までの診療報酬

A003 オンライン診療料　71点

a．算定の原則

施設基準に適合し，地方厚生局に届け出た医療機関で，継続的に対面による診療を行っている患者であって，情報通信機器を用いた診察を行った場合に，患者1人につき月に1回に限り算定する．ただし，連続する3月は算定できない．

初診料，再診料，外来診療料，在宅患者訪問診療料（Ⅰ）または在宅患者訪問診療料（Ⅱ）を算定する月は，別に算定できない．

b．対象患者

以下の①～⑩までのいずれかを算定している患者であって，算定すべき医学管理を最初に行った月から3月を経過している患者（①特定疾患療養管理料，②小児科療養指導料，③てんかん指導料，④難病外来指導管理料，⑤糖尿病透析予防指導管理料，⑥地域包括診療料，⑦認知症地域包括診療料，⑧生活習慣病管理料，⑨在宅時医学総合管理料，⑩精神科在宅患者支援管理料）．

在宅自己注射指導管理料を算定している糖尿病，肝疾患（経過が慢性なものに限る）又は慢性ウイルス肝炎の患者であって，当該疾患に対する注射薬の自己注射に関する指導管理を最初に行った月から3月を経過している患者．

事前の対面診療，CTまたはMRI撮影及び血液学的検査等の必要な検査で一次性頭痛と診断された患者のうち，当該疾患に対する対面診療を最初に行った月から3月を経過している患者．

c．留意事項

①オンライン診療料は，対面診療の原則のもとで，対面診療とビデオ通話が可能な情報通信機器を活用した診療を組み合せた診療計画を作成し，当該計画に基づいて計画的な診療を行った場合に，患者1人につき月に1回算定できる．なお，当該診療計画に基づかない他の傷病に対する診療は，対面診療で行うことが原則であり，オンライン診療は算定できない．

②日常的に通院又は訪問診療による対面診療が可能な患者を対象として，患者の同意を得た上で，対面診療とオンライン診療を組み合わせた診療計画を（対面診療の間隔は3月以内）作成した上で実施する．

③患者の急変時等の緊急時には，原則として当該医療機関が必要な対応を行う．

④厚生労働省の定める情報通信機器を用いた診療に係る指針「オンライン診療の適切な実施に関する指針　平成30年3月（令和元年7月一部改訂）」に沿って診療を行う．令和2年4月以降，厚労省が指定する研修を受講しなければならない．

⑤予約に基づく診療による特別の料金は徴収できない．

⑥情報通信機器の運用に関する費用については，療養の給付と直接関係のないサービス等の費用として，別途徴収できる．

3）オンライン診療の恒久化と小児科における取り組み

政府は「オンライン診療の恒久化」に向けて動き出している．令和2年10月，「初診を含めて原則解禁」という方針で関係閣僚の合意がなされ，政府の規制改革推進会議にもオンライン診療の「時限的措置の恒久化」が盛り込まれた．ただ，診療報酬に関する議論は明らかになっておらず，時限的措置が終了して診療報酬がもとに戻れば，オンライン診療を継続しない医療機関が増え，恒久化は見込めないのが実情であろう．少なくともオンライン診療に対する診療報酬を対面診療と同額にする必要がある．国際的にみても，報酬システムの違いがあるが，ほとんどの国が同額である．また，処方のみならず，オンラインで行う指導に対して指導料を算定できる診療報酬の仕組みも望まれる．そういった診療報酬体系が構築されることではじめて，恒久化への道が開けると考えられる．

前述の時限的措置におけるオンライン診療受診状況をみると，0～10歳の利用や小児科への受診が4割近くを占めていた．また，診療内容は急性上気道炎，気管支炎，湿疹，アレルギー性鼻炎などの日常診療で診る疾患が多くを占め，特に小児科領域で，子どもをもつ家族のオンライン診療への要望が増大したことがわかる．

一方で，小児科医側からすると，オンライン診療への不安もある．来院してくれなくなるのではないか，重症疾患を見逃すのではないかという不安から始まり，診療報酬が安すぎて導入できないというのが現状である．オンライン診療が安易な受診を助長し，その後の対面診療につながらず，質の担保ができない診療になってしまっては，医療が望ましくない方向に向かってしまうという危惧もある．

しかし，オンライン診療ならではのメリットもある．何よりも軽症疾患の際のアクセスがよく，慢性疾患治療におけるアドヒアランスの向上に寄与できる．家庭での状況がわかること，きちんと顔をみて話すようになることなどから，逆に医療の質の向上が期待できる部分もある．そしてこのオンライン診療は，webに特化した特別な医師が行うものではなく，患者の期待に応えるためには，「かかりつけ医」にこそ実装されるべきものと考えられる．そのために，日本小児科学会も参加した日本医学会連合のオンライン診療検討ワーキンググループでは，オンライン診療に向く症状，向かない症状，慎重に投与すべき薬剤などのリストアップや，対面診療へ移行するためのマニュアルを整備し，「オンライン診療初診に関する提言」を提出した．

2 医学管理料

医学管理料は医師やその指示のもとで医療従事者が患者に対する指導や特定の疾患に

2. 外来診療の基本算定項目

対する医学的な管理，つまり医療技術そのものに対する算定項目である．外来・入院問わず算定可能な項目と外来のみで算定可能な項目とがある．

また，医学管理料は手術のように目に見えるものではないため，指導および管理内容を説明できるカルテ等への記載や，算定のための施設要件としてある特定の医療行為に従事している実績を記録として残すことが必要である．

小児科領域で算定する医学管理料としては，①小児の診療体制に対して算定できるもの，②特定の疾患を有する小児患者を診療することにより算定できるもの，および③文書による情報提供を行うことで算定できるものに大別される（表6）．以後，小児科診療に関係する項目のうち，代表的なものについて解説していく．

● 小児科療養指導料

B001 5 小児科療養指導料　270点

小児（医療）ならではの指導料であるが，算定するためにはいくつかの要件があり，注意が必要である．

1) 診療科と医師

厚生労働大臣が定める基準を満たす，小児科を標榜する保険医療機関のうち，他の診

表6 小児科診療に関連した医学管理料

	診療報酬項目
①小児の診療体制に対して算定できるもの	B001-2 小児科外来診療料
	B001-2-2 地域連携小児夜間・休日診療料
	B001-2-11 小児かかりつけ診療料
	B004 退院時共同指導料1
	B005 退院時共同指導料2
②特定の疾患を有する小児患者を診療することにより算定できるもの	B001 4 小児特定疾患カウンセリング料
	B001 5 小児科療養指導料
	B001 6 てんかん指導料
	B001 18 小児悪性腫瘍患者指導管理料
	B001 28 小児運動器疾患指導管理料
	B001-2-3 乳幼児育児栄養指導料
	B001-2-5 院内トリアージ実施料
	B005-6-3 がん治療連携管理料　3 小児がん拠点病院の場合
③文書による情報提供を行うことで算定できるもの	B009 診療情報提供料（I）
	B010 診療情報提供料（II）
	B011 診療情報提供料（III）

療科を併せて標榜している場合は，小児科のみを専任とする医師が一定の治療計画に基づき療養上の指導を行った場合に限り算定する．つまり同一医師が，当該保険医療機関が標榜する他の診療科を併せて担当している場合には算定できない．ただし，アレルギー科を併せて担当している場合は算定できる．

2）年齢と回数

上記の要件を満たす小児科担当医師が，慢性疾患であって，療養上，生活指導が特に必要なものを主病とする15歳未満の患者に対して，治療計画に基づき指導を継続して行った場合に月1回に限り算定する．ただし入院中以外のものが対象である．

3）算定できる機会

第1回目の小児科療養指導料は，初診料を算定した初診の日（区分番号「A000」）の属する月の翌月の1日，または当該保険医療機関から退院した日から起算して1か月を経過した日以降に算定する．つまり初診料を算定する初診の日に行った指導や，その初診の日の同月内に行った指導の費用は初診料に含まれることになり，算定できない．また，入院中の患者に対して行った指導または退院した患者に対して退院の日から起算して1か月以内に行った指導の費用は，入院基本料に含まれるため算定できない．

4）対象となる疾患と年齢

脳性麻痺，先天性心疾患，ネフローゼ症候群，ダウン症等の染色体異常，川崎病で冠動脈瘤のあるもの，脂質代謝障害，腎炎，溶血性貧血，再生不良性貧血，血友病及び血小板減少性紫斑病，先天性股関節脱臼，内反足，二分脊椎，骨系統疾患，先天性四肢欠損，分娩麻痺，先天性多発関節拘縮症および児童福祉法第6条の2第1項に規定する小児慢性特定疾病（同条第2項に規定する小児慢性特定疾病医療支援の対象に相当する状態のものに限る）並びに同法第56条の6第2項に規定する障害児に該当する状態であり，対象となる患者は，15歳未満の入院中の患者以外の患者である．また，出生時の体重が1,500g未満であった6歳未満の者も，入院中の患者以外の患者はその対象となる．

5）除外される疾患

例外が設けられており，区分番号「B000」に掲げる特定疾患療養管理料，区分番号「B001 7」に掲げる難病外来指導管理料または区分番号「B001 18」に掲げる小児悪性腫瘍患者指導管理料（白血病や悪性リンパ腫を含む）を算定している患者については算定しない（詳しくは該当箇所を確認されたい）．

6）除外される他の指導

在宅療養指導管理料の各区分に掲げる指導管理料（第2部第2節第1款）または皮膚科特定疾患指導管理料（区分番号「B001 8」）を算定すべき指導管理を受けている患者に対して行った指導の費用は，各区分に掲げるそれぞれの指導管理料に含まれる．

7) 記録

指導内容の要点を診療録に記載することが必要である．

8) その他

対象は当該疾病を主病とする患者またはその家族であるが，家族に対して指導を行った場合は，患者を伴った場合に限り算定する．また，再診が電話等により行われた場合には，小児科療養指導料は算定できない．

人工呼吸器管理の適応となる患者と病状，治療方針について話し合い，当該患者に対し，その内容を文書により提供した場合は，人工呼吸器導入時相談支援加算として，当該内容を文書により提供した日の属する月から起算して1月を限度として，1回に限り，500点を所定点数に加算する．

厚生労働大臣が定める施設基準を満たし届け出た保険医療機関において，区分番号「A003」に掲げるオンライン診察料を算定する際に小児科療養指導料を算定すべき医学管理を情報通信機器を用いて行った場合は，所定点数に代えて，小児科療養指導料(情報通信機器を用いた場合)として，月1回に限り100点を算定する．

● 特定疾患治療管理料

小児科で算定される機会がある特定疾患治療管理料を以下にあげる．

B001 1 ウイルス疾患指導料

①ウイルス疾患指導料1：240点．肝炎ウイルスまたは成人T細胞白血病に罹患している患者に対して月1回算定．

②ウイルス疾患指導料2：330点．後天性免疫不全症候群に罹患している患者に対して月1回算定．

B001 2 特定薬剤治療管理料

①特定薬剤治療管理料1：470点．ジギタリス製剤，抗てんかん薬，免疫抑制薬，抗菌薬，抗不整脈薬などを投与している患者に対して，薬物血中濃度を測定して計画的な治療管理を行った場合に月に1回算定する．

小児科で算定される機会が多いと想定される薬剤に関して表7に示す．

1回目の算定月のみ表7に示されるような加算がある．なお表7に示されている薬剤で小児への適用が承認されていないものが含まれる．

②てんかん重積状態の患者に対して抗てんかん薬の注射等を行い，薬物血中濃度を測定して精密に管理した場合は1回に限り740点を算定する．

③2種類以上の抗てんかん薬を投与され，同一暦月に複数の抗てんかん薬の濃度を測定した場合は2回に限り算定する．

表7 特定薬剤治療管理料：小児科で算定する頻度が高いもの

対象薬剤	所定点数	初月加算	4月目以降	特記事項
抗てんかん薬	470	280	470	てんかん
テオフィリン製剤	470	280	235	気管支喘息，未熟児無呼吸発作
シクロスポリン	470	280	470	ネフローゼ症候群，川崎病の急性期
タクロリムス水和物	470	280	470	潰瘍性大腸炎，多発性筋炎，全身型重症筋無力症など
アスピリン	470	280	235	若年性特発性関節リウマチなど
アミノ配糖体抗生物質	470	280	235	入院中の患者
バンコマイシン	470	530	235	複数回測定して投与量を管理．入院中の患者
てんかん重積状態の患者に対して抗てんかん剤の注射などを行った場合	740	―	―	全身性けいれん重積発作．入院中の患者

表8 算定できない疾患

特定疾患療養管理料対象疾患	結核，糖尿病，甲状腺疾患，気管支喘息，思春期早発症，性染色体異常，胃・十二指腸潰瘍，脂質代謝異常など
小児科療養指導料対象疾患（15歳未満）及び状態	出生体重1,500g未満であった6歳未満の児，脳性麻痺，先天性心疾患，ネフローゼ症候群，ダウン症等の染色体異常，川崎病（冠動脈瘤あり），脂質代謝異常，腎炎，溶血性貧血，再生不良性貧血，血友病，血小板減少性紫斑病，骨系統疾患，二分脊椎など小児慢性特定疾病対象疾患[2]

B001 4 小児特定疾患カウンセリング料

別項参照．

B001 5 小児科療養指導料

別項参照．

B001 6 てんかん指導料

別項参照．

B001 7 難病外来指導管理料　　270点

① 初診料算定後または退院後1か月が経過した入院中の患者以外の患者に算定する．
② 「B000 特定疾患療養管理料」「B001 8 皮膚科特定疾患指導管理料」を算定している場合は算定できない（表8）．
③ 人工呼吸器導入時相談支援加算：500点．人工呼吸器管理の適応となる患者と病状，治療方針について話し合い，その内容を文書により提供した場合に1回に限り加算．
④ オンライン診療料を算定する場合は難病外来指導管理料として月1回100点算定[3]．

2. 外来診療の基本算定項目

B001 9 外来栄養食事指導料

①外来栄養食事指導料1：医師の指示により同じ医療機関の栄養士が指導を行った場合に算定．初回260点（月2回まで），2回目以降対面では200点，電話等では180点（月1回）算定．

②外来栄養食事指導料2：指示する医師とは別の医療機関の栄養士が指導を行った場合に算定．初回250点，2回目以降190点を算定（対面のみ）．

③対象疾患または特別食を必要とする疾患．
　　ア　がん患者
　　イ　摂食機能，嚥下機能が低下した患者
　　ウ　低栄養状態にある患者
　　エ　特別食：炎症性腸疾患の低残渣食，高度肥満症の治療食，てんかん，代謝疾患のケトン食，9歳未満の食物アレルギーの児の食事など
　注：B001-2-3 乳幼児育児栄養指導料　130点
　　　3歳未満の乳幼児の初診時に育児，栄養その他療養上必要な指導を行った場合に算定．

B001 13 在宅療養指導料

別項参照．

B001 16 喘息治療管理料

①喘息治療管理料1：ピークフローメーターを用いて治療管理を行った場合月1回算定．

②喘息治療管理料2：6歳未満の入院外の児に対して吸入ステロイドのための吸入補助具を用いて指導した場合に，1回に限り280点算定．

B001 18 小児悪性腫瘍患者指導管理料

別項参照．

● てんかん指導料

B001 6 てんかん指導料　250点

小児科（小児外科を含む）・神経科・神経内科・精神科・脳神経外科・心療内科の専任の医師（常勤／非常勤関係なし）が入院中以外のてんかん患者の診療を行った場合に，月1回算定できる．

1）条件

①初診日から1か月経過したのち．

②自病院を退院した患者は退院日から1か月経過したのち．ただし他の病院に入院していた場合は1か月以内でも算定できる．

③診療計画，診療内容の要点を診療録に記載する．

2）算定できない場合
以下の場合は算定できない．
①特定疾患療養管理料(表8)を算定している場合．
②小児科療養指導料(表8)を算定している場合．
③小児悪性腫瘍患者指導管理料を算定している場合．
④在宅療養指導管理料を算定している場合．

3）オンライン診療した場合
てんかん指導料をはじめて算定した月から3か月以上経過している場合，てんかん指導料として100点を算定する．

4）特定薬剤治療管理料
てんかん患者で抗てんかん薬を投与している場合に投与薬剤の血中濃度を測定し，その結果に基づいて薬剤投与量を精密に管理した場合に1か月に1回算定する．
てんかん指導料とともに算定が可能である．

● 小児特定疾患カウンセリング料

B001 4 小児特定疾患カウンセリング料

1）小児特定疾患カウンセリング料とは
小児科又は心療内科を標榜する保険医療機関において，小児科若しくは心療内科を担当する医師又は医師の指示を受けた公認心理師が，別に厚生労働大臣が定める患者であって入院中以外のものに対して，療養上必要なカウンセリングを同一月内に1回以上行った場合に，2年を限度として月2回に限り算定するとされる．令和2年度改定では，はじめて医師以外の心理職によるカウンセリングの算定が認められた．

18歳未満の当該疾患の児の診療を行った際に月に2回まで算定でき，医師による場合には1回目は500点，2回目は400点である．公認心理師による場合は，医師による治療計画に基づいて療養上必要なカウンセリングを20分以上行った場合に算定する．ただし一連のカウンセリングの初回は当該医師が行うものとし，継続的にカウンセリングを行う必要があると認められる場合においても，3月に1回程度，医師がカウンセリングを行うこととされる．また2年を期限としており，この期間を越えて算定することはできない．

2）対象
対象疾患の診断名は ICD-10 に準拠しており，日本心身医学会や日本小児心身医学会の診断分類とは異なる点に注意する．
①気分障害：うつ病，双極性障害など．

②神経症性障害：パニック障害，不安障害など．
③ストレス関連障害：急性ストレス反応，外傷後ストレス障害，適応障害など．
④身体表現性障害：身体化障害，心気障害など．ただし平成28年度改定では「小児心身症を含む．また，喘息や周期性嘔吐症等の状態が心身症と判断される場合は対象となる」とされている．つまりここでは小児心身症も身体表現性障害に含められている点で日本小児心身医学会の立場とは異なる．
⑤生理的障害及び身体的要因に関連した行動症候群：摂食障害，非器質性睡眠障害など．
⑥心理的発達の障害：学習能力の特異的発達障害，広汎性発達障害などICD-10のF80〜F89に該当する疾患．ただし「自閉症を含む」と付記されており，DSM分類の自閉症スペクトラム障害に対応している．
⑦小児期又は青年期に通常発症する行動及び情緒の障害：多動性障害，後遺障害，チック障害など．すなわち発達障害については，「心理的発達の障害」に自閉症スペクトラム障害と学習障害を，「小児期又は青年期に通常発症する行動及び情緒の障害」に注意欠陥多動性障害を含めている．

また小児特定疾患カウンセリング料の対象に，登校拒否の者及び家族又は同居者から虐待を受けている又はその疑いがある者を含むとし，不登校と児童虐待をあげている．

3）算定要件

a．施設要件

小児科を標榜する保険医療機関のうち，他の診療科を併せ標榜するものにあっては，小児科のみを専任する医師が本カウンセリングを行った場合に限り算定するものであり，同一医師が当該保険医療機関が標榜する他の診療科を併せ担当している場合にあっては算定できない．ただし，アレルギー科を併せ担当している場合はこの限りでないとされる．また小児特定疾患カウンセリング料に規定する基準として当該保健医療機関の屋内において喫煙が禁止されていることとされている．

b．医師として求められる要件

小児科または心療内科を標榜する保険医療機関において，小児科もしくは心療内科を担当する医師．

c．心理職として求められる条件

心理職として求められるのは公認心理師であるが，公認心理師試験は平成30年9月に第1回試験が実施されており，令和2年度改定では，平成31年4月1日から当分の間，以下のいずれかの要件に該当する者を公認心理師とみなすとしている．

ア．平成31年3月31日時点で，臨床心理技術者として保険医療機関に従事していた者
イ．公認心理師に係る国家試験の受験資格を有する者

4）算定できない場合と算定に関する注意点

統合失調症や人格障害といった精神疾患は小児特定疾患カウンセリング料を算定できない．また区分番号「B000」に掲げる特定疾患療養管理料，区分番号「I002」に掲げる通院・在宅精神療法又は区分番号「I004」に掲げる心身医学療法を算定している患者については算定しない．

注意点として，小児特定疾患カウンセリング料の対象疾患は他の領域以上に診断名が診断基準・時代により異なる．例をあげると神経性食思不振症，神経性無食欲症，神経性やせ症，拒食症は同じ病態であるが，ICD，DSM，日本の厚生労働省研究班の診断名は異なっている．地域によっては査定を受けることもあるので小児特定疾患カウンセリング料の対象として記載されている診断名を用いる．

問題点としては，発達障害のように認知や行動上の問題が生涯にわたり，成長に沿って症状を変えて続くものであっても2年しか算定できないことがあげられる．また通院・在院精神療法や標準型精神分析療法とは異なり，本人が来院しない家族のみの場合は算定できない．

● 小児悪性腫瘍患者指導管理料

B001 18 小児悪性腫瘍患者指導管理料　550点

1）小児悪性腫瘍患者指導管理料とは

別に厚生労働大臣が定める基準（→施設要件）を満たす小児科を標榜する保険医療機関において，悪性腫瘍を主病とする15歳未満の患者であって入院中の患者以外のものに対して，計画的な治療管理を行った場合に，月1回に限り算定するとされる．

ただし①区分番号「B000」に掲げる特定疾患療養管理料又は区分番号「B001」の5に掲げる小児科療養指導料を算定している患者については算定しない．

第1回目は，初診料を算定した初診の日の属する月の翌月の1日以降又は当該保険医療機関から退院した日から起算して1か月を経過した日以降に550点を算定する．

2）対象

小児悪性腫瘍，白血病または悪性リンパ腫．

3）算定の要件

a．施設要件

保険医療機関の屋内における禁煙の取扱いについて基準を満たしていること．

b．医師として求められる要件

専門医資格は求められていない．

4）算定できない場合と算定に関する注意点

再診が電話等により行われた場合は，小児悪性腫瘍患者指導管理料は算定できない．

また注意点として小児外科など小児科以外の診療科の患者も対象となる．管理料を算定した場合には治療計画及び指導内容の要点を診療録に記載する．

⦿ 乳幼児育児栄養指導料

B001-2-3 乳幼児育児栄養指導料　130点

1) 概略
小児科(小児外科を含む)を標榜する保険医療機関において，小児科を担当する医師が3歳未満(誕生日以後の受診については算定できない)の乳幼児に対して初診料を算定する初診を行った場合に，育児，栄養その他療養上必要な指導を行ったときに算定(請求)できる．

2) 記録
指導の内容についての診療録への記載が必要である．

3) 注意点
栄養サポートチーム加算を請求している場合，併せての算定ができない．初診を行った後，即入院となった場合も算定できない．

4) その他
小児科を標榜していれば，「内科・小児科」や「産科・小児科」など複数標榜で医師1人の場合でも算定可能である．

⦿ 院内トリアージ実施料

B001-2-5 院内トリアージ実施料　300点

院内トリアージ実施料の施設基準等を表9に示す．

院内トリアージ実施料は平成24年度の診療報酬改定で導入された．救急外来受診において，救急患者の容態から診療の優先順位をつけることであるが，地方厚生局等に届け出た保険医療機関において算定する．注意点として，夜間・休日・深夜に患者が1人，あるいは少人数のみ来院している場合など，待ち時間がなく，実質的にトリアージを行

表9　施設基準

1. 院内トリアージを実施する十分な体制が整備されていること
2. 院内トリアージの実施基準を定め，当該医療機関の見やすい場所に掲示していること
3. 当該保険医療機関が病院の場合にあっては，病院勤務医の負担の軽減および処遇の改善に資する体制が整備されていること
4. 院内トリアージ実施料に規定する時間は，当該地域において一般の保険医療機関がおおむね診療応需体制を解除した後，翌日に診療応需の体制を再開するまでの時間とする(ただし，深夜及び休日を除く)

う必要がない場合においては，院内トリアージ実施料は算定できない．また，専任医師及び専任看護師以外がトリアージを実施した場合はトリアージ実施料を算定できない．救急搬送の場合は対象外である．

院内トリアージ体制を整えている保険医療機関において，夜間・休日又は深夜に受診した患者であって初診の者に対して当該保険医療機関の院内トリアージ基準に基づいて専任の医師又は専任の看護師により，患者の来院後速やかに患者の状態を評価し，患者の緊急度区分に応じて診療の優先順位付けを行う院内トリアージが行われ，診療録にその旨記載した場合に算定できる．ただし，夜間休日救急搬送医学管理料を算定した患者の場合は算定できない．

注意事項：院内トリアージを行う際には患者又はその家族に対して，十分にその趣旨を説明する必要がある．

⦿ 地域連携小児夜間・休日診療料

B001-2-2 地域連携小児夜間・休日診療料

1）内容

1　地域連携小児夜間・休日診療料1　　450点
2　地域連携小児夜間・休日診療料2　　600点

施設基準に適合しているものとして届け出た小児科を標榜する保険医療機関において，6歳未満の外来患者に対して下記の時間に診療を行った場合に算定．夜間であって当該地域において一般の保険医療機関がおおむね診療応需の態勢を解除した後，翌日に診療応需の態勢を再開するまでの時間（標準的には午後6時以降午前8時前，土曜日は正午以降で深夜及び休日を除く），及び深夜（午後10時から午前6時まで）または休日．

2）算定要件

a. 目的

地域連携小児夜間休日診療料は，保険医療機関が地域の小児科を専ら担当する診療所その他の保険医療機関の医師と連携をとりつつ，小児の救急医療の確保のために，夜間，休日又は深夜に小児の診療が可能な体制を保つことを評価するものである．

b. 算定可能な時間帯

地域連携小児夜間・休日診療料1については，夜間，休日又は深夜であって，保険医療機関があらかじめ地域に周知している時間に，地域連携小児夜間・休日診療料2については，保険医療機関が24時間診療することを周知した上で，夜間，休日又は深夜に，それぞれ6歳未満の小児を診療した場合に算定する．

c. 対象患者

地域連携小児夜間・休日診療料は，夜間，休日又は深夜に急性に発症し，又は増悪し

2. 外来診療の基本算定項目

表10 地域連携小児夜間・休日診療1に関する施設基準：届出の際の留意事項の通知（平成28年4月1日から適用）

> ①小児を夜間，休日又は深夜において診療することができる体制を有していること
> ②夜間・休日又は深夜に小児科を担当する医師（近隣の保険医療機関を主たる勤務先とするものに限る）として3名以上を届け出ており，うち2名以上は専ら小児科を担当する医師であること
> ③地域に，夜間，休日又は深夜であって小児の救急医療の確保のために当該保険医療機関があらかじめ定めた時間が周知されていること
> ④緊急時に小児が入院できる体制が確保されていること又は他の保険医療機関との連携により緊急時に小児が入院できる体制が整備されていること

た6歳未満の患者であって，やむを得ず当該時間帯に保険医療機関を受診するものを対象としたものである．したがって慢性疾患の継続的な治療等のための受診については算定できない．

d. 診療時間帯の掲示

夜間，休日又は深夜における担当医師名とその主たる勤務先について，予定表を作成し院内に掲示するものとする．

e. 診療録への記載内容

地域連携小児夜間・休日診療料を算定する場合にあっては，診療内容の要点，診療医師名及びその主たる勤務先名を診療録に記載するものとする．

f. 算定回数

一連の夜間及び深夜又は同一休日に，同一の患者に対しては，地域連携小児夜間・休日診療料は原則として1回のみ算定する．なお，病態の度重なる変化等による複数回の受診のため2回以上算定する場合は，診療報酬明細書の摘要欄にその理由を詳細に記載すること．

g. 電話診察ほか，算定上の注意事項

診療が電話等により行われた場合にあっては，地域連携小児夜間・休日診療料は算定できない．入院中の患者については，地域連携小児夜間・休日診療料は算定できない．ただし，患者が地域連携小児夜間・休日診療料を算定すべき診療を経た上で入院した場合は，算定できる．また，患者本人が受診せず，家族などに対して指導などを行った場合には，当該診療料は算定できない．

なお，本項目は地域連携小児夜間・休日診療料は地域の夜間・急病センター，病院等において地域の医師が連携・協力して，診療に当たる体制を評価したものであり，在宅当番医制で行う夜間・休日診療においては算定できない．

算定に必要な施設基準を表10，11に示す．なお，届け出に関しては，①定められた届出様式（別添2の様式7）を用い，②開放利用にかかわる地域の医師会等との契約及び

表11 地域連携小児夜間・休日診療2に関する施設基準

①小児を24時間診療することができる体制を有していること
②専ら小児科を担当する医師(近隣の診療所等の保険医療機関を主たる勤務先とするものに限る)として3名以上を届け出ていること
③地域に,小児の救急医療の確保のために当該保険医療機関が6歳未満の小児を24時間診療することが周知されていること
④緊急時に小児が入院できる体制が確保されていること又は他の保険医療機関との連携により緊急時に小児が入院できる体制が整備されていること

当該医療機関の運営規程等を記載する.③表11の①に掲げる事項については,その体制の概要を添付するといった注意事項に配慮する.

◉ 診療情報提供料

　診療情報提供料には保険医療機関が患者を紹介する際に,文書によって診療情報を提供する際に算定する診療情報提供料(I)と,患者の希望があり「セカンド・オピニオン」を目的として治療計画,検査結果,画像情報などの情報を文書で提供する場合に算定する診療情報提供料(II)がある.

B009 診療情報提供料(I)　　250点

1) 診療情報提供料(I)とは

　保険医療機関が,診療に基づき,別の保険医療機関での診療の必要を認め,これに対して,患者の同意を得て,診療状況を示す文書を添えて患者の紹介を行った場合に,紹介先保険医療機関ごとに患者1人につき月1回に限り算定するとされる.

　診療情報提供料(I)は月1回250点であるが,患者の状況,情報の種類により,各種の加算がある(表12).

2) 対象と算定要件

　対象となる宛先は医療機関に限らず,保健福祉サービス(市区町村,保健所,精神保健福祉センター等)や保険薬局,精神障害者施設の場合にも算定される.小児科では保健センターからの診療の紹介や医療機関での結果を地域の保健福祉サービスに伝えて連携を行う場合があり,このような場合には診療情報提供料(I)を算定できる.

　また令和2年度改定では,医療的ケア児にかかわる主治医と学校医等との連携を推進するために,主治医から学校医等への診療情報提供について算定が認められた.すなわち保険医療機関が,児童福祉法第56条の6第2項に規定する障害児である患者について,診療に基づき当該患者又はその家族等の同意を得て,当該患者が通学する学校教育法に規定する小学校,中学校,義務教育学校,中等教育学校の前期課程又は特別支援学

2. 外来診療の基本算定項目

表12 診療情報提供料(I)のその他の加算で小児科が関与するもの

加算の名称	点数	算定の要件
退院時加算	200	退院後の治療計画，検査結果，画像診断に係る画像情報その他の情報を添付して紹介した場合
ハイリスク妊婦紹介加算	200	ハイリスク妊産婦共同管理料(I)の基準を満たす医療機関が同管理料(I)の病院に紹介した場合
精神科医連携加算	200	精神科以外を標榜する医療機関が入院中以外の患者を精神障害の疑いで精神科に予約を取ったうえで紹介した場合
歯科医療機関連携加算	100	保険医療機関が，患者の口腔機能の管理のために歯科診療を行う他の医療機関に紹介した場合
地域連携診療計画加算	50	地域連携診療計画を共有する連携医療機関において，地域連携診療計画に基づく療養に係る情報を提供した場合
検査・画像情報提供加算	退院する患者 200 入院中の患者 30	検査結果，画像情報，画像診断の所見，投薬内容，退院時要約などの診療情報を電子的方法で閲覧可能な形式で提供した場合

この他に認知症に関する加算もあるが，本書の対象外と考えるため割愛した

校の小学部若しくは中学部の学校医等に対して，診療状況を示す文書を添えて，当該患者が学校生活を送るに当たり必要な情報を提供した場合に，患者1人につき月1回に限り算定するとされている．

3) 算定できない場合

市区町村から委託を受けて行った健診の結果をもとに情報提供を行う場合には算定できない．

注意すべきは学校宛ての文書である．学校は保健福祉サービスに該当しないため，学校に対して患者の症状説明や対応の指示などを説明する場合や望ましい対応などの意見を述べる場合は，書面にて情報を提供したとしても診療情報提供料(I)の算定はできない．

また患者の希望により，紹介先の医療機関を特定せず宛先を空欄にした診療情報提供書を患者に手渡した場合には算定できない．

また昨今，発達障害患者の診療において学校の教員宛に診療情報を提供することも少なくない．しかし学校に関して算定できるのは学校医宛の場合であり，教員宛の書面では算定できない．また保険医療機関の主治医と学校医が同一の場合にも算定できない．

B010 診療情報提供料(II)　500点

1) 診療情報提供料(II)とは

診療を担う医師以外の医師による助言（セカンド・オピニオン）を得ることを推進するものとして，診療を担う医師がセカンド・オピニオンを求める患者又はその家族からの申し出に基づき，治療計画，検査結果，画像診断に係る画像情報等，他の医師が当該患

者の診療方針について助言を行うために必要かつ適切な情報を添付した診療状況を示す文書を患者又はその家族に提供した場合に算定できるものであるとし，入院中の患者に対して当該情報を提供した場合であっても算定できる．

2）対象と算定要件
　主治医以外の医師のセカンド・オピニオンを得ることを推進するものであり，患者または家族からの申し出により診療情報を患者に交付する場合に算定できる．

3）算定できない場合
　医師自身が別の医療機関での診療の必要性を認め紹介する場合は，診療情報提供料（Ⅰ）であり，診療情報提供料（Ⅱ）とは異なるため，算定できない．

➡ 文　献
1) 厚生労働省：オンライン診療の適切な実施に関する指針．平成30年3月（令和4年1月一部改訂）　https://www.mhlw.go.jp/content/000889114.pdf
2) 小児慢性特定疾病情報センター　https://www.shouman.jp/
3) 厚生労働省：指定難病　https://www.mhlw.go.jp/stf/seisakunitsuite/bunya/0000084783.html

➡ 参考文献
・全国保険医団体連合会：保険診療の手引き　2022年4月版
・東京保険医協会：2020年4月改訂　保険点数便覧．診療研究557，2020
・日本医師会：改定診療報酬点数表参考資料（令和2年4月1日実施）
・日本医学会連合：オンライン診療の初診に関する提言．2021年6月1日版　https://www.jmsf.or.jp/uploads/media/2021/06/20210603172150.pdf
・児童福祉法　https://elaws.e-gov.go.jp/document?lawid=322AC0000000164

II 各論

3 入院診療の評価

　入院診療の診療報酬請求は,「基本診療料」と「特掲診療料」(個別の診療行為に対応する項目)の合計で算定される.このうち,個別の診療行為については,算定する基本診療料に包括されない項目を算定する.本章(II 各論.3.入院診療の評価)では,入院診療にかかわる基本診療料の構成について概略を説明し,続く項目で,特定入院料(小児入院医療管理料と小児に関連するその他の特定入院料),入院基本料(短期滞在手術等基本料・特定入院料を算定しない場合に算定する入院料),及び入院基本料等加算について,それぞれ説明する.

1) 入院診療にかかわる基本診療料

　入院診療にかかわる基本診療料は,基本的な入院医療の体制を評価するものであって,療養環境の提供,看護師等の確保,医学的管理の確保などを含んでいる.基本診療料の中には,入院基本料,特定入院料,入院基本料等加算,短期滞在手術等基本料が含まれる.入院医療費におけるこれらの相互関係を図1に示した.

2) 短期滞在手術等基本料(A400)を算定できる/算定すべき入院

　短期滞在手術等基本料は,短期滞在手術等を行う環境,術前・術後管理,定型的な検査等を包括的に評価するものである.この中には,短期滞在手術等基本料1として日帰り手術(2,947点),同基本料2として1泊2日入院による手術(5,075点),同基本料3として4泊5日入院における手術・検査(手術等により点数は異なる)が含まれる.入院診療を評価する短期滞在手術等基本料2・3は,平成30年度・令和2年度診療報酬改定によりそれぞれDPC(diagnosis procedure combination)対象病院では算定できないこととされたが,一方,DPC対象病院以外の病院では短期滞在手術等基本料3に該当する手術等を入院5日以内に実施した場合には同基本料3を算定しなければならない.

　短期滞在手術等基本料1を算定できる手術には15術式(Kコードの枝番・項番までと年齢区分が異なるものを1として数えた場合)が含まれ,また,同基本料2を算定できる手術には16術式(上記の数え方による)が含まれるが,これらの術式が子どもに行われることはまれである.同基本料3を算定すべき「手術等」には,鼠径ヘルニアなどの手術16術式(上記の数え方による)とともに,検査2項目(「D291-2 小児食物アレルギー負荷検査」と「D413前立腺針生検法」)と「M001-2 ガンマナイフによる定位放射線治療」が含まれている.DPC対象病院以外で小児食物アレルギー負荷検査を実施する場合には,この点

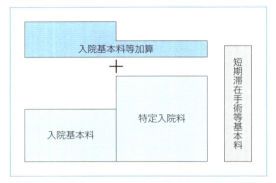

図1 入院診療にかかわる基本診療料の相互関係(出来高請求)

すべての入院診療の医療費は，短期滞在手術等基本料を算定すべき入院を除いて原則として入院基本料，または，特定入院料のどちらかを算定し，それぞれの基本診療料に算定可能な入院基本料等加算を上乗せして基本診療料の算定とする

に注意が必要である．「D237 終夜睡眠ポリグラフィー」は短期滞在手術等基本料3の対象から令和2年度改定で除外された．

図1に示したように，入院診療において短期滞在手術等基本料を算定する場合には他の基本診療料とほとんどの入院基本料加算を算定できず，一部の検査等も包括される．

3) 入院基本料，特定入院料，入院基本料等加算を算定すべき入院

大部分の入院(短期滞在手術等基本料を算定すべき入院以外の入院)では，入院基本料，または，特定入院料のどちらかを算定し，そのうえに，要件を満たす入院基本料等加算を上乗せして算定する(図1)．DPC/PDPS(per-diem payment system)による算定では，入院基本料と入院基本料等加算は機能評価係数Ⅰによって評価されるために個別のレセプトにその項目としては現れてこない．一方，特定入院料は，包括外点数(外出し点数)として評価されるのでその項目を目視確認できる．

1 小児入院医療管理料

1) 歴史(表1)

小児科関連の入院医療費には新生児医療，一般小児入院医療，小児集中治療，重症心身障害児の入院医療の四つに関連したものがあり，小児入院医療管理料はその中の一般小児入院医療に関係したものである．小児入院医療管理料は平成12年度に新設され小児

3. 入院診療の評価

表1 小児科入院医療管理料の変遷の概要

改定年度	改定内容	備考
2000年(平成12年)	小児入院医療管理料新設 2,100	
2002年(平成14年)	小児入院医療管理料再編 1:3,000　2:2,600　3:2,100	
2004年(平成16年)	小児入院医療管理料1 平均在院日数:14→21	
2006年(平成18年)	小児入院医療管理料再編 1:3,600　2:3,000	
2008年(平成20年)	小児入院医療管理料再編 1:4,500　2:3,600 3:3,000　4:2,100	
2010年(平成22年)	小児入院医療管理料再編 1:4,500　2:4,000　3:3,600 4:3,000　5:2,100	特定機能病院での算定が開始される
2014年(平成26年)	小児入院医療管理料増点[※1] 1:4,584　2:4,076　3:3,670 4:3,060　5:2,145	
2019年(平成31年)	小児入院医療管理料増点[※2] 1:4,750　2:4,224　3:3,803 4:3,171　5:2,206	
2020年(令和2年)		小児入院医療管理料5 特定機能病院が対象外へ

[※1]:栄養管理加算包括化による増点
[※2]:消費税増税に伴う増点

入院医療管理料2,100点として算定できるようになり，現在まで診療報酬改定で算定要件や点数の改定がなされてきている．平成28年度の改定では「在宅療養指導管理料」「在宅の薬剤料・特定保険医療材料料」が除外され，在宅医療の導入に関する診療報酬が退院月に算定できるようになり，小児入院医療管理料3，4，5で「重症児受入体制加算」の新設や小児慢性特定疾病患者は20歳未満まで小児入院医療管理料を算定できるようになった．

2）概要・概念

病棟や病室のもつ特有の機能，特定の疾患等に対する入院医療などを評価しているものに特定入院料があり，「A307 小児入院医療管理料」はこの中に含まれる．この特定入院料は，1回の入院について，当該治療室に入院させた連続する期間1回に限り算定できる．小児入院医療管理料は小児科を標榜している病院における，15歳未満（児童福祉

法第6条の2第2項に規定する小児慢性特定疾病医療支援の対象である場合は，20歳未満まで）の患者に対する入院医療を包括的に評価した入院料で，施設基準に応じて五つに区分されている．また，DPC算定病床においては厚生労働大臣が指定する病院病棟における療養に要する費用の算定方法（厚生労働省告示第93号）に基づき算定されており医科点数表の点数とは別に設定された点数になっている．

3）小児入院医療管理料1〜5の算定点数と主な算定要件

表2に小児入院医療管理料の概要を示す．

小児科を標榜する病棟（療養病棟を除く）に入院している15歳未満の子ども（小児慢性特定疾病医療支援の対象である場合は，20歳未満の者）について，所定点数を算定できる．ただし，当該患者が他の特定入院料を算定できる場合は，小児入院医療管理料は算定しない．

当該病棟（小児入院医療管理料5においては，主として子どもが入院する病棟）に15歳未満の小児患者を専ら対象とする保育士が1名以上常勤し，内法による測定で30 m^2のプレイルームがあり，プレイルーム内には，入院中の子どもの成長発達に合わせた遊具，玩具，書籍等がある条件を満たしている場合は，1日につき100点加算する（プレイルーム，保育士等加算）．当該病棟に入院している患者が人工呼吸器を使用している場合は，1日につき600点加算する．小児入院医療管理料3，4，5を算定している患者に限り，保育士が1名以上常勤し，内法による測定で30 m^2のプレイルームがあり，プレイルーム内には，入院中の子どもの成長発達に合わせた遊具，玩具，書籍等があり，当該病棟において，他の保険医療機関から転院してきた患者（転院前の保険医療機関において新生児特定集中治療室管理料または新生児集中治療室管理料を算定した患者に限る）が直近1年間に5名以上であり，15歳未満の超重症児または準超重症児（医療型短期入所サービス費または医療型特定短期入所サービス費を算定する短期入所の者を含む）が直近1年間に10名以上入院している場合，重症児受入体制加算として1日につき200点を所定点数に加算する．

小児入院医療管理料1〜4では在宅療養指導管理料，薬剤料，特定保険医療材料料，投薬，注射，手術，麻酔，放射線治療及び病理診断・判断料の費用並びに臨床研修病院入院診療加算，超急性期脳卒中加算，在宅患者緊急入院診療加算，医師事務作業補助体制加算，超重症児（者）入院診療加算・準超重症児（者）入院診療加算，地域加算，離島加算，小児療養環境特別加算，医療安全対策加算，感染防止対策加算，患者サポート体制充実加算，褥瘡ハイリスク患者ケア加算，データ提出加算，入退院支援加算（1のイ及び3に限る），精神疾患診療体制加算，排尿自立支援加算及び地域医療体制確保加算は包括外となる．上記に加え，小児入院医療管理料1及び2では緩和ケア診療加算及びがん拠点病院加算，小児入院医療管理料5では強度行動障害入院医療管理加算，摂食障害入院医療

管理加算が包括外となる．

　小児入院医療管理料1～4において，入院医療管理料に係る算定要件に該当しない患者の場合には，当該医療機関が算定している入院基本料等を，また小児入院医療管理料5において，精神病棟に限り，精神病棟入院基本料の15：1入院基本料を算定する．

　小児入院医療管理料算定の主な施設基準を表2に示す．小児科を標榜し，一定数以上の小児科（または小児外科）の常勤医師の配置，小児医療の体制整備が条件として規定される．週24時間程度の勤務を行っている複数の小児科または小児外科の医師の組み合わせによる常勤医師と同じ時間医師を配置する場合，常勤の配置として認める．なお，令和2年度改訂で特定機能病院における小児入院医療管理料5の算定が認められなくなっている．

2 その他の特定入院料

　本項では，「その他の特定入院料」として，1）新生児医療に関連する特定入院料と2）小児の集中治療に関連する特定入院料について述べる．

1）新生児医療に関連する特定入院料

　新生児医療に関連する特定入院料には，新生児特定集中治療室管理料（A302）の新生児特定集中治療室管理料1と新生児特定集中治療室管理料2，総合周産期特定集中治療室管理料の2新生児集中治療室管理料（A303 2），および新生児治療回復室入院医療管理料（A303-2）の4種類が存在する．本項では，新生児特定集中治療室管理料1と総合周産期特定集中治療室管理料の2新生児集中治療室管理料をNICU管理料1，新生児特定集中治療室管理料2をNICU管理料2，新生児治療回復室入院医療管理料をGCU管理料とよぶ．

a．NICU管理料1

　新生児特定集中治療室管理料1および2と総合周産期特定集中治療室管理料の2新生児集中治療室管理料を比較すると，総合周産期特定集中治療室管理料は，総合周産期母子医療センターに都道府県知事から指定された施設に併設されているNICUに限定して算定され，それ以外の施設に併設されるNICUでは，新生児特定集中治療室管理料1を算定する．ただし，前者には病院勤務医の負担の軽減及び処遇の改善に資する体制の整備について記載されているが，新生児の集中治療や診療報酬にかかわる内容は同じである．そのため，両者は一括して議論されることが多く，次に説明する表3においてもNICU管理料1として併せて扱っている．

b．NICU管理料2

　医師の配置等の施設要件と新生児集中治療の実績の要件によりNICU管理料1と区別

II 各論

表2 小児入院医療管理料の概要

		小児入院医療管理料1	小児入院医療管理料2
点数（1日につき）		4,750	4,224
特定機能病院 DPC点数（1日につき）	14日以内	2,656	2,130
	15〜30日	3,161	2,635
	31日以上	3,368	2,842
専門病院入院 基本料届出病院 DPC点数（1日につき）	14日以内	2,856	2,330
	15〜30日	3,161	2,635
	31日以上	3,368	2,842
一般病院 DPC点数 （1日につき）	14日以内	2,918	2,392
	15〜30日	3,176	2,650
	31日以上	3,368	2,842
小児科医師数		20名以上	9名以上
看護師数		7：1 （夜間　9：1）	7：1 （夜間　看護師2名以上）
入院患者		専ら15歳未満の小児 （小児慢性特定疾病医療支援の対象である場合は20歳未満の者）	
平均在院日数		21日以内	
施設基準		1）専ら15歳未満の小児（小児慢性特定疾病医療支援の対象である場合は20歳未満の者）を入院させる病棟である 2）新生児および6歳未満の乳幼児の入院を伴う手術が年間200件以上 3）ICU，PICU，新生児集中治療室または新生児集中治療室管理料の届出を行っている 4）年間の小児緊急入院患者数が800件以上	1）専ら15歳未満の小児（小児慢性特定疾病医療支援の対象である場合は20歳未満の者）を入院させる病棟である 2）入院を要する小児救急医療の提供を24時間365日行っている
プレイルーム，保育士等加算 （1日につき）		100	
人工呼吸器使用加算 （1日につき）		600	
重症児受入体制加算 （1日につき）			

ICU：特定集中治療室，PICU：小児特定集中治療室

小児入院医療管理料3	小児入院医療管理料4	小児入院医療管理料5
3,803	3,171	2,206
1,709	1,077	
2,214	1,582	
2,421	1,789	
1,909	1,277	312
2,214	1,582	617
2,421	1,789	824
1,971	1,339	374
2,229	1,597	632
2,421	1,789	824
5名以上	3名以上	1名以上
7:1	10:1	15:1
(夜間 看護師2名以上)	(夜間 2名以上)	(夜間 2名以上)
	(7割以上が看護師)	(4割以上が看護師)
	専ら15歳未満の小児	
	(小児慢性特定疾病医療支援の対象である場合は20歳未満の者)	
21日以内	28日以内	
1) 専ら15歳未満の小児(小児慢性特定疾病医療支援の対象である場合は20歳未満の者)を入院させる病棟である	1) 当該病棟内において，専ら小児を入院させる病床が10床以上	1) 特定機能病院以外の病院であること
	100	
	600	
	200	

Ⅱ 各論

表3 NICU 管理料 1 と 2 の概要

	NICU 管理料 1	NICU 管理料 2
診療報酬区分	A 302 新生児特定集中治療室管理料 　1　新生児特定集中治療室管理料 1 A 303 総合周産期特定集中治療室管理料 　2　新生児集中治療室管理料	A 302 新生児特定集中治療室管理料 　2　新生児特定集中治療室管理料 2
点数(1 日につき)	10,539 点	8,434 点
DPC 点数(1 日につき) 14 日以内	特定機能病院 8,445 点　一般病院 8,707 点	特定機能病院 6,340 点　一般病院 6,602 点
15〜30 日	8,950 点　　　　　　　　　8,965 点	6,845 点　　　　　　　　　6,860 点
31〜90 日	9,157 点　　　　　　　　　9,157 点	7,052 点　　　　　　　　　7,052 点
対象となる新生児と算定可能な期間	NICU 管理料 1 および 2,GCU 管理料を算定した期間を通算して ・出生時体重が 1,000 グラム未満の新生児：90 日 ・出生時体重が 1,000 グラム以上 1,500 グラム未満の新生児：60 日 ・出生時体重が 1,500 グラム以上であって,別に厚生労働大臣が定める疾患*を主病として入院している新生児：35 日 ・(算定要件に該当するそれ以外の新生児)：21 日	
医師の配置	専任の医師が常時,<u>新生児特定集中治療室内</u>に勤務していること.当該治療室に勤務している時間帯は,治療室又は治療室,中間室及び回復室からなる病棟(正常新生児室及び一般小児病棟は含まれない)以外での当直勤務を併せて行わない	専任の医師が常時,<u>当該保険医療機関内</u>に勤務していること
看護師の配置	3：1(やむを得ない場合に 24 時間以内であれば 4：1 可)	
新生児集中治療の実績	<u>十分な実績</u>を有していること 施設基準：次のいずれかの基準を満たしていること 　ア　直近 1 年間の出生体重 1,000 グラム未満の新生児の新規入院患者数が 4 件以上であること 　イ　直近 1 年間の当該治療室に入院している患者について行った開胸手術,開頭手術又は開腹手術の年間実施件数が 6 件以上であること	<u>相当の実績</u>を有していること 施設基準：直近 1 年間の出生体重 2,500 グラム未満の新生児の新規入院患者数が 30 件以上であること

*：「別に厚生労働大臣が定める疾患」とは,先天性水頭症,食道閉鎖,ダウン症候群,多発奇形症候群などの 24 疾患を指す

3. 入院診療の評価

表4 GCU管理料の概要

診療報酬区分		A303-2 新生児治療回復室入院医療管理料			
点数（1日につき）		5,697点			
DPC点数（1日につき）	14日以内	特定機能病院	3,603点	一般病院	3,865点
	15～30日		4,108点		4,123点
	31～120日		4,315点		4,315点
対象となる新生児と算定可能な期間		NICU管理料1および2，GCU管理料を算定した期間を通算して ・出生時体重が1,000グラム未満の新生児：120日 ・出生時体重が1,000グラム以上1,500グラム未満の新生児：90日 ・出生時体重が1,500グラム以上であって，別に厚生労働大臣が定める疾患*を主病として入院している新生児：50日 ・（算定要件に該当するそれ以外の新生児）：30日			
医師の配置		・当該保険医療機関内に，専任の小児科の常勤医師，または，週3日以上常態として勤務しており所定労働時間が週22時間以上の勤務を行っている専任の小児科の非常勤医師が常時1名以上配置されていること			
助産師または看護師の配置		常時，当該治療室の入院患者の数が六又はその端数を増すごとに一以上であること（6：1配置）			

*：「別に厚生労働大臣が定める疾患」とは，表3の註に示したとおりである

されている．NICU管理料2では算定要件が緩和されている．具体的には，専任の医師が常時NICU内に勤務する条件を常時医療機関内で勤務することに緩和し，超低出生体重児や外科疾患を有する新生児の入院数の条件も緩和されている．NICU管理料の点数は減額されるが，大規模周産期医療施設以外でもハイリスク新生児の集中治療が可能となり，NICUの機能分担を図るものである．表3に，NICU管理料1と2の比較の概要を示した．

c. GCU管理料

算定要件等の概要を表4に示した．GCUは，NICUでの集中治療で全身状態が改善した新生児・乳児，あるいは入院当初からNICUでの集中治療までは必要ないが，一定程度の新生児管理が必要となる新生児が入院する病室である．したがって，NICU管理料よりも医師，看護師の配置の基準は緩和されているが遵守すべき基準が明確に示されていること，NICU管理料との通算で算定可能期間が定められていることに注意が必要である．

2）小児の集中治療に関連する特定入院料

a. 小児特定集中治療室管理料

小児特定集中治療室管理料（A301-4，本項ではPICU管理料とよぶことにする）は，平成24年度診療報酬改定で新設された．小児では救急患者が多い一方で救命救急事案は非

表5 PICU管理料の概要

診療報酬区分		A301-4 小児特定集中治療室管理料			
点数（1日につき）		7日以内の期間　16,317点 8日以上の期間　14,211点			
DPC点数（1日につき）	7日以内	特定機能病院	14,223点	一般病院	14,485点
	8～14日		12,117点		12,379点
	15～30日		12,622点		12,637点
	31～35日		12,829点		12,829点
対象となる小児と算定可能な期間		15歳未満の小児（小児慢性特定疾病医療支援の対象である場合は20歳未満の者）に対し，必要があって小児特定集中治療室管理が行われた場合に， ・14日を限度として算定する ・ただし，急性血液浄化（腹膜透析を除く）を必要とする状態，心臓手術ハイリスク群，左心低形成症候群，急性呼吸窮迫症候群又は心筋炎・心筋症のいずれかに該当する小児にあっては21日 ・体外式心肺補助（ECMO）を必要とする状態の小児にあっては35日を限度として算定する			
医師の配置		・専任の医師が常時，小児特定集中治療室内に勤務していること ・当該専任の医師に，小児の特定集中治療の経験を5年以上有する医師を2名以上含むこと ・当該治療室以外での当直勤務を併せて行わないものとする			
看護師の配置		・当該治療室における看護師の数は，常時，当該治療室の入院患者の数が二又はその端数を増すごとに一以上であること（2：1配置） ・当該治療室以外での夜勤を併せて行わないものとする			
患者の受け入れの実績		次のいずれかの基準を満たしていること ア　他の医療機関から転院してきた急性期治療中の患者（転院時に他の医療機関でA300救命救急入院料，A301特定集中治療室管理料を算定するものに限る）が直近1年間に20名以上である イ　他の医療機関から転院してきた患者（転院時に他の医療機関又は当該医療機関でC004救急搬送診療料を算定したものに限る）が直近1年間に50名以上（そのうち，24時間以内に5時間以上の人工呼吸を開始した患者が30名以上）である			
その他の主な施設基準		・小児入院医療管理料1の届け出を行っている医療機関であること ・当該治療室の病床数は，8床以上であること ・1床当たり15平方メートル以上であること			

常に少数であるため，小児特定集中治療室（PICU）は小児医療の総合力（小児入院医療管理料1の算定）を背景に適正規模を保ちつつ広域をカバーする必要がある．したがって，他の医療機関における救命救急入院，特定集中治療室管理（ICU）を経由する入院を積極的に受け入れることが要件とされた．しかし，この基準は厳しすぎるとして，平成26年

度診療報酬改定では救急搬送診療料を算定した患者の受け入れの基準も追加された．平成28年度改定では，施設基準の改定は行われなかったが，一部の疾患，病態では算定期間の延長が認められた．平成30年度改定では，15歳未満の小児に加えて，小児慢性特定疾病医療支援対象の20歳未満の者も対象に加えられた．

PICU管理料の概要は，表5に示した．

令和2年4月から，新型コロナウイルス感染症に係る診療報酬上の臨時的な取り扱いとして次のような取り扱いが開始され，その後継続されることになっている．すなわち本項（その他の特定入院料）で扱った特定入院料の算定日数の上限が，「急性血液浄化（腹膜透析を除く）を必要とする状態，急性呼吸窮迫症候群，または心筋炎・心筋症のいずれかに該当する患者で21日，体外式模型人工肺（extracorporeal membranous oxygenation：ECMO）を必要とする状態の患者で35日」に延長された[1,2]．

b．特定集中治療室管理料および救命救急入院料の小児加算

特定集中治療室管理料（A301，本項ではICU管理料とよぶことにする）では，15歳未満の患者に対して2,000点（7日以内），1,500点（8日以上14日以内）の加算が認められている．その結果，ICU管理料1または2を算定するICUでは16,211点（7日以内），14,133点（8日以上14日以内）となり，PICU管理料と相前後する点数になっている．

また救命救急入院料（A300）では15歳未満の患者に対して入院初日に限り5,000点の加算が認められている．

成人患者を基盤とするICUや救命救急センターにおいても，子どもの救命・集中治療が積極的に実施されることにより子どもの救命救急が全国の数多くの拠点で実施されることの後押しとなることが望まれる．しかし，本来はPICUとは異なった機能をもつ医療の提供であることから後方にあるPICUとの関連や連携のあり方が整理される必要がある．

3 特定入院料・短期滞在手術等基本料を算定しない場合の入院料（入院基本料）

1）入院料の算定

①すでに述べられているとおり，入院の費用は，入院基本料，特定入院料，短期滞在手術等基本料に，入院基本料等加算を加えて算定する．入院基本料，特定入院料および短期滞在手術等基本料は基本的な入院医療の体制を評価するものであり，療養環境の提供，看護師等の確保および医学的管理等の費用はこれらに含まれる．

②特定入院料または短期滞在手術等基本料を算定しない場合の入院料は，入院基本料をもとに，それに入院基本料等加算を加えて算定する．

Ⅱ 各論

③入院基本料には，一般病棟入院基本料，特定機能病院入院基本料の他に，療養病棟入院基本料，結核病棟入院基本料，精神病棟入院基本料，有床診療所入院基本料，専門病院入院基本料，障害者施設等入院基本料がある．

④栄養管理体制に関する基準を満たすことができない医療機関は，栄養管理体制未整備減算として，入院基本料，特定入院料および短期滞在手術等基本料の各区分に掲げる所定点数から1日につき40点を減算する．

⑤一般病棟入院基本料，特定機能病院入院基本料，専門病院入院基本料では，午前中退院の割合が90％超えの医療機関に30日を超えて入院している患者，金曜日入院・月曜日退院の割合が合計の40％超えの医療機関では減算される．

⑥外泊期間中の入院基本料または特定入院料は基本点数の15％を算定する．

⑦入院患者の他医療機関での診療が必要となった場合は転医または対診を求めることを原則とするが，入院医療機関では行えない専門的診療での受診は認められる．その場合に発生した他医療機関において実施された診療に係る費用は，DPC算定病棟では入院医療機関で算定し他医療機関との合議で診療報酬を分配し，出来高算定病棟では他医療機関で算定する．

⑧一般病棟の90日超え入院患者については，「A101療養病棟入院基本料」により算定するか，出来高算定として平均在院日数の計算対象とする．

⑨入院期間が180日を超えるものは保険外併用療養費の対象となり差額徴収の対象となるが，厚生労働大臣の定める状態として，「難病・悪性疾患・人工呼吸器使用・15歳未満・小児慢性特定疾病の患者は除く」とされている．

⑩入院基本料または特定入院基本料を算定している患者が，退院時に退院後に在宅で使用する薬剤を投与した場合は，その薬剤料を算定できる．

⑪新生児の診療報酬については，新生児に傷病があって診療を行った場合に対象となる．この場合に被扶養者として認定されていなければならない．したがって新生児の姓名が決定し，被扶養者として手続きが終わった後に請求する．異常分娩後，新生児が異常な状態で入院治療を要する場合は保険の給付として認められる．死産の届けを行った場合は，被扶養者ではないため，新生児蘇生術を行っても診療報酬の請求はできない．

⑫看護は，当該医療機関の看護要員のみによって行われるものであり，患者の負担による付添看護が行われてはならない．ただし，患者の病状により，または治療に対する理解が困難な小児患者または知的障害を有する患者等の場合は，医師の許可を得て家族等患者の負担によらない者が付き添うことは差し支えない．なお，患者の負担によらない家族等による付添いであっても，それらが当該医療機関の看護要員による看護を代替し，または当該保医療機関の看護要員の看護力を補充するようなことがあって

はならない．

2）第1節　入院基本料

A100 一般病棟入院基本料

1　急性期一般入院基本料（表6）
2　地域一般入院基本料（表7）

①看護配置，看護師比率，平均在院日数その他の事項につき施設基準に適合し，届け出た病棟に入院している患者は，各区分に従い，算定する．

- 急性期一般入院基本料は看護配置が7対1か10対1の一般病棟が算定する入院基本料である．「重症度，医療・看護必要度」の基準を満たす患者割合を「実績部分」の指標とし，入院料1〜7までの7区分で評価されている．地域一般入院基本料は看護配置が13対1か15対1の一般病棟が算定する入院基本料で，13対1の看護配置を「重症度，医療・看護必要度」の測定の有無により区別し，入院料1〜3までの3区分で評価されている．
- 特別入院基本料：上記以外の病棟は各地方厚生局に届け出た場合に，特別入院基本料として算定できる．
- 平均在院日数：入院患者の入院期間に応じて，所定の点数を加算する．
- 重症児（者）受入連携加算：地域一般入院基本料を算定する病棟において，他の医療機関から転院してきたものであって，入退院支援加算3（A246）を算定した場合は重症児（者）受入連携加算を入院初日に加算できる．

②月平均夜勤時間超過減算，救急・在宅等支援病床等初期加算（地域一般入院基本料が対象），夜間看護体制特定日減算，ADL維持向上等体制加算があるが詳細は割愛する．詳しくは該当箇所を確認されたい．

③入院基本料等加算は，次項入院基本料等加算，その他で取り上げる．

A104 特定機能病院入院基本料（表8）

①特定機能病院入院基本料は一般病棟，結核病棟，精神病棟であって，看護配置，看護師比率，平均在院日数，その他の事項について施設基準に適合し届け出た病棟に入院している患者について算定する．

②「重症度，医療・看護必要度」の基準を満たす病棟に入院している患者については，当該基準に係る区分に従い，看護必要度加算1〜3をそれぞれ1日につき所定点数に加算する．

A105 専門病院入院基本料（表9）

①専門病院（主として悪性腫瘍，循環器疾患等の患者を入院させる保険医療機関であって高度かつ専門的な医療を提供）の一般病棟であって，看護配置，看護師比率，平均在院日数，その他の事項について施設基準に適合しているとして届け出た病棟に入院し

表6 急性期一般入院基本料

区分		急性期一般入院料1	急性期一般入院料2	急性期一般入院料3
基本点数（1日につき）		1,650	1,619	1,545
看護職員		7対1以上		
看護師比率				
重症度，医療・看護必要度の基準を満たす患者割合[※1]	I	31%以上	28%以上 （26%以上）[※2]	25%以上 （23%以上）[※3]
	II	29%以上	26%以上 （24%以上）[※2]	23%以上 （21%以上）[※3]
平均在院日数		18日以内		
在宅復帰・病床機能連携率		80%以上		
データ提出加算				
初期加算 （1日につき）	14日以内			
	15～30日			
ADL維持向上等体制加算 （1日につき，14日限度）				
算定可能な入院基本料等加算		総合入院体制加算/地域医療支援病院入院診療加算/臨床研修診療加算/診療録管理体制加算/医師事務作業補助体制加算/急児（者）入院診療加算・準超重症児（者）入院診療加算/地域加養環境特別加算/小児療養環境特別加算/無菌治療室管理加算/算/重度アルコール依存症入院医療管理加算/摂食障害入院医ポート体制充実加算/褥瘡ハイリスク患者ケア加算/ハイリス実施加算1/データ提出加算/入退院支援加算（1のイ，2のイま整加算/排尿自立支援加算/地域医療体制確保加算		

[※1]：2020年3月末時点での届出医療機関は同年9月末まで（入院料4については2021年3月末まで）
[※2～4]：許可病床200床未満の病院では2022年3月末まで（　）内の基準とする．この場合，2020年3
　　　　同じく入院料3を届出する場合は※2・3，同じく入院料4の届出医療機関が同じく入院料4を

ている患者について算定する．
②「重症度，医療・看護必要度」の基準を満たす病棟に入院している患者については，当該基準に係る区分に従い，看護必要度加算1～3をそれぞれ1日につき所定点数に加算する．

4　入院基本料等加算，その他

　小児科の入院料は，出来高で積み上げられる入院基本料とそれに対する入院基本料等加算で成り立っている．そこに，医学管理料を算定することのできる医療行為（II 各論．

3. 入院診療の評価

急性期一般入院料4	急性期一般入院料5	急性期一般入院料6	急性期一般入院料7	特別入院基本料
1,440	1,429	1,408	1,382	607
10対1以上				
70%以上				
22%以上（20%以上）[※4]	20%以上	18%以上	測定のみ	
20%以上（18%以上）[※4]	18%以上	15%以上	測定のみ	
21日以内				
―				
要				
+450				+300
+192				+155
+80				―

病院入院診療加算／救急医療管理加算／超急性期脳卒中加算／妊産婦緊急搬送入院加算／在宅患者緊急入院〔性期〕看護補助体制加算／看護職員夜間配置加算／乳幼児加算・幼児加算／難病等特別入院診療加算／超重症〔児〕算／離島加算／療養環境加算／HIV感染者療養環境特別加算／二類感染症患者療養環境特別加算／重症者等療〔養〕放射線治療病室管理加算／緩和ケア診療加算／精神科リエゾンチーム加算／強度行動障害入院医療管理加算〔療〕管理加算／がん拠点病院加算／栄養サポートチーム加算／医療安全対策加算／感染防止対策加算／患者サ〔ポート体制充実加算〕〔ハイリ〕スク妊娠管理加算／ハイリスク分娩管理加算／呼吸ケアチーム加算／後発医薬品使用体制加算／病棟薬剤業務〔実施加算〕〔(入院初日か〕ら3に限る）／認知症ケア加算／せん妄ハイリスク患者ケア加算／精神疾患診療体制加算／薬剤総合評価調〔整加算〕

経過措置
月末時点で入院料1，2の届出医療機関が入院料2，3を届出する場合や入院料3の届出医療機関が届出する場合は※4とする

2-2. 医学管理科参照）が一部加わる．入院基本料等加算はその入院施設や提供する診療内容の特殊性を主に評価するために，また医学管理料は特定の疾病や病態など患者の特殊性に配慮するために設定されている．

すでに別項で解説されているように，子どもの診療報酬は出来高だけで算定すると，必要な人件費も賄えない程度の額にしかならないことから，特定入院料である小児入院医療管理料が工夫・創設された．その成立の経緯から，入院基本料等加算の多くと医学管理料は特定入院料の中に包括されている．

1）特定入院料で算定可能な加算

小児で算定される特定入院料には，「A301-4 小児特定集中治療室管理料」「A302 新生

Ⅱ 各論

表7 地域一般入院基本料

区分		地域一般入院料1	地域一般入院料2	地域一般入院料3
基本点数(1日につき)		1,159	1,153	988
看護職員		13対1以上	13対1以上	15対1以上
看護師比率		70%以上	70%以上	40%以上
平均在院日数		24日以内	24日以内	60日以内
重症度,医療・看護必要度		測定している	—	—
初期加算(1日につき)	14日以内	+450	+450	+450
	15～30日	+192	+192	+192
重症児(者)受入連携加算		+2,000(入院初日)		
救急・在宅等支援病床初期加算(1日につき)		+150(14日限度)		
算定可能な入院基本料等加算		総合入院体制加算/地域医療支援病院入院診療加算/臨床研修病院入院診療加算/救急医療管理加算/超急性期脳卒中加算/妊産婦緊急搬送入院加算/在宅患者緊急入院診療加算/診療録管理体制加算/医師事務作業補助体制加算/看護配置加算〔入院料3のみ算定可〕/看護補助加算/乳幼児加算・幼児加算/難病等特別入院診療加算/超重症児(者)入院診療加算・準超重症児(者)入院診療加算/地域加算/離島加算/療養環境加算/HIV感染者療養環境特別加算/二類感染症患者療養環境特別加算/重症者等療養環境特別加算/小児療養環境特別加算/無菌治療室管理加算/放射線治療病室管理加算/緩和ケア診療加算/精神科リエゾンチーム加算/強度行動障害入院医療管理加算/重度アルコール依存症入院医療管理加算/摂食障害入院医療管理加算/がん拠点病院加算/栄養サポートチーム加算/医療安全対策加算/感染防止対策加算/患者サポート体制充実加算/褥瘡ハイリスク患者ケア加算/ハイリスク妊娠管理加算/ハイリスク分娩管理加算/呼吸ケアチーム加算/後発医薬品使用体制加算/病棟薬剤業務実施加算1/データ提出加算/入退院支援加算(1のイ,2のイまたは3に限る)/認知症ケア加算/精神疾患診療体制加算/薬剤総合評価調整加算/排尿自立支援加算		

児特定集中治療室管理料」「A303 総合周産期特定集中治療室管理料 2 新生児集中治療室管理料」「A303-2 新生児治療回復室入院医療管理料」「A307 小児入院医療管理料」「A311-4 児童・思春期精神科入院医療管理料」がある.それらで算定可能な入院基本料等加算の一覧を表10に示した.

　臨床研修病院入院診療加算,地域加算,離島加算,医療安全対策加算,感染防止対策加算,患者サポート体制充実加算,褥瘡ハイリスク患者ケア加算,データ提出加算,排

表8 特定機能病院入院基本料（1日につき）

1　一般病棟の場合
- イ　7対1入院基本料　1,718
- ロ　10対1入院基本料　1,438

2　結核病棟の場合
- イ　7対1入院基本料　1,718
- ロ　10対1入院基本料　1,438
- ハ　13対1入院基本料　1,210
- ニ　15対1入院基本料　1,037

3　精神病棟の場合
- イ　7対1入院基本料　1,450
- ロ　10対1入院基本料　1,373
- ハ　13対1入院基本料　1,022
- ニ　15対1入院基本料　933

表9 専門病院入院基本料（1日につき）

- イ　7対1入院基本料　1,667
- ロ　10対1入院基本料　1,396
- ハ　13対1入院基本料　1,174

尿自立支援加算」は施設全体にかかわる加算であり，すべての特定入院料で算定可能であるが，それ以外は個々の特定入院料の求められる機能に応じた加算が設定されている．

最も入院数が多く，小児科で一般的に算定されることの多い小児入院医療管理料については，感染症対策のための個室料金にかかわる小児療養環境特別加算，在宅医療の充実にかかわる在宅患者緊急入院診療加算，超重症児（者）・準超重症児（者）入院診療加算，入退院支援加算，小児科領域のがん治療や精神疾患にかかわる加算などが算定可能である．

一方，「A224 無菌治療室管理加算」「A233-2 栄養サポートチーム加算」「A242 呼吸ケアチーム加算」「A244 病棟薬剤業務実施加算」のように，小児においても医療の質の向上や病院勤務者の負担軽減に大きく資すると思われるような加算が包括範囲に含まれていることは制度全体の矛盾点と思われる．

2) 出来高で算定される入院基本料等加算

小児を入院させる病棟でよく使われる項目として，「A205 救急医療管理加算」「A208 乳幼児加算・幼児加算」がある．それ以外の加算も，算定要件を満たせば算定可能である．特に救急医療管理加算は医療資源の比較的乏しい地域の小児科で算定されることが多く，病院収入と小児科医の勤務条件との関係に課題を残している．

3) 入院医療にかかわる医学管理料の加算

先にも示したとおり，医学管理料（B項目）は特定の疾病や病態など患者の特殊性に配慮するために設定されている．しかしながら，特定入院料を選択した場合には包括項目とされており算定できない．

表10 入院基本料等加算のうち小児にかかわる特定入院料で算定可能な項目

		PICU	NICU	GCU	小入管	児思精
A204-2	臨床研修病院入院診療加算	○	○	○	○	○
A205-2	超急性期脳卒中加算	○	○	○	○	
A206	在宅患者緊急入院診療加算				○	
A207-2	医師事務作業補助体制加算	○	○	○	○	○ (※1)
A212	超重症児(者)入院診療加算・準超重症児(者)入院診療加算				○	
A218	地域加算	○	○	○	○	
A218-2	離島加算	○	○	○	○	○
A221-2	小児療養環境特別加算				○	
A226-2	緩和ケア診療加算				○ (※2)	
A231-2	強度行動障害入院医療管理加算				○ (※3)	○
A231-4	摂食障害入院医療管理加算				○ (※3)	○
A232	がん拠点病院加算				○ (※2)	
A234	医療安全対策加算	○	○	○	○	○
A234-2	感染防止対策加算	○	○	○	○	○
A234-3	患者サポート体制充実加算	○	○	○	○	○
A236	褥瘡ハイリスク患者ケア加算	○	○	○	○	
A238-7	精神科救急搬送患者地域連携受入加算					○
A244	病棟薬剤業務実施加算2	○	○			
A245	データ提出加算	○	○	○	○	
A246	入退院支援加算(1のイ, 3)	○	○	○	○	
A248	精神疾患診療体制加算	○			○ (※4)	
A250	薬剤総合評価調整加算					○
A251	排尿自立支援加算	○	○	○	○	○
A252	地域医療体制確保加算	○	○	○	○ (※5)	

※1:50:1, 75:1, 100:1補助体制加算に限る
※2:A307 小児入院医療管理料1, 2を算定するものに限る
※3:A307 小児入院医療管理料5を算定するものに限る
※4:A307 小児入院医療管理料5については精神病棟を除く
※5:A307 小児入院医療管理料5を除く

〔日本小児科学会社会保険委員会. 2021年12月14日作成〕

DPCに外付けで小児入院医療管理料を算定した場合には，診療報酬上のルールからDPCが優先されるため，算定が可能となる．運用がきわめて複雑で改善が望まれる事項である．

　「B001 特定疾患治療管理料　2 特定薬剤治療管理料」「B001 特定疾患治療管理料　10 入院栄養食事指導料」「B001 特定疾患治療管理料　23 がん患者指導管理料」「B005 退院時共同指導料 2」「B005-6 がん治療連携計画策定料」「B005-6-3 がん治療連携管理料」「B009 診療情報提供料（I）」などについては，医療の質の向上や多職種連携という視点から何らかの対応がとられてもよいのではないかと思われる．

➡ 文　献

1) 厚生労働省保険局医療課：事務連絡「新型コロナウイルス感染症に係る診療報酬上の臨時的な取扱いについて（その 12）」2020 年 4 月 18 日　https://www.mhlw.go.jp/stf/seisakunitsuite/bunya/0000121431_00212.html
2) 厚生労働省保険局医療課：事務連絡「新型コロナウイルス感染症に係る診療報酬上の臨時的な取扱いについて（その 14）」2020 年 4 月 24 日　https://www.mhlw.go.jp/stf/seisakunitsuite/bunya/0000121431_00212.html

➡ 参考文献

・児童福祉法　https://elaws.e-gov.go.jp/document?lawid=322AC0000000164
・全国保険医団体連合会：保険診療の手引　2022 年 4 月版

II 各論

4 在宅医療の評価

1 小児在宅医療の診療報酬総論

1）小児医療の中での小児在宅医療の位置付け

これまでの小児医療における医療のゴールは病前の健康な状態への復帰が暗黙の要求事項であった．しかし，過去数十年の医療全体の発展により疾病の治療後の状態は大きく変化した．元どおりの健康を取り戻して社会に帰っていく子どもたちがいる一方で，医療的ケアに依存しながら社会に帰っていく子どもたちも無視できない数に増加し，子どもの在宅医療も一般的な社会復帰の一類型と考えるべき時代となった．さらに，高度の医療的ケアを必要としながら自由に歩いたり話したりすることのできる重症児（医療的ケア児）の出現で，小児在宅医療の枠組みに新たな対応が必要となっている．令和3年6月18日に医療的ケア児支援法が成立し，9月18日に施行された．また，新医療的ケアスコアも開発されている（I 総論．8-2．医療的ケア児支援法参照）．今後，医療的ケア児への国の施策は大きく変わる可能性がある．

日本小児科学会社会保険委員会では，複雑な議論を単純化するための戦略として，重症児がきちんとケアされればより重症度の低い児はそのシステムの中に含むことができるであろうと考え，多くのデバイスを常時必要とする超重症児あるいは準超重症児（在宅人工呼吸）を対象として小児在宅医療の診療報酬制度を提案してきた．留意したことは将来のトランジションを視野に入れ，すでに完成している成人の在宅医療の構築に沿い，子どもに特化するような提案にはしないという点である．現在の小児在宅医療の社会保険制度の立場からみた構造を以下に説明する．

2）小児在宅医療の構造

a．三次病院での治療から地域の二次病院への転院

図1には，子どもが在宅医療に移行する場合の2とおりの類型を示した．従来は三次病院で在宅医療への調整を行ったうえで一気に地域の診療所が主治医となる在宅医療への移行が行われていた（大都市型）．しかし，その方法には多く解決されない問題があり，それが小児在宅医療の普及しない要因の一つと考えられている．社会保険委員会が提案した施策は，まず地域の二次病院に子どもを転院させ，そこで在宅医療の調整を行い，その後に在宅へ移行するというものである（中都市型）．

4. 在宅医療の評価

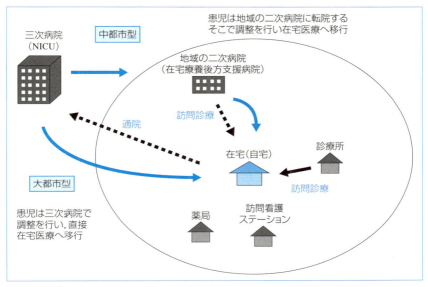

図1 子どもの在宅医療の2とおりの類型
〔日本小児科学会社会保険委員会，2021年12月14日作成〕

b. 地域において在宅医療の主治医となる施設

　子どもが在宅に移行したあとは，地域の二次病院がそのまま在宅医療の主治医として機能してもよいし，地域に受け皿となる診療所があればそこに主治医を移してもよい．診療所に主治医が移った場合は，在宅調整を行った二次病院は在宅療養後方支援病院としてその後の在宅医療に深く関与し続けることが求められる．また，地域の二次病院がしばらくの間，在宅医療の主治医として働き，数年を経て在宅医療そのものが安定してきてから診療所に主治医を移すことも可能である．主治医となるべき診療所が成人の在宅医療を行う診療所（機能強化型在宅療養支援診療所）であれば，小児在宅医療のトランジションをスムーズに行うことができるシステムでもある．

c. トランジション

　小児在宅医療を考える場合，将来のトランジションを考慮して計画することが望ましい．図2には現在の診療報酬制度で示されている枠組みを示した．通常，医療を提供する主治医の交代（小児科医から内科医など）という意味として用いられているが，小児在宅医療においては主治医の交代以外に，生活の場のトランジション，介護者のトランジションという視点が重要であることも忘れてはならない．

Ⅱ 各論

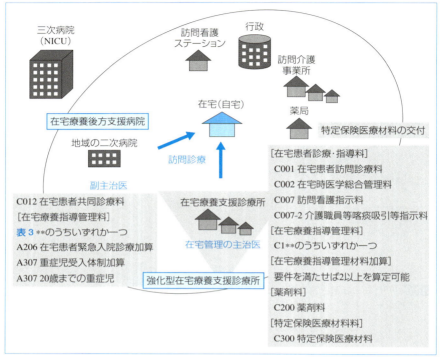

図2 トランジションを視野に入れた地域での在宅医療
〔日本小児科学会社会保険委員会.2021年12月14日作成〕

3) 小児在宅医療の核となる医療施設

a. 在宅療養後方支援病院

　地域での小児医療の核となる二次病院は小児在宅医療においても重要な位置を占めることになる．診療報酬上の算定要件で求められている在宅療養後方支援病院の機能は，地域で在宅医療を提供している診療所等との連携（入退院支援加算，退院時共同指導料），在宅医療を継続している患者が何らかの理由で入院を必要とした場合の確実な受け入れ（自施設での受け入れが困難な場合には他施設での確実な受け入れの仲介）の契約，変化する患者状況の適切な把握であり，それを担保するための診療報酬として在宅患者共同診療料（C012）や入院時の種々の受け入れ加算が設定されている．

b. 在宅療養支援診療所

　在宅療養支援診療所は，月2回以上の定期的な患家への訪問，24時間患者からの問い合わせに応じる，年間4件以上の在宅看取りが主な算定要件である．平成28年度改定で

表1　在宅医療における基本的な診療報酬

[在宅患者診療・指導料]	[在宅療養指導管理料]
C001　在宅患者訪問診療料	表3のうちいずれか一つ
乳幼児または幼児加算	重複しなければ従たる医療機関でも算定可能
C002　在宅時医学総合管理料	[在宅療養指導管理材料加算]
C006　在宅患者訪問リハビリテーション指導管理料	要件を満たせば2以上を算定可能
C007　訪問看護指示料	[薬剤料]
C007-2　介護職員等喀痰吸引等指示料	C200　薬剤料
C011　在宅患者緊急時等カンファレンス料	[特定保険医療材料料]
C012　在宅患者共同診療料	C300　特定保険医療材料

〔日本小児科学会社会保険委員会．2021年12月14日作成〕

は，小児科診療所に配慮して年間4件以上の小児在宅人工呼吸の診療を看取りの要件と置き換えることが認められた（在宅時医学総合管理料）．

また，3人以上の常勤医がいる場合や複数の在宅療養支援診療所が連携してより充実した医療を提供している場合には，機能強化型在宅療養支援診療所とよばれている．医療従事者の労働環境の改善という視点でも機能強化型に移行することが望まれる．

c．小児科診療所

小児在宅医療の全体像を俯瞰すれば，超重症児については地域の二次病院が主体となってケアすることのほうが医療資源の有効利用という点でも合理的であると思われる．小児科診療所は，より人数の多い少しだけデバイスのついた子どもたちのケアに積極的に参加する，あるいは超重症児の副主治医として協力するのが現実的と思われる（在宅療養指導管理料は小児科外来診療料の包括に含まれず，行った診療は出来高算定となる）．

4）在宅医療における基本的な診療報酬

a．在宅医療の基本的な診療報酬

在宅医療の診療報酬の算定は，「A 基本診療料」「B 医学管理等」「C 在宅医療」の項目で主に構成されている．そのうち在宅訪問については「C 在宅医療」を主として使うことになる．表1に示した，在宅患者診療・指導料，在宅療養指導管理料，在宅療養指導管理材料加算，薬剤料，特定保険医療材料料の5項目の合算で請求することが基本である．在宅療養指導管理料及び在宅療養指導管理材料加算については後述の表3および表4を参照されたい．なお，3歳未満で「B001-2 小児科外来診療料」を採用している施設でも，在宅医療を行う患者については出来高算定することができる．

b．在宅患者診療・指導料

表2には主な在宅患者診療・指導料を示した．「C000 往診料」及び「C001 在宅患者訪問

Ⅱ　各論

表2　在宅患者診療・指導料の類型

◆C000　往診料
◆C001　在宅患者訪問診療料
◆C002　在宅時医学総合管理料
◆C003　在宅がん医療総合診療料

表3　在宅療養指導管理料の一覧（一部省略）

●C100	退院前在宅療養指導管理料	120点	●C109	在宅寝たきり患者処置指導管理料	1,050点
C101	在宅自己注射指導管理料	（略）			
C101-2	在宅小児低血糖症患者指導管理料	820点	C110	在宅自己疼痛管理指導管理料	1,300点
			C110-2	在宅振戦等刺激装置治療指導管理料	810点
C101-3	在宅妊娠糖尿病患者指導管理料	150点	C110-3	在宅迷走神経電気刺激治療指導管理料	810点
C102	在宅自己腹膜灌流指導管理料	4,000点			
C102-2	在宅血液透析指導管理料	8,000点	C110-4	在宅仙骨神経刺激療法指導管理料	810点
●C103	在宅酸素療法指導管理料				
1	チアノーゼ型先天性心疾患の場合	520点	C111	在宅肺高血圧症患者指導管理料	1,500点
2	その他の場合	2,400点			
●C104	在宅中心静脈栄養法指導管理料	3,000点	●C112	在宅気管切開患者指導管理料	900点
C105	在宅成分栄養経管栄養法指導管理料	2,500点	C114	在宅難治性皮膚疾患処置指導管理料	1,000点
●C105-2	在宅小児経管栄養法指導管理料	1,050点	C116	在宅植込型補助人工心臓（非拍動流型）指導管理料	45,000点
●C105-3	在宅半固形栄養経管栄養法指導管理料	2,500点	C117	在宅経腸投薬指導管理料	1,500点
			C118	在宅腫瘍治療電場療法指導管理料	2,800点
●C106	在宅自己導尿指導管理料	1,400点			
●C107	在宅人工呼吸指導管理料	2,800点	C119	在宅経肛門的自己洗腸指導管理料	800点
C107-2	在宅持続陽圧呼吸療法指導管理料	（略）			
			C120	在宅中耳加圧療法指導管理料	1,800点
C108	在宅悪性腫瘍等患者指導管理料	1,500点			
C108-2	在宅悪性腫瘍患者共同指導管理料	1,500点			

〔令和2年度診療報酬改定〕

診療料」は，厳しい算定要件がなく一般の診療所で算定可能である．「C002在宅時医学総合管理料」は，在宅療養支援診療所や在宅療養支援病院が算定するもので算定要件が厳しいこと，「C003在宅がん医療総合診療料」はその内容から，説明の対象とはしない．

4. 在宅医療の評価

表4 在宅療養指導管理材料加算の一覧

コード	項目	点数	コード	項目	点数
C150	血糖自己測定器加算	（略）	●C164	人工呼吸器加算	
C151	注入器加算	（略）	1	陽圧式人工呼吸器	7,480点
C152	間歇注入シリンジポンプ加算	（略）	2	人工呼吸器	6,480点
C152-2	持続血糖測定器加算	（略）	3	陰圧式人工呼吸器	7,480点
C152-3	経腸投薬用ポンプ加算	2,500点	●C165	在宅持続陽圧呼吸療法用治療器加算	
C153	注入器用注射針加算	（略）	1	ASVを使用した場合	3,750点
C154	紫外線殺菌器加算	360点	2	CPAPを用いた場合	1,000点
C155	自動腹膜灌流装置加算	2,500点	C166	携帯型ディスポーザブル注入ポンプ加算	2,500点
C156	透析液供給装置加算	10,000点	C167	疼痛等管理用送信器加算	600点
●C157	酸素ボンベ加算		C168	携帯型精密輸液ポンプ加算	10,000点
1	携帯用酸素ボンベ	880点	C168-2	携帯型精密ネブライザー加算	3,200点
2	1以外の酸素ボンベ	3,950点	●C169	気管切開患者用人工鼻加算	1,500点
●C158	酸素濃縮装置加算	4,000点	●C170	排痰補助装置加算	1,800点
C159	液化酸素装置加算		●C171	在宅酸素療法材料加算	
1	設置型液化酸素装置	3,970点	1	チアノーゼ型先天性心疾患の場合	780点
2	携帯型液化酸素装置	880点	2	その他の場合	100点
C159-2	呼吸同調式デマンドバルブ加算	300点	●C171-2	在宅持続陽圧呼吸療法材料加算	100点
●C160	在宅中心静脈栄養法用輸液セット加算	2,000点	C172	在宅経肛門的自己洗腸用材料加算	2,400点
●C161	注入ポンプ加算	1,250点	C173	横隔神経電気刺激装置加算	600点
●C162	在宅経管栄養法用栄養管セット加算	2,000点			
●C163	特殊カテーテル加算				
1	再利用型カテーテル	400点			
2	間歇導尿用ディスポーザブルカテーテル	使用本数等により異なる			
3	間歇バルーンカテーテル	1,000点			

注）在宅療養指導管理材料加算は，要件を満たせば2項目以上の指導管理について算定できる
〔令和2年度診療報酬改定〕

c. 在宅療養指導管理料

表3には在宅療養指導管理料の一覧を示した．●は子どもで算定することの多い管理料である．

表4に在宅療養指導管理材料加算を示した．表3の管理料に対応する材料加算が算定可能である．表3に示した管理料は，複数該当するものがあっても主たるもの一つしか算定できないが，表4に示した材料加算は該当する管理料に対応した材料加算を複数算定することが可能である．

表5 算定できない在宅療養指導管理料の組み合わせ

C102 在宅自己腹膜灌流指導管理料	C102-2 在宅血液透析指導管理料
C103 在宅酸素療法指導管理料	C107 在宅人工呼吸指導管理料　または C107-2 在宅持続陽圧呼吸療法指導管理料
C104 在宅中心静脈栄養法指導管理料	C105 在宅成分栄養経管栄養法指導管理料　または C105-2 在宅小児経管栄養法指導管理料
C105 在宅成分栄養経管栄養法指導管理料	C105-2 在宅小児経管栄養法指導管理料
C105-2 在宅小児経管栄養法指導管理料	C105-3 在宅半固形栄養経管栄養法指導管理料　または C109 在宅寝たきり患者処置指導管理料
C107 在宅人工呼吸指導管理料	C107-2 在宅持続陽圧呼吸療法指導管理料
C108 在宅悪性腫瘍等患者指導管理料	C110 在宅自己疼痛管理指導管理料
C108-2 在宅悪性腫瘍患者共同指導管理料	C110 在宅自己疼痛管理指導管理料
C109 在宅寝たきり患者処置指導管理料	C114 在宅難治性皮膚疾患処置指導管理料

注) 複数の施設が在宅医療にかかわる場合，表の左側の指導管理料と右側の指導管理料は同時に算定できない

〔令和2年度診療報酬改定〕

平成26年度診療報酬改定で，主治医施設と副主治医施設の2か所が在宅療養指導管理料をそれぞれ算定することが可能となった．その場合には，互いに類似した管理料を算定することはできず，表5は，超重症児・準超重症児にかかわる診療報酬で重複して算定できない管理料の組み合わせを示している．

* * *

次項では，在宅移行調整から在宅医療中の緊急入院までの状況ごとに算定できる項目を説明する．

また，多職種による連携が随所に要求されており，それらの運用の実際については，関係する章を参照されたい．

2 小児在宅医療の診療報酬各論 —(準)超重症児・医療的ケア児を中心として—

本項では，実際に小児在宅医療を行うに当たり，どの場面でどの項目が算定できるのかを具体的に示す．前項では，大都市型と中都市型の2類型を示したが，本項では中都市型(地域の二次病院を介した在宅への移行)についてのみ説明する．この診療報酬は主として超重症児・準超重症児を対象として検討された内容である．医療的ケア児への同様の適応については，告示3別表第13並びに告示4別表8の2の運用見直しが望まれる．また，より軽症の子どもでも同じように適応できるが，一部では算定要件に合わず

4. 在宅医療の評価

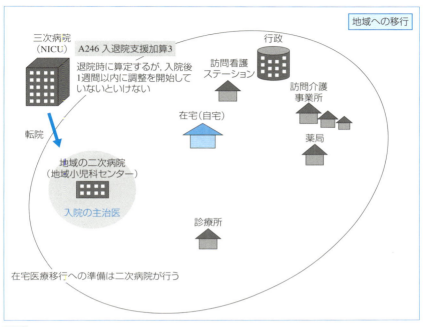

図3 中都市型：初回入院・急性期治療（三次病院）
〔日本小児科学会社会保険委員会．2021年12月14日作成〕

使うことのできない項目がある．

1）在宅医療の各場面に応じた算定項目

a. 三次病院から地域の二次病院への転院（図3）

　三次病院から地域の二次病院に子どもが転院する．三次病院（NICU）に将来在宅医療が必要になる可能性のある子どもが入院した場合，入院後1週間以内に在宅移行に向けた話し合いが開始され，実際に在宅移行あるいは在宅移行のための転院に結びついた場合には，入退院支援加算3を退院時に算定することができる．送り出し側の三次病院での多職種間での話し合いが必要である．地域連携診療計画加算は紹介状に相当するものである．後述する退院時共同指導料1または2は，自宅への退院ではないため算定できない．

b. 二次病院から在宅医療への移行調整（図4）

　地域の二次病院は在宅移行を調整する．三次病院でNICUに入院していた新生児であれば，入退院支援加算3を算定することができる．また，それ以外の子どもでも入退院支援加算1のイを算定することは可能である．試験外泊に対しては退院前在宅療養指導

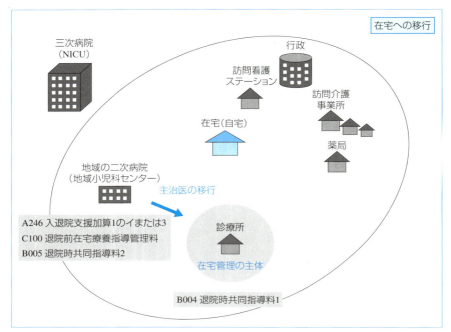

図4 中都市型：在宅医療への移行調整

〔日本小児科学会社会保険委員会. 2021年12月14日作成〕

管理料，在宅移行のための地域の医療ならびに福祉機関との調整には退院時共同指導料がそれぞれ算定できる．ただし，「B005 退院時共同指導料2」は小児入院医療管理料の包括範囲になっており，小児入院医療管理料を算定する施設では算定できない（DPCと小児入院医療管理料を同時に算定している間は算定可能である）．

退院前の多職種カンファレンスが最も重要で，その後の在宅医療の質を左右するといっても過言ではない．別に定められた状態の場合（別表3の1の2）には合計2回の算定が認められている．

c. 在宅医療の維持

在宅医療の維持について示した．図5では診療所が主治医で在宅移行を調整した二次病院が副主治医として示してある．いずれの医療機関が主治医となるか，在宅療養指導管理料や在宅療養指導管理材料加算などをどちらがどのように算定するかなどは，退院前のカンファレンス（退院時共同指導料）でよく話し合って決めておく．在宅医療の主治医となる診療所が前項で示した項目の診療報酬を算定する（小児科外来診療料の包括外）．副主治医となる二次病院は，定期的な訪問を行っていれば在宅患者訪問診療料を，

4. 在宅医療の評価

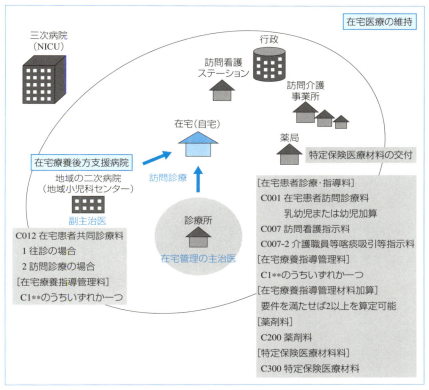

図5 中都市型：在宅医療の維持
〔日本小児科学会社会保険委員会. 2021年12月14日作成〕

訪問以外の定期的な診療でも在宅療養指導管理料のいずれかの項目を算定できる．

在宅医療の継続に必要な医療器材，衛生材料や薬剤は，重症児の場合には毎月相当の分量となる．これらについては，子どもの自宅近くの保険薬局に提供を指示することも可能である．

子どもの療養生活を安定して行うためには，地域の二次病院も訪問診療を行うことが強く望まれる．訪問診療を行うことのできる二次病院は，在宅療養後方支援病院として申請すれば在宅患者共同診療料を算定することができる．

d. 在宅医療中の病状急変（図6）

在宅医療中の病状の変化に際しては，往診で対応する場合と訪問で対応する場合とは診療報酬上厳密に区別されている．往診は患家の求めに応じて随時，訪問はあらかじめ日時を約束して訪れる場合をいう．状況に応じて上手に使い分けることが必要である．

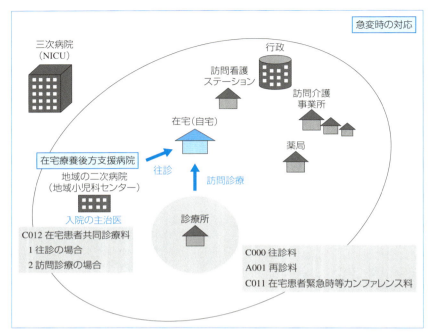

図6 中都市型：在宅医療中の病状急変
〔日本小児科学会社会保険委員会，2021年12月14日作成〕

さらに，主治医以外の医療および福祉機関のスタッフが子どもの自宅に集まって今後の治療方針等について話し合った場合には，在宅患者緊急時等カンファレンス料も算定できる．

在宅医療中の病状の変化に際しては，主治医のみでなく在宅療養後方支援病院からも子どもの自宅を訪れることができるし，可能であれば子どもの自宅でのカンファレンスに参加することも望まれる．

e．緊急入院（図7）

子どもが入院の必要な状態であれば，はじめに在宅移行調整を行った二次病院（在宅療養後方支援病院）が入院を引き受ける．その際，二次病院では通常の入院算定に加えて，在宅患者緊急入院診療加算，超重症児（者）・準超重症児（者）入院診療加算を算定することができる．また，地域振興小児科など比較的小規模の施設で小児入院医療管理料3～5を算定している病院では，重症児受入体制加算が別途算定できる．

地域の二次病院は，すでに在宅移行調整の際に子どもやその家族，病院の医師やスタッフともに顔なじみであり，地域の医療および福祉資源のスタッフとも慣れ親しんで

4. 在宅医療の評価

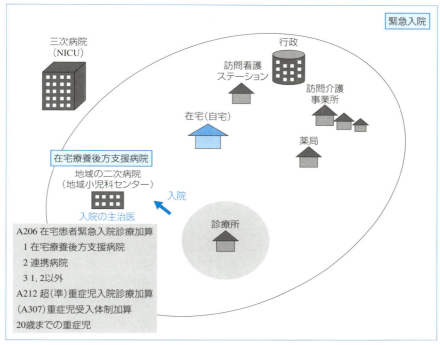

図7 中都市型：在宅医療中の緊急入院
〔日本小児科学会社会保険委員会．2021年12月14日作成〕

いる．在宅医療を行う子どもは微妙な条件の違いなどで急変することもあり，そのような細かい情報も共有が容易である．これは入院する子どもにとっても，入院を引き受ける病院にとっても大きな利点となる．

2）入退院支援加算（A246）（表6）

診療報酬改定のたびに見直され，退院支援加算は入退院支援加算となっている．表6に示すようにいくつかの算定要件の違いにより1～3に分かれている．NICU以外の病棟に入院していた重症児でも，入退院支援加算1のイを算定することは可能である．昨今の小児在宅医療の発展を考えると，NICUのみでなくPICUからの退院についても入退院支援加算3が適用されてもよいと思われる．

Ⅱ 各論

表6 A246 入退院支援加算（退院時1回）

入退院支援加算1・2・3の算定要件	退院困難な要因（入退院支援加算1，2）
入退院支援加算1 イ 退院困難な要因を有する入院中の患者であって，在宅での療養を希望するものに対して入退院支援を行った場合 ロ 連携する他の保険医療機関において当該加算を算定した患者の転院を受け入れ，入退院支援を行った場合 **入退院支援加算2** 　退院困難な要因を有する入院中の患者であって，在宅での療養を希望するものに対して入退院支援を行った場合 **入退院支援加算3** イ 当該保険医療機関に入院中の患者であってNICU管理料を算定したことがあるものに対して，退院支援計画を作成し，入退院支援を行った場合 ロ 他の保険医療機関において当該加算を算定した患者の転院を受け入れ，退院支援計画を作成し，入退院支援を行った場合	ア 悪性腫瘍，認知症又は誤嚥性肺炎等の急性呼吸器感染症 イ 緊急入院であること ウ 要介護認定が未申請（40歳以上） エ 家族又は同居者から虐待を受けている，その疑いがある オ 生活困窮者である カ 入院前に比べADLが低下し，退院後の生活様式の再編が必要 キ 排泄に介助を要する ク 同居者の有無に関わらず，必要な介助を十分に提供する状況にない ケ 退院後に医療処置が必要 コ 入退院を繰り返す サ アからコに準ずる **退院困難な要因（入退院支援加算3）** ア 先天奇形 イ 染色体異常 ウ 出生体重1,500g未満 エ 新生児仮死（Ⅱ度以上に限る） オ その他，生命に関わる重篤な状態

	入退院支援および地域連携業務にかかわる職員	退院困難な要因の抽出	退院支援計画の作成への着手	共同カンファレンスの開催
1	医療機関内に入退院支援部門がある 各病棟に配置 十分な経験を有する専従の看護師または社会福祉士または，経験を有する専従の社会福祉士と専任の看護師を配置	3日以内	7日以内	病棟看護師，入退院支援要員，入退院支援部門の看護師及び社会福祉士，等
2	医療機関内に入退院支援部門がある 医療機関内の入退院支援部門に経験を有する専従の看護師と専任の社会福祉士または，経験を有する専従の社会福祉士と専任の看護師を配置．	7日以内	7日以内	同上（努力義務）
3	医療機関内に入退院支援部門がある 入退院支援とNICU業務経験のある専任の看護師が1名以上，専従の社会福祉士が1名以上	7日以内	1か月以内	病棟および入退院支援部門の看護師並びに社会福祉士，等

〔令和2年度診療報酬改定〕

3 小児在宅医療の病診連携と多職種連携に関する診療報酬

前項ですでに病診連携の概要について説明がされているため本項は特に算定要件について補足的に述べる．

1）病診連携
a．退院時支援
ⅰ．退院時共同指導の目標

在宅は病院と比して環境変化が大きい．これに対する医療ケアが確立するまで，体調変化や介護困難が生じやすい．このため医療・生活の両面から予想される困難を明らかにし，多職種の連携の仕方を確認することが重要となる．必要な多職種資源が集まるよう算定方法の条件が設定されている．

B004 退院時共同指導料1，B005 退院時共同指導料2

①退院の際に訪問医および病院保険医が共同で療養指導を行う会議を行う際に算定する（表7，8）．診療所（1）・病院（2）双方で指導料が算定できる．

②入院中の保険医療機関の保険医または看護師等が下記の各医療資源が共同で退院後の療養指導を行い，文書を提供する際に月1回（一部の疾患で月2回）まで算定する．

ⅱ．必要な職種

退院後の在宅療養を担う保険医療機関の保険医・看護師または准看護師に加え以下を

表7 B004 退院時共同指導料1

1	在宅療養支援診療所	1,500点
2	それ以外	900点
注1	特別管理加算	200点（告示4別表8*の状態）
注2	在宅医療を担う医師の参加	300点
注3	それ以外の職種の参加	2,000点

入院中の患者について，その施設に赴いて，患者の同意を得て，退院後の在宅での療養上必要な説明及び指導を，共同して行った場合．
入院中1回．告示4別表3の1の2*の患者では，2回．
注2　入院施設の医師または看護師退院後に在宅医療を担う診療所等の医師または看護師
注3　以下のうち3者以上
　　　退院後に在宅医療を担う診療所等の医師または看護師，歯科医師または歯科衛生士，保険薬局の薬剤師，訪問看護ステーションの正看護師，介護支援専門員，相談支援専門員

＊：次ページ表8参照

〔日本小児科学会社会保険委員会．2018年1月2日より一部改変〕

表8　B004 退院時共同指導料（補足）

別表3の1の2　退院時共同指導料1及び2を2回算定できる疾病等の患者並びに頻回訪問加算に規定する状態等にある患者	別表8　退院時共同指導料1の注2の特別な管理を要する状態等にある患者並びに退院後訪問指導料，在宅患者訪問看護・指導料及び同一建物居住者訪問看護・指導料に規定する状態等にある患者
1　末期の悪性腫瘍の患者（在宅がん医療総合診療料を算定している患者を除く） 2　(1)であって，(2)又は(3)の状態であるもの 　(1)在宅自己腹膜灌流指導管理，在宅血液透析指導管理，在宅酸素療法指導管理，在宅中心静脈栄養指導管理，在宅成分栄養経管栄養法指導管理，在宅人工呼吸指導管理，在宅自己疼痛管理指導管理，在宅肺高血圧症患者指導管理，在宅気管切開患者指導管理を受けている状態にある者 　(2)ドレーンチューブ又は留置カテーテルを設置している状態 　(3)人工肛門又は人工膀胱を設置している状態 3　在宅での療養を行っている患者であって，高度な指導管理を必要とするもの	1　在宅悪性腫瘍等患者指導管理若しくは在宅気管切開患者指導管理を受けている状態にある者又は気管カニューレ若しくは留置カテーテルを使用している状態にある者 2　在宅自己腹膜灌流指導管理，在宅血液透析指導管理，在宅酸素療法指導管理，在宅中心静脈栄養指導管理，在宅成分栄養経管栄養法指導管理，在宅自己導尿指導管理，在宅人工呼吸指導管理，在宅持続陽圧呼吸療法指導管理，在宅自己疼痛管理指導管理又は在宅肺高血圧症患者指導管理を受けている状態にある者 3　人工肛門又は人工膀胱を設置している状態にある者 4　真皮を越える褥瘡の状態にある者 5　在宅患者訪問点滴注射管理指導料を算定してる者

〔日本小児科学会社会保険委員会，2018年1月2日作成〕

併せた3者以上で指導を行う場合，退院時共同指導料(2)に加算を行う（表9）．

・訪問看護ステーションの看護師等（理学療法士，作業療法士，言語聴覚士，介護支援専門員．ただし准看護師を除く）
・保険医である歯科医師または指示を受けた歯科衛生士
・保険薬局の保険薬剤師

在宅療養支援診療所とその他の診療所では退院時共同指導料(1)の算定料が異なる．

b. 共同診療

専門性の高い症例について訪問医の求めに応じて病院の医師が患家に赴くことができる．

C012 在宅患者共同診療料
1　往診の場合　1,500点
2　訪問診療の場合（同一建物居住者以外）　1,000点
3　訪問診療の場合（同一建物居住者）　240点

　在宅療養後方支援病院の医師が訪問医の求めに応じて患家に赴き共同で診療する場合

4．在宅医療の評価

表9 多職種で連携するための仕組み

算定項目	必ず参加が必要な職種	参加すると加算が認められる職種
B004 退院時共同指導料1	入院施設の医師または看護師 退院後に在宅医療を担う診療所等の医師または看護師	以下のうち3者以上 　退院後に在宅医養を担う診療所等の医師または看護師 　歯科医師または歯科衛生士 　保険薬局の薬剤師 　訪問看護ステーションの正看護師 　居宅介護支援事業者等の介護支援専門員
B005 退院時共同指導料2	同上	同上
A246 入退院支援加算3	病棟および退院支援部門の看護師 社会福祉士	
C100 退院前在宅療養指導管理料		
C012 在宅患者共同診療料	在宅療養後方支援病院	
C011 在宅患者緊急時等カンファレンス料	在宅医療を担う診療所等の医師 以下のうち1者以上 　歯科医師または歯科衛生士 　薬剤師 　訪問看護ステーションの看護師 　居宅介護支援事業者等の介護支援専門員	
C013 在宅患者訪問褥瘡管理指導料	在宅医療を担う診療所等の医師，管理栄養士，看護師 連携する他の医療機関の看護師	

に算定できる．

算定要件：最初の算定から1年間に2回まで算定できる．ただし15歳未満からの人工呼吸器装着・体重20kg未満・神経難病等の患者は初回算定から1年間に12回まで算定できる．

c．救急搬送

C004 救急搬送診療料　1,300点

訪問医を含む担当する保険医が搬送の際に救急車等に同乗して患者搬送を行う際に算定．さらに新生児加算（1,500点）・乳幼児加算（700点）・長時間加算（700点）を加算する．

2）診療医と訪問資源

a．訪問看護師等への指示料

C007 訪問看護指示料　300 点

　保険医は訪問看護事業所の訪問看護師などへの訪問指示書を作成する際に原則月1回算定する

　特別訪問看護指示加算：体調の悪化で週4日以上の頻回訪問が必要となり指示書を発行した場合に月1回まで算定する

C005-2 在宅患者訪問点滴注射管理指導料　100 点

　3日以上の訪問看護での点滴実施の指示を行うときに週1回まで算定．

C007-2 介護職員等喀痰吸引等指示料　240 点

　一定の条件を満たす介護サービス事業所に対して喀痰吸引などの特定の医療行為に対する指示を行う場合に3か月に1回まで算定する．

b．訪問資源が医師の指示に基づいて指導し算定

　算定用件が多数にわたるため概略を記載する．

C005 在宅患者訪問看護・指導料　530～1,285 点（他各種加算あり）

　訪問看護事業所の訪問看護師が訪問指導を行う際に算定．

C006 在宅患者訪問リハビリテーション指導管理料　255～300 点

　訪問リハビリの訪問指導に算定．

C009 在宅患者訪問栄養食事指導料　420～530 点

　管理栄養士の訪問指導に算定．

C008 在宅患者訪問薬剤管理指導料　290～650 点

　訪問薬剤師の訪問指導に算定．

3）訪問資源の連携

C010 在宅患者連携指導料　900 点

　訪問歯科・訪問薬剤・訪問看護等からの文書等での情報提供をもとに訪問医が患者に対して指導を行う際に月1回まで算定．

C011 在宅患者緊急時等カンファレンス料　200 点

　患者の容態の急変や治療方針の変更の際に患家医師または歯科医師の求めで，訪問看護ステーション看護師・訪問薬剤管理指導薬剤師・居宅介護支援事業者の介護支援専門員と共同で患家で指導を行う際に月2回まで算定．

C013 在宅患者訪問褥瘡管理指導料　750 点

　管理栄養士・看護師・保険診療医の共同で褥瘡管理指導を行う際に初回より6か月以内月2回まで算定．

4 医療的ケア児：小児在宅医療の現在と将来への展望

新生児死亡率と高度救命医療の進歩に伴い重い障害や後遺症を残す児の医療・福祉・教育を含めた総合的な療育支援のニーズは高まっている．児童福祉法では重症心身障害児(図8)[1]を中心に医療・福祉・教育に対して必要な各種助成や施設・体制の整備がなされてきた．近年，気管切開・人工呼吸管理・経管栄養療法をはじめ医療的ケアが必要な児が急激に増多．医療的ケアは日常生活を送るために必要不可欠な生活援助行為として，特定の医療行為について指導のもと教員等による実施を可能とする，教育・福祉の分野での法解釈の整備がなされ，看護師の配置や教員の医療的ケア実施を行う体制が整備され始めた．また重症心身障害児では医療的ケアの重さを配慮して超重症児スコア(表10)[1]が作られた．このような中で歩けるまたは話せるが医療的ケアが重い，「動ける重症児」(図9)[1]が増加．重症心身障害児にあてはまらない医療的ケア児が，障害として認知されず福祉や教育の現場で必要な施設の利用を拒否されるケースが多発した．医療的ケアが社会孤立の引き金となり生活困難となる「新たな障害」として社会問題となる中，「障害者の日常生活及び社会生活を総合的に支援するための法律及び児童福祉法の一部を改正する法律」第56条の6第2項により，地方公共団体に対して人工呼吸管理をはじめ日常的に医療を必要とする児の保健・医療・福祉・各関連分野で適切な支援が受けられるよう体制整備をすることが義務付けられた．さらに令和3年度9月に「医療的ケ

●現在も障害福祉制度の基盤の考え方

21	22	23	24	25	70
20	13	14	15	16	50
19	12	7	8	9	35
18	11	6	3	4	20
17	10	5	2	1	0
走れる	歩ける	歩行障害	座れる	寝たきり	IQ

1，2，3，4の範囲が重症心身障害児

5，6，7，8は周辺児とよばれる

現状には合わない！！

図8 重症心身障害児：大島の分類

重症心身障害児とは，重度の肢体不自由と重度の知的障害とが重複した状態の子どもである．さらに成人した重症心身障害児を含めて重症心身障害児者，略して重症児者とよぶ．これは，医学的診断名ではなく，行政上の措置を行うための定義である．その判定基準を，国は明確に示していないが，現在は，元東京都立府中教育センター院長の大島一良氏が，1971年に発表した「大島の分類」という方法により判定するのが一般的である

〔国立成育医療研究センター：平成27年度小児等在宅医療地域コア人材養成講習会　https://www.mhlw.go.jp/file/06-Seisakujouhou-10800000-Iseikyoku/0000114540.pdf〕

表10 超重症児スコア(大島の分類に医療ケアを加味)

- 医学的管理下に置かなければ，呼吸をすることも栄養を摂ることも困難な障害状態にある児で以下のスコア25点以上．準超重症児は10点以上
- 呼吸管理
  - レスピレーター(10)　気管内挿管，気管切開(8)　鼻咽頭エアウエイ(8)　酸素吸入(5)　1時間1回以上の吸引(8)　1日6回以上の吸引(3)　ネブライザーの6回/日以上または常時使用(3)
- 食事機能
  - IVH(10)　経口全介助(3)　経管(経鼻，胃瘻)(5)　腸瘻(8)　腸瘻・腸管栄養時に注入ポンプ(3)
- 他の項目
  - 継続する透析(10)　定期導尿，人工肛門(5)　体位交換1日6回以上(3)　過緊張で発汗し更衣と姿勢修正3回/日以上(3)

医療技術はさらに進歩し，最も重い障害と思われた重症心身障害児よりさらに別の障害をもつ子どもを産んだ．それが，医療機器と医療的ケアに依存して生活する子どもたちである．そのような子どもたちは，先述の重症心身障害児にさらに医療的ケアが加わったということで，「超重症心身障害児」略して「超重症児」とよばれる．これらの「超重症児」は，重症心身障害児の中でも，医学的管理下に置かなければ，呼吸をすることも栄養を摂ることも困難な障害状態にある障害児で，鈴木ら[2]（超重症児の定義とその課題，小児保健研究54）の超重症児スコアを用いて必要な医療処置によって点数を付け，スコア25点以上を超重症心身障害児(超重症児)，10点以上を準超重症心身障害児(準超重症児)としている

〔国立成育医療研究センター：平成27年度小児等在宅医療地域コア人材養成講習会　https://www.mhlw.go.jp/file/06-Seisakujouhou-10800000-Iseikyoku/0000114540.pdf〕

ア児及びその家族に対する支援に関する法律」(I 総論.8-2.医療的ケア児支援法参照)が施行され，国・地方公共団体の医療的ケア児の育成支援・家族の離職防止を含む支援が義務付けられ，医療的ケア児支援センターの設置が定められた．また，教育・福祉施設（保育所・学校を含む）等の設置者に対して看護師の配置を含む適切な医療的ケアを受けられる体制の整備が義務付けられた．

　様々な理由で社会孤立しやすい家族や児は，必ずしも医療的ケア児や重度の肢体不自由児のケースだけではない．たとえば，児が重度の自閉症スペクトラム障害があり意思疎通や離れた状態での安全確保が困難である，強度行動障害による自傷他害の恐れがあるなど，24時間の密接な見守りが常に必要である場合，また家族が，精神疾患や持病を抱え養育自体が困難な場合，養育技術が未熟である，父性や母性が未熟である，養育環境に必要な援助が受けられない状態で家族が危機に陥りやすい，虐待のリスクが高い場合，などである．医療的ケア児と同様，医療・福祉・教育をはじめとする社会資源がこれらの障害で利用を拒否される場合，リスクがきわめて高くなる．

　訪問による実利支援のできる小児在宅医療が家族の生活や子どもの療育の実態を可視化し地域の社会資源からの孤立を防ぐ鍵となりうる．

　児童福祉法では相談支援事業所が窓口となり児童発達支援センターを中核として医療

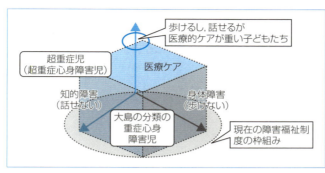

図9 大島の分類，超重症児スコア，歩けて話せる医療的ケア児概念図

これまで述べてきた重症心身障害児，超重症児の考え方と社会制度を概念図で示す．重症心身障害児は大島分類で定義され，現在の障害福祉制度は，大島の分類を基準にし，運営，適用されている．しかし，そこに医療的ケア，医療機器を加えたのが超重症児である．さらに，最近，歩けるし話せるが気管切開，人工呼吸器，胃瘻，IVH が日常的に必要な子どもがでてきた．このような子どもたちは，大島分類，すなわち現在の社会制度上は障害がないことになり，社会支援を得ることが困難になる

〔国立成育医療研究センター：平成 27 年度小児等在宅医療地域コア人材養成講習会 https://www.mhlw.go.jp/file/06-Seisakujouhou-10800000-Iseikyoku/0000114540.pdf〕

機関・療育施設・保健所の助けを借りて教育・福祉の社会資源へつながる事業を想定しているが，あくまで事業所へ本人や家族が赴くことが前提となっており，これらの行政の枠からこぼれおち孤立しやすいケースは，小児在宅医療が有用なかかわりを作り社会的孤立を緩和し乗り越えるきっかけを作ることが期待される[3]．

➡ 文 献

1) 国立成育医療研究センター：平成 27 年度小児等在宅医療地域コア人材養成講習会 https://www.mhlw.go.jp/file/06-Seisakujouhou-10800000-Iseikyoku/0000114540.pdf
2) 鈴木康之，他：超重度障害児（超重症児）の定義と課題．小児保健研究 54：406-410，1995
3) 厚生労働省社会・援護局障害保健福祉部障害福祉課障害児・発達障害者支援室：在宅医療及び障害福祉サービスを必要とする障害児等への支援について（平成 28 年 3 月 16 日） https://www.mhlw.go.jp/file/06-Seisakujouhou-12200000-Shakaiengokyokushougaihokenfukushibu/0000118084.pdf

➡ 参考文献

・国立成育医療研究センター：令和元年度 小児在宅医療に関する人材養成講習会テキスト https://www.mhlw.go.jp/content/10802000/000764350.pdf
・大阪小児科医会：小児在宅医療診療報酬の手引き―事例を中心に，主として診療所を対象として― 第 3 版．平成 26 年 6 月
・大山昇一：平成 26 年診療報酬改定と小児在宅医療．日本在宅医学会雑誌 16：254-264，2015
・厚生労働省：医療的ケア児等とその家族に対する支援施策 https://www.mhlw.go.jp/stf/seisakunitsuite/bunya/hukushi_kaigo/shougaishahukushi/service/index_00004.html
・前田浩利，他：障害福祉サービス等報酬における医療的ケア児の判定基準確立のための研究―(1)研究の全体像．日本医師会雑誌 149：1811-1815，2021

II 各論

5 個別の医療技術の評価

1 検査

1）検査の算定の基本

「D検査」には表1に示すような各項目があり，これらの項目に該当するものの合算で算定することになる．また，検体検査料は実際に行われた検体検査の実施料と，その結果の判断料とで構成されている．内分泌負荷試験などのように検査のために薬剤で負荷を行う場合には，その薬剤の費用も併せて算定できる．また，心臓カテーテル検査などのように高額の機材を必要とする場合には，特定保険医療材料を併せて算定できる．一方，糖尿病の血糖自己測定のための機材など，大量の特定保険医療材料を必要とする場合には，「C101 在宅自己注射指導管理料」の中に包括されて算定するようになっているものもある．

2）傷病名（疑い病名も含む）

それぞれの検査は，すべて所定の手続きを経て薬機法による承認（検査診断薬，測定機器，検査用医療機器など）を受けており，さらに保険収載されることにより実施可能となっている．したがって，すべての検査とそれに必要な特定保険医療材料には適応疾患と価格（保険点数）が決められている．

医師がこれらの検査を行う場合には，保険診療のルールに則り実施することが求められる（I 総論．3-1. 療養担当規則参照）．また，検査を実施した場合には診療報酬請求書にその検査に該当する傷病名（疑い病名も含む）をつける．

3）検査の通則や通知の注意点

傷病名（疑い病名も含む）をつければ，すべての検査を制限なく実施できるわけではない．検査の回数や項目については，通則や通知で多くの制限が設けられており，表2にはその概要を示した．

血圧測定や簡単な視野眼底検査などは，「A 基本診療料」に含まれており算定できない．また，実施回数や項目，類似した検査の同時算定などについても制限がつけられている場合がある．

たとえば，HbA1c は月に1回しか算定できなし，シスタチンCは3か月に1度しか算定できない．尿沈渣で検鏡法とフローサイトメトリー法を同時に実施した場合，同一

5. 個別の医療技術の評価

表1　D検査の構成

1) 検体検査料
    (1) 検体検査実施料
    (2) 検体検査判断料
2) 生体検査料
3) 診断穿刺・検体採取料
4) 薬剤料
5) 特定保険医療材料料

表2　検査の通則や通知で示された事項の概要

1. 診療報酬点数表に掲げられず基本診療料に含まれる検査がある
2. 週1回，月1回，数か月に1回など実施回数に制限の設けられた検査がある
3. 同時に算定できない検査がある
4. 検査の適応に制限の設けられた検査がある
5. 同時に実施できる項目数に制限の設けられた検査がある
6. 外来迅速検体検査加算
7. 時間外緊急院内検査加算

ウイルス抗体について複数の測定法を実施した場合などでは，主たるもの一つだけしか算定することができない．RSウイルス抗原やノロウイルス抗原の迅速検査では，その適応に多くのしばりがあることは周知の事実である．一般的な生化学検査では，4項目までは所定の点数の加算で請求できるが，5〜7項目の場合には93点，8または9項目の場合には99点，10項目以上では何項目検査を実施しても109点しか請求できない．内分泌学的検査においても検査項目数による算定基準がある．これは，過剰な検査を行わないようにするためのルールである．

その一方，外来迅速検体検査加算では，指定された検査項目について5項目を限度に検査当日のうちに文書で結果を伝えた場合に，所定点数に10点を加算することができる制度も用意されている．

近年，次々と遺伝子検査が保険収載されている．たとえば，がんゲノムプロファイリング検査（D006-19）が保険収載されたが，検査実施施設はがんゲノム医療（中核）拠点病院などに限定されている．

2 画像診断

1）画像診断の算定の基本

表3に示す5つの項目のうち，該当するものの総和で算定する．しかし，それぞれの項目の算定に当たっては，種々の要件などがあり単純な総和とはならない．なお，表4に示すように小児には加算が認められている．小児への加算の計算方法は，所定点数の総和に小児加算を加え，端数は四捨五入して算出する．

以下には，臨床の場で頻用される単純撮影とCT撮影およびMRI撮影の要点について解説する．ただし，近年では多くの施設がデジタル撮影を採用しているため，アナログ撮影については割愛した．

表3 画像診断の構造

- エックス線診断料
- 核医学診断料
- コンピューター断層撮影診断料
- 薬剤料
- 特定保険医療材料料

表4 小児への加算とCT・MRIの逓減

小児へのCT撮影加算
　新生児加算：所定点数の 80/100
　3 歳未満乳幼児：所定点数の 50/100
　3 歳以上 6 歳未満：所定点数の 30/100
小児への頭部外傷撮影加算
　新生児加算：所定点数の 85/100
　3 歳未満乳幼児：所定点数の 55/100
　3 歳以上 6 歳未満：所定点数の 35/100
小児鎮静下 MRI 撮影加算　所定点数の 80/100

小児への加算がある画像診断技術
　E002 撮影
　E100 シンチグラム
　E200 コンピューター断層撮影（CT 撮影）
　E201 非放射性キセノン脳血流動態検査
　E202 磁気共鳴コンピューター断層撮影（MRI 撮影）

CT・MRI の同一月 2 回目以降の逓減
　所定点数の 80/100
　部位は問わない
　小児への加算は逓減前の点数で計算する

2）単純撮影の要点

「E001 写真診断」（頭部，胸部，腹部または脊椎が 85 点，その他の部位が 43 点）と「E002 撮影」（デジタル撮影 68 点），電子画像管理加算 57 点（エックス線診断料通則 4）の合計で計算する．なお，同一の部位を同時に撮影した場合には，2 枚目以降の「E001 写真診断」と「E002 撮影」は 50/100 に相当する点数での算定になる（6 枚目以降は写真診断と撮影は算定できない）．さらに，電子画像管理加算を算定する場合には，フィルム代は算定できない．「E002 撮影」には小児への加算がある．また，耳や四肢など対称部位の健側を患側の対照として撮影する場合には，同一の部位を同時に撮影した場合と同じ扱いとなる．

3）CT 撮影および MRI 撮影の要点

CT 撮影および MRI 撮影は使用する機種の性能によって点数が異なる．また，いずれにも小児への加算がある．また令和 2 年度改訂から，新生児頭部外傷撮影加算・乳幼児頭部外傷撮影加算及び幼児頭部外傷撮影加算は，6 歳未満の小児の頭部外傷に対して，関連学会が定めるガイドラインに沿って撮影を行った場合に限り算定可能になった．ただし，同一月にいずれかの検査を複数回実施した場合には，2 回目以降の検査について逓減される（表 4）．また，月 1 回に限り，「E203 コンピューター断層診断」を算定することができる（前項の単純撮影の場合には撮影ごとに写真診断が算定できる）．

なお，小児の場合には鎮静を併用してこれらの検査を実施することが多く，その場合には「L001-2 静脈麻酔」を別途算定することができる．麻酔鎮静下に1回で複数の領域を一連で撮影した場合は小児鎮静下MRI撮影加算を算定することができる．

入院中の患者がPET関連検査のために他の医療機関を受診した場合の入院管理料の取り扱いも令和2年度に変更された．

3 投薬

1) 投薬算定の基本

① 院内処方対応の場合，「投薬の費用は，第1節　調剤料，第2節　処方料，第3節　薬剤料，第4節　特定保険医療材料料，及び第6節　調剤技術基本料の点数を合算した点数」で算定する．
② 院外処方の場合は第5節　処方箋料を算定する．
③ 薬剤師が常時勤務する保険医療機関で投薬を行った場合は第6節　調剤技術基本料を算定する．
④ 外来は，院内処方の場合は調剤料＋処方料＋薬剤料（＋調剤技術基本料），院外処方の場合は処方箋料の合算になる．
⑤ 入院の場合は調剤料＋薬剤料（＋調剤技術基本料）の合算である．処方料は入院基本料に含まれている．小児入院医療管理料では包括外であるが，DPCでの算定では投薬は包括算定である．一部の高額薬剤は加算または出来高算定となる．DPCの項目を参照されたい．

2) 投薬と傷病名

① 薬剤に対する傷病名は確定された病名が基本であり，疑い病名は避ける．抗菌薬を投薬するときは，感染の部位が特定された病名が必要である．ビタミン剤等の投与は疾患の特性で投与の必要性のある場合であり，薬事承認の内容に従って投与されないといけない．
② 「内用薬の保険適応上の取扱い」に関する通知が出されているので，確認が必要である．
③ 添付文書の留意事項に，「乳幼児，幼児又は小児に対する安全性は確立していない（使用経験が少ない）」などの記載があることがあり，留意して使用されるべきである．

3) 投薬の通則や通知の注意点

① 処方料及び処方箋料には，特定疾患処方管理加算，抗悪性腫瘍剤処方管理加算，外来後発医薬品使用体制加算または一般名処方加算がある．投与量（日数）は厚生労働大臣が限度を設定していることがあり注意が必要である．また，7種類以上の内服薬の処方と向精神薬多剤投与の場合は減算される．

②乳幼児加算：処方料と処方箋料は3歳未満の乳幼児に処方を行った場合は加算する．
③外来で，うがい薬のみ，70枚超えの湿布薬を処方した場合は，処方料，調剤料，薬剤料，または調剤技術基本料は算定できない．しかし，必要な場合はレセプトに理由を記載する．

4）主な算定項目

a．第1節　調剤料

F000 調剤料

ⅰ．外来

①内服薬，浸煎薬及び頓服薬を投薬した場合，または外用薬を処方した場合に算定できる．1回の処方に係る調剤料として，剤数，日数または調剤料にかかわらずにまとめて算定できる．

ⅱ．入院

①1日につき算定できる．
②外泊期間中及び入院実日数を超えた部分は算定できない．
③麻薬・向精神薬等を調剤した場合は麻薬等加算を算定できる．

b．第2節　処方料

F100 処方料

ⅰ．乳幼児加算

①3歳未満の乳幼児に対して加算する．

ⅱ．特定疾患処方管理加算

①定められた疾患を主病とする患者について，プライマリ機能を担う地域かかりつけ医が総合的に分析を行い，処方管理を行うことを評価したもの．
②診療所または許可病床数200床未満の病院で，「特定疾患療養管理料並びに処方料及び処方せん料」に規定する疾患を主病名とする患者に対して処方を行った場合には月に2回に限り，加算する．上記での医療機関のうち，28日間以上の処方を行った場合には月2回加算する．

ⅲ．抗悪性腫瘍剤処方管理加算

①抗悪性腫瘍剤処方管理加算は施設基準に適合し，届け出を行っている許可病床数200床以上の病院で，投薬の必要性と危険性を文書により説明を行ったうえで月に1回算定できる．

ⅳ．外来後発医薬品使用体制加算

①外来後発医薬品使用体制加算は平成28年度改定で新設された．療養担当規則にも後発医薬品（ジェネリック医薬品）の使用の努力義務が課せられている．
②後発品の品質，安全性，安定供給体制等の情報を収集・評価し，後発医薬品の採用決

定する体制を取り，使用割合に応じて算定する．
③先発医薬品は，新しい効能や効果を有し，臨床試験（治験）により，その有効性や安全性が確認された医薬品である．また，後発医薬品は，先発医薬品と成分が同一で，臨床試験を省略して承認される医薬品である．

v．麻薬，向精神薬，覚せい剤または毒薬加算
①向精神薬多剤投与は，精神科疾患の診療経験を有することを確認できる書類を添えて届け出が必要である．また，その状況の報告が求められている．
②向精神薬多剤投与は，3種類以上の抗不安薬，睡眠薬，抗うつ薬，抗精神病薬の処方を行った場合となる．

vi．その他
①7種類以上の内服薬の処方を行った場合は減算となる．
②うがい薬のみを投薬した場合，湿布薬は70枚を超えて投薬した場合は算定できない．
③投薬期間が30日以上の投薬は一部の薬剤（抗てんかん薬や甲状腺ホルモン製剤など）を除いて40/100に減算となる．

c．第3節　薬剤料

F200 薬剤

①薬価は所定単位ごとに算定し，内服薬と浸煎薬は1剤1日分，頓服薬は1回分，外用薬は1調剤分である．
②健康保険で使用できる薬剤は薬価基準で収載され，実際の購入価格ではなく，薬価基準の価格で算定する．
③向精神薬多剤投与，7種類以上の多剤投与，低紹介率病院における30日以上の投薬の場合は減算される．
④患者が薬剤の処方を受け，その後に紛失し，再交付した場合は，その薬剤の費用は患者負担になる．
⑤入院患者に対しては，入院前に外来で処方された薬剤を入院中に服用する場合は外来投与として扱う．また，退院時の投薬は入院分として扱う．
⑥療養病棟入院基本料または特殊疾患入院基本料を算定している患者に，退院後に在宅で使用する薬剤を退院時に投与した場合は薬剤料を算定できる．

d．第4節　特定保険医療材料料

F300 特定保険医療材料

①保険診療に用いられる医療用具・材料のうち，手技料・薬剤料とは別に費用を算定できる保険医療材料のことである．
②それ以外の保険医療材料は手技料に含まれている．また，処方箋により給付できない．

e. 第5節　処方箋料

F400 処方箋料

①3種類以上の抗不安薬，睡眠薬，抗うつ薬，抗精神病薬の処方を行った場合や，7種類以上の内服薬の処方を行った場合の減算，3歳未満の乳幼児に対しては加算，診療所または許可病床数200床未満の病院における，特定疾患処方管理料，抗悪性腫瘍剤処方管理加算（届出）は処方料と同じ算定である．

②院外処方を交付する診療所は，薬剤の一般名を記載した処方箋を交付した場合は一般名処方加算を算定する．処方料の外来後発医薬品使用体制加算に相当する．

③低紹介率病院における30日以上投薬の減算等も処方料と同じであり，30日を超える長期投薬は，病状が安定している，服薬管理を医師が確認している，病状悪化時の対応方法を患者に説明する等の対応が必要である．それ以外は30日以内に再診を行う．許可病床数200床以上の病院は200床未満の病院または診療所に文書による紹介を行う対応が必要である．

④同一の患者に対して，同一診療日に，一部の薬剤は院内処方，他の薬剤を院外処方と併用することは原則認められない．「緊急やむを得ない事態」の場合はレセプトに理由を記して処方箋料及び院内投与の薬剤料のみを算定する．

⑤在宅で使用する特定医療保険医療材料を院外処方せんで処方できるが，処方箋料は算定できない．

⑥入院患者には，入院している医療機関で診断治療の全般について行われるため，特別の事情がない限り処方箋の交付は必要がない．そのため，入院患者に処方箋料の請求はできない．

⑦調剤報酬についての審査要領
- 社会保険診療報酬支払基金では，電子請求を行っている医療機関で処方箋を交付した医療機関のすべての明細書と処方箋を受けた保険薬局の調剤報酬明細書との突合点検が行われる．不適切な投薬の場合はその責任のある側で査定が行われる（責別確認）．
- 保険者や，国保連合会でも実施することができる．

⑧オンライン診療料に規定する診療実施に伴う処方箋の場合は「オン診」と記載する．

f. 第6節　調剤技術基本料

F500 調剤技術基本料

①外来と入院ともに，院内処方で，薬剤師が常時勤務している場合に算定する．

②院内製剤加算は，薬価基準に記載されている医薬品に溶剤，基剤を加え，異なる剤形の医薬品を院内製剤で調剤した場合に算定できる．同一剤形の2種類以上の既製剤を混合した場合などで算定できる．しかし，調剤した医薬品と同一規格を有する医薬品

が薬価基準に収載されている場合，1種類のみの医薬品を水に溶解して液剤とした場合，原料の医薬品の承認内容とは異なる用法，用量，効能，効果で用いる場合は算定できない．

4 注射

1）注射の算定の基本

①注射にかかる費用は，第1節　注射料，第2節　薬剤料及び第3節　特定保険医療材料料を合算した点数を算定する．生物学的製剤注射を行った場合，精密持続点滴注射を行った場合，麻薬を使用した場合は加算する．

②DPC算定を行った場合は包括されるが，DPC算定では無菌製剤については出来高算定になる．一部の高額薬剤は加算または出来高払いになっているので，確認が必要である．DPCの項目を参考にされたい．

③外来化学療法加算は，施設基準に適合し，届けている医療機関において，外来で悪性腫瘍や関節リウマチ患者等に対して，注射の必要性と危険性について文書による説明を行った場合に，静脈内注射，動脈注射，抗悪性腫瘍剤局所持続注入，肝動脈塞栓を伴う抗悪性腫瘍剤肝動脈内注入，点滴注射，中心静脈注射または植込型カテーテルによる中心静脈注射を加算する．

下記イを算定した患者に対し医師の指示に基づき薬剤師が副作用，治療計画等を文書で提供したうえで必要な指導を行った場合に月に1回に限り，連携充実加算を算定する．

　　イ．外来化学療法加算1
　　　　外来化学療法加算A（抗悪性腫瘍剤を注射した場合）
　　　　　　①15歳未満　　820点
　　　　　　②15歳以上　　600点
　　　　外来化学療法加算B（抗悪性腫瘍剤以外の薬剤を注射した場合）
　　　　　　①15歳未満　　670点
　　　　　　②15歳以上　　450点
　　ロ．外来化学療法加算2
　　　　外来化学療法加算A（抗悪性腫瘍剤を注射した場合）
　　　　　　①15歳未満　　740点
　　　　　　②15歳以上　　470点
　　　　外来化学療法加算B（抗悪性腫瘍剤以外の薬剤を注射した場合）
　　　　　　①15歳未満　　640点
　　　　　　②15歳以上　　370点

2）注射と傷病名
①注射に対する傷病名は薬剤に対する考え方と同様である．
②また，「注射薬の保険適応上の取扱い」に関する通知が出されているので，確認が必要である．
③添付文書の留意事項に，「乳幼児，幼児又は小児へに対する安全性は確立していない（使用経験が少ない）」などの記載があることがあり，留意して使用されるべきである．

3）注射の通則と通知の注意点
①生物学的製剤注射加算は，母子感染防止のためのＢ型肝炎ワクチンの接種や，摘脾した小児への肺炎球菌ワクチンの接種，狂犬病の発症防止を目的とした狂犬病ワクチン，破傷風予防での血清の投与，エクリズマブ（遺伝子組み換え）投与患者への髄膜炎菌ワクチンの投与などが対象となる．
②精密持続点滴注射は自動輸液ポンプを用いて１時間に 30 mL 以下の速度で投与することで，１歳未満の乳児に精密持続点滴投与を行う場合は薬剤の種類にかかわらずに精密持続点滴注射加算を算定できる．
③外来化学療法加算は施設基準や委員会での承認などの定められた要件を満たし，届け出を行った医療機関で算定できる．抗悪性腫瘍剤の注射の必要性，副作用等について文書により説明し同意を得たうえで，外来化学療法の専用室で，悪性腫瘍等の治療を目的に抗悪性腫瘍剤を投与したときに算定する．
④特定入院料等，注射の手技料を含む点数を算定した場合は，生物学的製剤注射，精密持続点滴注射，麻薬の注射をした場合の加算はできない．

4）主な算定項目
a．第１節 注射料
注射料は注射実施料及び無菌製剤処理料を合算した点数で算定する．

ⅰ．第１款 注射実施料

G000 皮内，皮下及び筋肉内注射　　20 点
①入院外の患者に対して算定する．
②在宅自己注射指導管理料，在宅悪性腫瘍等患者指導管理料，在宅悪性腫瘍患者共同指導管理料を算定する患者には在宅患者訪問診療料を算定する日には，併せて算定できない．

G001 静脈内注射　　32 点
①入院外の患者に対して算定する．
②在宅自己注射指導管理料，在宅中心静脈栄養法指導管理料，在宅悪性腫瘍等患者指導管理料，在宅悪性腫瘍患者共同指導管理料を算定する患者には在宅患者訪問診療料を算定する日には，併せて算定できない．

③6歳未満の乳幼児に対して行った場合は，乳幼児加算を算定する．

G004 点滴注射　　49点，98点または99点

①6歳未満の乳幼児に対するもので，1日の注射量が100 mL以上の場合と，6歳以上の者で，500 mL以上の場合は増点する．
②6歳未満の乳幼児に対して行った場合は，乳幼児加算を算定する．
③血漿成分製剤の注射を行う場合，患者に対して必要性，危険性について文書で説明を行った場合は血漿成分製剤加算を算定する．
④赤血球濃厚液，新鮮凍結血漿，アルブミン製剤，凝固因子製剤の使用に当たっては「血液製剤の使用指針（薬事・食品衛生審議会）（平成31年3月）」「輸血療法の実施に関する指針（平成26年11月）」等の規定を遵守する．

G005 中心静脈注射　　140点

①血漿成分製剤加算1回目の注射に当たり，注射の必要性，危険性を文書による説明を行った場合に加算する．
②6歳未満の乳幼児に対して行った場合は，乳幼児加算を算定する．

G005-2 中心静脈注射用カテーテル挿入　　1,400点

①カテーテルの挿入に伴う検査及び画像診断の費用は含まれる．
②6歳未満の乳幼児に対して行った場合は，乳幼児加算を算定する．
③3歳未満の乳幼児であって，先天性小腸閉鎖症，鎖肛，ヒルシュスプルング病，短腸症候群の疾患の者に静脈切開法を用いてカテーテル挿入を行った場合は静脈切開法加算を算定する．

G005-3 末梢留置型中心静脈注射用カテーテル挿入　　700点

①6歳未満の乳幼児に対して行った場合は，乳幼児加算を算定する．

G005-4 カフ型緊急時ブラッドアクセス用留置カテーテル挿入　　2,500点

①6歳未満の乳幼児に対して行った場合は，乳幼児加算を算定する．

G006 植込型カテーテルによる中心静脈注射　　125点

①在宅中心静脈栄養法指導管理料を算定している患者，在宅悪性腫瘍等患者指導管理料または在宅悪性腫瘍患者共同指導管理料を算定している患者には在宅患者訪問診療料を算定する日には，併せて算定できない．
②6歳未満の乳幼児に対して行った場合は，乳幼児加算を算定する．

ⅱ．第2款　無菌製剤実施料

G020 無菌製剤処理料

①無菌製剤処理料1（悪性腫瘍に対して用いる薬剤が注射される一部の患者）
　　イ．閉鎖式接続器具を使用した場合　　180点
　　ロ．イ以外の場合　　　　　　　　　　45点

・無菌製剤処理とは無菌室，クリーンベンチ，安全キャビネット等の無菌環境において，無菌化した器具を用いて製剤処理を行うことであり，記録の整備・保管を行う．

②無菌製剤処理料2(1以外のもの)　　　　40点
・施設基準に適合し，届け出ている医療機関で，悪性腫瘍に対する細胞毒性を有する薬剤で，動脈注射，抗悪性腫瘍剤局所持続注入，肝動脈塞栓を伴う抗悪性腫瘍剤肝動脈内注入または点滴注射が行われる患者(無菌製剤処理料1)．
・動脈注射もしくは点滴注射が行われる入院中の患者であり，無菌治療室管理加算を算定する患者，HIV感染者療養環境特別加算を算定する患者等(無菌製剤処理料2)で，算定する．

b．第2節　薬剤料

G100 薬剤

①薬価が1回分使用量につき15円以下である場合は1点．
②15円を超える場合は薬剤速算法を用いる．

c．第3節　特定保険医療材料料

G200 特定保険医療材料

①前項「3．投薬　d．第4節　特定保険医療材料料」を参照．

5　リハビリテーション

1)　リハビリテーションの算定の基本

　リハビリテーションは保険診療上「基本的動作能力の回復等を目的とする理学療法や，応用的動作能力，社会的適応能力の回復等を目的とした作業療法，言語聴覚能力の回復等を目的とした言語聴覚療法等の治療法より構成され，いずれも実用的な日常生活における諸活動の実現を目的として行われるもの」と定義されている．

　リハビリテーションを行うときにはリハビリテーションに対する計画と説明に関する項目，疾患別リハビリテーション(心大血管疾患，脳血管疾患等，廃用症候群，運動器，呼吸器)及び個別のリハビリテーションに関する項目を算定する(表5)．リハビリテーションの種別は患者の状態に応じて原則一つのみを選択して算定する仕組み(例外あり)になっている．

　また，リハビリテーションを早期に導入することで機能回復が期待されることから，疾患別リハビリテーションに対しては早期リハビリテーション加算と算定限度日数が設けられている．なお，所定点数には付随する諸検査が含まれ，併算定できない．マッサージや温熱療法などの物理療法のみを行った場合には，処置の項目で算定する．

表5 主なリハビリテーションの種別（子どもに関するもの）

	H000 心大血管疾患リハビリテーション料	H001 脳血管疾患等リハビリテーション料	H001-2 廃用症候群リハビリテーション料	H002 運動器リハビリテーション料	H003 呼吸器リハビリテーション料	H007 障害児(者)リハビリテーション料	H007-2 がん患者リハビリテーション料
		疾患別リハビリテーション				個別のリハビテーション料	
実施条件	専任医師監視下1日1時間程度	医師監督指導下でPT/OT/STが1対1で実施				特に記載ないが医師，もしくはPT/OT/ST	医師，もしくは規定の研修を受けたPT/OT/ST 対象は入院患者
看護師による実施	専従看護師なら可	2及び3で医師，PTの訓練を受けた看護師なら可（3で算定）		医師，PTの訓練を受けた看護師なら可（3で算定）		不可	
標準日数	開始後150日以内	発症，手術，急性増悪から180日以内	診断，急性増悪から120日以内	発症，手術，急性増悪から150日以内	治療開始後90日以内	日数制限なし	
保険点数	1…205点 2…125点	1…245点 2…200点 3…100点	1…185点 2…146点 3…77点	1…185点 2…170点 3…85点	1…175点 2…85点	1(<6歳)…225点 2(6～17歳)…195点 3(≧18歳)…155点	205点

1単位20分．原則1日6単位まで（条件によって9単位まで延長可能）
疾患別リハビリテーションでは医療従事者1人当たりの応需単位数が日18単位，週108単位まで

2) リハビリテーションと病名

　患者に付けられた病名によって選択可能なリハビリテーションの種別が決定されるため，リハビリテーションを実施するときは，実施事由となる病名が必要である．なお，病名登録日はリハビリテーション開始日よりも前になっていることを確認する．

3) リハビリテーションの通則や通知の注意点

　子どもの場合，該当する疾患を有し，施設基準が満たされる場合には疾患別リハビリテーション料を選択し，そうでない場合には障害児(者)リハビリテーション料を算定することが多い．疾患別リハビリテーションを選択した場合には，多職種による協議のもと，リハビリテーション総合計画評価料を算定する．計画評価料算定の有無にかかわら

ず，リハビリテーション実施計画書の作成が必要であり，本人や家族に内容を説明し，写しは診療録等に残しておく．

4) 主な算定項目

a. リハビリテーションの計画と説明に関する項目

H003-2 リハビリテーション総合計画評価料　240〜300点

疾患別リハビリテーションを実施する患者を対象に医師，看護師，理学療法士，作業療法士，言語聴覚士等の多職種が共同してリハビリテーション計画を策定し，当該計画に基づき該当リハビリテーションを実施し効果，実施方法等について共同して評価を行った場合，患者1人につき1月に1回に限り算定する．障害児（者）リハビリテーション料を算定する患者には算定できない．

b. 疾患別リハビリテーション

H000 心大血管疾患リハビリテーション料　125〜205点

循環器疾患による低心機能の回復，当該疾患の再発予防等を図るために，心肺機能の評価のもとで運動療法等を個々の症例に応じて行った場合に算定する．

H001 脳血管疾患等リハビリテーション料　100〜245点

脳血管疾患が引き起こした機能障害から実用的な日常生活における諸活動の自立を図るために，種々の運動療法，作業療法等を行った場合，または言語聴覚障害をもつ患者に対して言語聴覚療法を行った場合に算定する．

H001-2 廃用症候群リハビリテーション料　77〜185点

急性疾患等に伴う安静による廃用症候群の患者が一定程度以上の機能低下をきたしており，その患者に対してリハビリテーションを行った場合に算定する．

H002 運動器リハビリテーション料　85〜185点

運動器疾患に対して，運動療法や作業療法等を組み合わせて個々の症例に応じて行った場合に算定する．

H003 呼吸器リハビリテーション料　85〜175点

呼吸器疾患等に対して，呼吸訓練や種々の運動療法等を組み合わせて個々の症例に応じて行った場合に算定する．

c. 個別のリハビリテーション

H007 障害児（者）リハビリテーション料　155〜225点

児童福祉法で定められた医療型障害児入所施設等の施設基準を満たす保険医療機関で障害児者に対して個別にリハビリテーションを行った場合に算定する．障害児者リハビリテーションの実施に当たっては，リハビリテーション実施計画を作成し，開始時及びその後3か月に1回以上，患者またはその家族に対して実施計画の内容を説明し，その要点を診療録に記載する．

なお，通常疾患別リハビリテーション料と本項目の併算定は認められないが，複数の医療機関でリハビリテーションを並行して行う場合には，その特殊性を踏まえ，たとえば急性期病院で疾患別リハビリテーションやがん患者リハビリテーション，普段通っている療養施設で障害児(者)リハビリテーションというように，それぞれの医療機関が実施するリハビリテーションに関する項目を算定することができる．

H007-2 がん患者リハビリテーション料　205 点

患者の病状に配慮しつつ，がんやがんの治療により生じた疼痛，筋力低下，障害等に対して，二次的障害の予防や，運動・生活機能低下の予防・改善を目的として運動療法や作業療法等を組み合わせ，個々の症例に応じて行った場合について算定する．

H004 摂食機能療法　130～185 点

発達遅滞や手術に伴う嚥下機能低下等，摂食機能障害を有する患者に対して，30 分以上行った場合に限り，1 月に 4 回を限度として算定する．

H005 視能訓練　135 点

視能訓練は，両眼視機能に障害のある患者に対して，その両眼視機能回復のため矯正訓練(斜視視能訓練，弱視視能訓練)を行った場合に算定できるものであり，1 日につき 1 回のみ算定する．主に眼科外来で視能訓練士が実施，算定する．

H008 集団コミュニケーション療法料　50 点

集団コミュニケーション療法である言語聴覚療法を行った場合に算定する．実施に当たっては，医師は集団コミュニケーション療法の実施計画を作成する必要があり，開始時及びその後 3 か月に 1 回以上，患者またはその家族に対して当該集団コミュニケーション療法の実施計画の内容を説明し，その要点を診療録に記載する．

6 精神科専門療法

1) 精神科専門療法算定の基本

本項は文字どおり精神科医が診療を行ったときの算定項目が並んでいる．ただし一部は児童・思春期精神科として小児科の対象年齢と重複したり，心療内科での算定項目を含んだりすることから，該当する部分について解説する．

2) 傷病名

患者は精神科的な診療を受けることになるので，表 6 のいずれかの病名を記載することが必要である．

3) 通則，通知などの算定上の注意点

小児科ないし心療内科として算定可能な項目はごくわずかである．いずれの項目においても診療に要した時間の記載が必要なため，カルテ記載に注意する．また，複数の精

表6 精神科専門療法の適応疾患

1) 統合失調症
2) 躁うつ病
3) 神経症
4) 中毒性精神障害
5) 心因反応
6) 児童・思春期精神疾患
7) パーソナリティ障害
8) 精神症状を伴う脳器質性障害

神科専門療法を同一日に算定することはできない．

4）主な算定項目

I003 標準型精神分析療法　390点

　標準型精神分析療法とは，口述による自由連想法を用いて，抵抗，転移，幼児体験等の分析を行い解釈を与えることによって洞察へと導く治療法をいい，45分を超える診療が当該療法に習熟した医師により行われた場合に，概ね月6回を標準として算定する．本項目は，精神科を標榜する以外の保険医療機関において，標準型精神分析療法に習熟した心身医学を専門する医師が行った場合においても算定可能である．

I003-2 認知療法・認知行動療法

　認知療法・認知行動療法とは，外来でうつ病等の気分障害，強迫性障害，社交不安障害，パニック障害または心的外傷後ストレス障害神経性過食症の患者に対して，認知の偏りを修正し，問題解決を手助けすることによって治療することを目的とした精神療法である．本治療に対して習熟した専任の医師が在籍，治療することが要件となっている．

I004 心身医学療法

　30分を超える診療に対し，入院中の患者は150点，入院中の患者以外では，初診時110点，再診時80点を算定する．なお20歳未満の患者では100分の200を加算する．

　心身症を有する患者に対して，種々の心身医学療法（自律訓練法，カウンセリング，行動療法，催眠療法，バイオフィードバック療法，交流分析，ゲシュタルト療法，生体エネルギー療法，森田療法，絶食療法，一般心理療法及び簡便型精神分析療法）を行った場合に算定する．

　初診時には30分を超える診療時間を必要とし，治療回数も入院の有無により，初診日から4週間で算定可能回数が異なることに注意する．算定する場合にあっては，傷病名欄に心身症による当該身体的傷病の傷病名の次に「（心身症）」と記載する．

I002 通院・在宅精神療法

　精神保健指定医等により，診療に要した時間が5分を超えたときに限り660点を算定する．

7 処置

1）処置の算定の基本

処置は患者のケガや病気に対して操作を加えることで，必要に応じて反復して行う医療行為を指す．処置と手術の違いは，処置は必要に応じて反復することになるが，手術は原則1回で終了させる点にある．そのため，継続して行う処置の場合，1日当たりの点数を積算する形で算定する．

吸入，浣腸，導尿，点眼，点耳等の簡単な処置は基本診療料に含まれるため算定できない．また，同様の理由で外来もしくは術後14日以内に限定して算定可能な項目もある．

処置の点数，実施時間帯，入院・外来の区分および病院・診療所の区分によって，時間外加算や休日・深夜加算を算定できる場合がある．

紙面の都合詳細は割愛するが，子どもに対する処置は多くの人手を要するという背景に考慮して，いくつかの項目で新生児，幼児および小児加算が設定されている．

2）算定に必要な病名

それぞれの疾患の治療や管理として処置を行うので，病名に迷うことは少ない．病名漏れがないように新たに処置を開始したらなるべく早く対応する病名を追加することが重要である．

3）処置の通則や通知の注意点

診療報酬に掲載されている処置料は全診療科で共通する「一般処置」，心肺蘇生などの際に行う「救急処置」，その他診療科的特色の強い各種処置，経鼻胃管による栄養処置およびギプスに分類される．これに処置医療機器等加算（小児科領域では酸素），薬剤料および特定保険医療材料料（カテーテルや透析回路等）の費用をそれぞれ選択して算定する（表7）．また，「C在宅医療」に関して同様の項目に関する指導管理料が存在する場合，そちらを優先して算定する．

処置に関する問題点は，小児入院医療管理料を算定すると処置分の点数が包括される（救命救急入院料，特定集中治療室管理料，新生児特定集中治療室管理料や小児特定集中

表7 処置の構成

1) 処置料
2) 処置医療機器等加算
3) 薬剤料
4) 特定保険医療材料料
　※通常使用する衛生材料等の費用はこれに含まず，医療機関負担とする
　※吸入等の簡単な処置の費用は基本診療料に含まれ，別に算定できない

治療室管理料では出来高算定可能）ことである．使用した医療材料や薬剤は特定保険医療材料料ならびに薬剤料として算定できる．したがって，小児科病棟に入院して血漿交換等の血液浄化を行ったり，急性期の人工呼吸管理を行ったりしても，処置料は入院医療管理料に包括され，使用した医療材料並びに薬剤，つまり実費のみ請求することになる．

4）主な算定項目

本項では小児科診療で行うことの多い一般処置，救急処置及び栄養処置のうち代表的な項目について記載する．

a．救急処置

J044 救命のための気管内挿管　　480 点

救命のための気管内挿管は，救命救急処置として特に設けられたものであり，検査もしくは麻酔のための挿管や，既に挿管している気管内チューブを交換する場合は算定できない．救命のための気管内挿管に併せて，人工呼吸を行った場合は，「J045 人工呼吸」の所定点数を合わせて算定する．

J045 人工呼吸　　242〜819 点

並行して行う各種モニター（動脈ラインを除く），吸引，酸素吸入の費用は，本項目の所定点数に含まれる．また，鼻マスク式人工呼吸器を用いた場合は，PaO_2/F_IO_2 が 300 mmHg 以下または PaO_2 が 45 mmHg 以上の急性呼吸不全の場合に限り人工呼吸に準じて算定する．

J047 カウンターショック　　2,500（AED）〜3,500（除細動器）点

医療機関において施行された場合，除細動器でなく非医療従事者向け自動除細動器（AED）を用いて行った場合においても算定できる．

b．気道・呼吸に関する処置

呼吸器疾患をはじめ，入院中は酸素投与や喀痰吸引をはじめとする呼吸管理が行われる．このときには最も点数の高い処置を 1 つだけ選択し，酸素の費用と併せて算定する．たとえば同日のうちに「J026-4 ハイフローセラピー」から気管挿管して「J045 人工呼吸」に移行する治療を実施したとしても，算定できるのは人工呼吸のみである．

J018 喀痰吸引　　480 点

喀痰の凝塊又は肺切除後喀痰が気道に停滞し，喀出困難な患者に対し，ネラトンカテーテル及び吸引器を使用して喀痰吸引を行った場合に算定する．

酸素投与，喀痰吸引及び吸入療法に関して，複数の処置を同一日に行った場合は，主たるものの所定点数のみにより算定する．

5. 個別の医療技術の評価

|J024 酸素吸入| 65点 |J025 酸素テント| 65点 |J026-2 鼻マスク式補助換気法| 160点
|J026-4 ハイフローセラピー| 192(15歳以上)〜282(15歳未満)点

　酸素の費用は別途算定する．ハイフローセラピーについて，動脈血酸素分圧が60 mmHg以下または経皮的動脈血酸素飽和度が90%以下の急性呼吸不全の患者に対して実施した場合に限り算定し，その値は診療報酬明細書に記載する．

|J201 酸素加算| 170点

　酸素吸入のほか酸素または窒素を使用した診療に係る酸素または窒素の価格は，「酸素及び窒素の価格」(平成2年厚生省告示第41号)により定められている．その単価は，現在医療機関所在地やその保存方法(液体，ボンベ)等によって異なる．

　　酸素の価格(円)
　　＝酸素の単価(単位円)×当該患者に使用した酸素の容積(単位リットル)×補正率

|J045-2 一酸化窒素吸入療法| 1,680点

　新生児の肺高血圧を伴う低酸素性呼吸不全および心臓手術の周術期における肺高血圧の改善を目的として一酸化窒素吸入療法を行った場合に算定可能である．高額の処置であることから，使用条件によっては診療報酬明細書の摘要欄にその理由及び医学的な根拠の詳細な記載が求められる．

c. 急性血液浄化療法

|J038 人工腎臓| 1,580〜2,093点

　血液透析(hemodialysis：HD)等の間欠式透析を行った場合に算定する．

|J038-2 持続緩徐式血液濾過| 1,990点

　持続的腎代替療法(continuous renal replacement therapy：CRRT)のような24時間持続透析を行った場合に算定する．

　いずれも1か月に算定できる回数は14回までである．ただし，薬剤料(透析液，血液凝固阻止薬，エリスロポエチン，ダルベポエチン及び生理食塩水を含む)または特定保険医療材料料は別に算定できる．

|J039 血漿交換療法| 4,200点

　血漿交換療法は，劇症肝炎，重症筋無力症，全身性エリテマトーデス，ギラン・バレー症候群，巣状糸球体硬化症，溶血性尿毒症症候群，川崎病等，適応を満たした患者に対して算定する．

　本療法を実施した場合，疾患ごとに算定回数の上限が定められていることから，診療報酬明細書の摘要欄に一連の当該療法の初回実施日及び初回からの通算実施回数(当該月に実施されたものも含む)の記載が義務付けられている．

|J041 吸着式血液浄化法| 2,000点

　吸着式血液浄化法は，肝性昏睡または薬物中毒の患者に限り算定する．エンドトキシ

ン選択除去用吸着式血液浄化法は，算定要件を満たす敗血症性ショックの患者に対して算定する．

d．栄養処置

J034-2 経鼻栄養・薬剤投与用チューブ挿入術　180点

　食道十二指腸（ED）チューブ挿入術の適応は，胃食道逆流症や全身状態の悪化等により，経口または経胃の栄養摂取では十分な効果が得られない患者に対して実施した場合である．X線透視下に食道十二指腸（ED）チューブを挿入し，食道から胃を通過させ，先端が十二指腸あるいは空腸内に存在することが必要で，その後経管栄養を行う場合には，「J120鼻腔栄養」の所定点数により算定する．

J043-4 経管栄養・薬剤投与用カテーテル交換法　200点

　経管栄養・薬剤投与用カテーテル交換法は，胃瘻カテーテルまたは経皮経食道胃管カテーテルについて，安全管理に留意し，経管栄養・薬剤投与用カテーテル交換後の確認を画像診断または内視鏡等を用いて行った場合に限り算定する．なお，その際行われる画像診断及び内視鏡等の費用は，当該点数の算定日に限り，1回に限り算定する．

J120 鼻腔栄養　60点

　鼻腔栄養は，注入回数の如何を問わず1日につき算定するものである．患者が経口摂取不能のために薬剤，もしくは食品を注入した場合には，薬剤料または食事療養に係る費用または生活療養の食事の提供たる療養に係る費用のいずれかを算定する．なお，胃瘻より流動食を点滴注入した場合は，鼻腔栄養に準じて算定する．

e．その他の処置

J022 高位浣腸，高圧浣腸，洗腸　65点　　J007 頸椎，胸椎又は腰椎穿刺　317点

J008 胸腔穿刺　220点　　J010 腹腔穿刺　230点　　J011 骨髄穿刺　330点

　各穿刺に関する項目は「D検査」の項目にも同様の手技が存在する．これらを同一日に算定することはできない．穿刺，洗浄，薬液注入または排液について，これらを併せて行った場合においては，本穿刺項目の点数を算定する．

J028 インキュベーター　120点

　クベース（保育器）のことである．産科病棟に入院中の新生児がクベース管理を必要とした場合などに算定する．

J043 新生児高ビリルビン血症に対する光線療法　140点

　疾病，部位または部位数にかかわらず1日につき所定点数により算定する．

8 手術

1) 手術の算定の基本
現在，手術に関する項目は診療報酬上臓器別に約900項目にわたり設定されている．小児科医が手術を自ら行うことはないが，新生児仮死に対する蘇生術及び腸重積の高圧浣腸による整復術は手術に含まれる．また，輸血（赤血球及び血小板輸血）が本項で定められていることから，この点に関して解説する．

2) 手術の算定に必要な保険病名
輸血に関しては貧血や血小板減少症など，原疾患だけでなく補充した輸血の種類に応じて病名を付記することが必要である．

3) 手術の通則や通知の注意点
出生体重及び年齢に応じて加算が申請できる項目があるので注意する．

4) 主な算定項目

K715 腸重積症整復術　4,490～6,040点　　K715-2 腹腔鏡下腸重積症整復術　14,660点

腸重積症に対して内科的，もしくは手術により整復を行った場合に算定する．

K913 新生児仮死蘇生術　1,010～2,700点

新生児仮死に対して蘇生術を実施した場合に算定する．仮死の程度によって算定可能な項目が変化する．

K920 輸血　250～1,500点

・保存血液輸血（濃厚赤血球，血小板）
・交換輸血等（5,250点）

輸血に関する算定は，輸血料，薬剤料，検査料を組み合わせて算定する．

なお，ここでいう「輸血」とは赤血球および血小板輸血のことで，新鮮凍結血漿やアルブミン製剤は保険診療上「注射」の項目で算定するので注意する．

輸血料の算定に際して，患者・家族に対して輸血の必要性，危険性等について文書による説明を行う．自家採血，保存血または自己血の輸血量には，抗凝固液の量は含まれず，輸血に当たって薬剤を使用した場合は費用として所定点数を算定できるが，輸血に伴って行った供血者の諸検査，輸血用回路，輸血用針や血液を保存する費用は，所定点数に含まれる．

K920-2 輸血管理料　110～220点

輸血管理料は輸血療法の適切な実施を推進する観点から，医療機関における輸血管理体制の構築並びに輸血の適正な実施について評価した項目である．月1回を限度に，当該基準に係る区分に従い，それぞれ所定点数を算定する（表8）．輸血製剤が適正に使用されている場合には，輸血適正使用加算を加算する．

Ⅱ 各論

表8 輸血管理料に関する施設基準(抄)

1. 人員配置：輸血部門に専任の常勤医師，臨床検査技師が常時配置されており，専従の常勤臨床検査技師を1名以上配置すること
2. 輸血部門において，輸血用血液製剤及びアルブミン製剤(加熱人血漿たん白を含む)を一元管理すること
3. 輸血用血液検査〔ABO血液型，Rh(D)血液型，血液交叉試験または間接Coombs検査，不規則抗体検査〕が常時実施できる体制を構築すること
4. 輸血療法委員会(年6回以上)の開催と適正化の取り組み
5. 輸血前後の感染症検査の実施または輸血前の検体の保存が行われ，輸血に係る副作用監視体制が構築されていること
6. 「「輸血療法の実施に関する指針」及び「血液製剤の使用指針」の一部改正について」(平成26年11月12日付薬食発1112第12号厚生労働省医薬食品局長通知)の遵守と適正な実施

9 麻酔

1）麻酔の算定の基本

小児科医として関係するのは，心臓カテーテル検査やMRI等，長時間の鎮静を必要とするときの静脈麻酔と，心肺停止蘇生後に行うことがある脳低温療法(項目としては低体温療法)の2項目である．

2）麻酔の傷病名

静脈麻酔については鎮静下の検査を行う目的となった疾患が，低体温療法については心肺蘇生後の病名が，それぞれ必要である．

3）麻酔の通則や通知の注意点

生後90日以内の低出生体重児(保険診療上「未熟児」と表現されている)と生後28日以内の新生児，乳児，1歳以上3歳未満に関して，また夜間休日に関してはそれぞれ加算が適応される．

4）主な算定項目

L001-2 静脈麻酔

表9に静脈麻酔の診療点数と告示を収載した．

静脈注射用麻酔剤(ケタミン，ドロペリドール，バルビツール酸，プロポフォール等)を用いた全身麻酔で，意識消失させて行う場合に算定される．患者の安全および麻酔に伴う合併症の早期発見の視点から，十分な準備及び監視が必要とされている．具体的な内容としては日本小児科学会の「MRI検査時の鎮静に関する共同提言(2020年改訂版)」[1]をぜひ参照されたい．たとえばモニタリングについては，パルスオキシメーターは換気モニターではなく，低換気予防のために持続的な目視(カメラ)とカプノメーターを用い

5. 個別の医療技術の評価

表9 静脈麻酔の診療報酬と告示

L001-2 静脈麻酔
1. 短時間のもの　　　120点
2. 十分な体制で行われる長時間のもの（単純な場合）　　600点
3. 十分な体制で行われる長時間のもの（複雑な場合）　　1,100点

注1：3歳以上6歳未満の幼児に対して静脈麻酔を行った場合は，所定点数にそれぞれ所定点数の100分の10に相当する点数を加算する．
注2：3については，静脈麻酔の実施時間が2時間を超えた場合は，100点を所定点数に加算する．

静脈麻酔（令2 保医発 0305・1）
(1) 静脈麻酔とは，静脈注射用麻酔剤を用いた全身麻酔であり，意識消失を伴うものをいう．
(2) 「1」は静脈麻酔の実施の下，検査，画像診断，処置又は手術が行われた場合であって，麻酔の実施時間が10分未満の場合に算定する．
(3) 「2」及び「3」は，静脈注射用麻酔剤を用いた全身麻酔を10分以上行った場合であって，区分番号「L008」マスク又は気管内挿管による閉鎖循環式全身麻酔以外の静脈麻酔が行われた場合に算定する．ただし，安全性の観点から，呼吸抑制等が起きた場合等には速やかにマスク又は気管内挿管による閉鎖循環式全身麻酔に移行できる十分な準備を行った上で，医療機器等を用いて十分な監視下で行わなければならない．
(4) 「3」に規定する複雑な場合とは，常勤の麻酔科医が専従で当該麻酔を実施した場合をいう．
(5) 静脈麻酔の実施時間は，静脈注射用麻酔剤を最初に投与した時間を開始時間とし，当該検査，画像診断，処置又は手術が終了した時間を終了時間とする．
(6) 「注1」における所定点数とは，「注2」における加算点数を合算した点数をいう．

た監視を強く推奨する旨が明記されている．小児の深鎮静全体を対象とした指針はないため，MRI以外の鎮静にも同提言が準用されている．なお，日本小児科学会医療安全委員会でも提言に準じた小児鎮静のトレーニングコース（SECURE）を定期的に開催しており，普及が期待されている[2]．

MRI撮影時の小児鎮静では「E202 磁気共鳴コンピューター断層撮影（MRI撮影）」小児鎮静下MRI撮影加算も算定でき，同提言等の学会指針に従うことが算定要件であるとの質疑応答[3]がすでに2018年に公示されている．今後，静脈麻酔本体についても同様の制限規定によって算定の整合性がとられる可能性がある．

さて，静脈麻酔については全く同様の長時間の深鎮静を施行しても，小児科や麻酔科以外の医師が算定できる静脈麻酔2（600点）と専従麻酔科医が施行する静脈麻酔3（1,100点）の間に大きな点数の格差が存在することが問題となっている．

さらに診療行為別統計の検討では，静脈麻酔全体の約半数で静脈麻酔1（120点，10分未満のめい安麻酔）が算定されており，実際には専従医師などの要件がクリアできず，長時間麻酔であるにもかかわらず静脈麻酔1しか算定できない症例が一定数存在する実態が推測される．

長時間（2時間以上）の鎮静に対しては静脈麻酔3のみで100点の加算（麻酔管理時間加算）があるが，小児科医が主に算定する1や2ではこれも算定できない．

　日本小児科学会社会保険委員会での検討では日本医療機能評価機構のデータベースに登録された小児科にかかわる鎮静関連医療事故は10年以上減少傾向を示しておらず，十分な資源や人員を確保し安全な深鎮静が可能な体制を確立するにはなお時間を要するものと思われる．

L008-2 低体温療法　　12,200点（1日につき）

　心肺蘇生後の患者に直腸温35℃以下で12時間以上維持した場合に，開始日から3日間に限り算定できる．現在は心肺蘇生後に限定されており，急性脳炎・脳症等，エビデンスが明らかでない疾患に対する算定はまだ認められていない．

10 放射線治療

1）放射線治療の算定の基本

　放射線治療を行う場合，治療計画を立てて患者を管理することに対する費用（「M000 放射線治療管理料」：一連の治療において算定回数がいずれも定められている）と実際の照射に対する費用（「M001 体外照射」～「M004 密封小線源治療」；照射ごとに算定できる）の二つを算定する．

　「M001-4 粒子線治療」（重粒子線および陽子線）に関しては管理を含め，新たに新設された算定項目のため，患者管理加算も含めて独立した算定項目が設定されている．

2）算定に必要な病名

　放射線治療を行うことになった病名の記載を行う．病名記載日が放射線治療開始日よりも前になっていることを確認する．

3）放射線治療の通則や通知の注意点

　出生体重及び年齢に応じて加算が申請できる項目があるので注意する．また，放射線治療を計画するために実施した画像診断は別に算定できる．

11 病理診断

1）病理診断の算定の基本

　病理診断を行う場合，標本作製のための費用と標本を観察して病理組織の評価を行ったときの費用の二つを算定する．

2）算定に必要な病名

　確定診断は病理検査によって行われるため，検査前には採取された組織に対する疑い

病名をつけておく．検査結果によって診断が確定したら疑いを外す，もしくは病名を変更することで齟齬のない状態にしておく．また病理検査の結果が戻ってきたら，その要点を診療録に記載する．

3）病理診断の通則や通知の注意点

本項に関する小児加算はない．検体採取の手技料は検査，手技，手術のいずれかを算定する．病理標本の判読に際しては，病理医が「専任」で勤務している医療機関の場合には「N006 病理診断料」（1：組織診断料，2：細胞診断料）を算定することができる．なお，病理診断料の算定は月1回のため，同月に組織診と細胞診の両方を行っても算定可能なのはこのうち一つだけなので注意する．また，病理医が病理診断の結果を文書で依頼医に報告した場合，病理診断管理加算の算定が可能である．一方，専任の病理医がいない医療機関の場合には「N007 病理判断料」を算定する．

➡ 文　献

1) 日本小児科学会：MRI 検査時の鎮静に関する共同提言　https://www.jpeds.or.jp/modules/guidelines/index.php?content_id=33
2) 日本小児科学会医療安全委員会：第 10 回 SECURE コース　報告書（2019 年）　https://www.jpeds.or.jp/uploads/files/20190720_SECURE_10th_fig.pdf
3) 厚生労働省医療局保険課：疑義解釈資料の送付について（その 1）　平成 30 年 3 月 30 日　https://www.mhlw.go.jp/file/06-Seisakujouhou-12400000-Hokenkyoku/0000202132.pdf

➡ 参考文献

・厚生労働省保険局医療課医療指導監査室：保険診療の理解のために　令和 3 年度版　https://www.mhlw.go.jp/content/000544888.pdf
・全国保険医団体連合会：保険診療の手引き　2020 年 4 月版

Ⅱ 各論

6 DPC

1 DPCの成り立ち

　DPC(diagnosis procedure combination：診断群分類包括評価)制度は，診断群分類に基づく入院1日当たりの定額診療報酬算定制度である．したがって，診療報酬支払いを含めた DPC/PDPS(diagnosis procedure combination/per-diem payment system)が正確な制度名である．DPC 制度で収集された入院患者情報は，同時に診療内容を評価できるため，わが国の医療の状況解析及び今後の方向性を決める医療政策の重要な資料となっている[1]．

1) 背景

　わが国の入院患者の診療報酬の支払いは，長年，実際に患者ごとに実施した診療内容に応じて支払われる，いわゆる「出来高払い」が基本であった．しかしながら，1990 年代に本格的に議論された「21 世紀の医療保険制度」(厚生省案)をはじめとする，総医療費抑制を骨格とする医療改革制度の中で，出来高払いから定額払い制度への変更が求められた．当時，老人保健制度のもと，高齢者が入院する慢性期入院医療については包括及び定額制の支払い制度が導入されていたことから，急性期入院医療においても同様に，定額制の支払い制度の導入の必要性が叫ばれた．このときに参考とした制度が，1980 年代に導入されたアメリカの DRG/PPS(diagnosis related groups/prospective payment system)であった．この制度は，入院時の診断名とそれに関連する医療行為を含めた診断群分類により，総入院医療費を決定する制度である．ただし，アメリカでは，手術や麻酔等の部分はドクターフィーとして別途個人に支払われており，必ずしも総医療費と同じではない．この制度の導入により，アメリカの医療費の増加率が鈍化したが，同時に，診療内容にかかわらず支払われる医療費が一定であることから，診療行為の差し控えや入院日数の過剰な短縮化が起こった．そこで，わが国で導入する定額支払い方式は，臨床医の実際の診療行為により近く，DRG/PPS の欠点を補うことを目的に，診断群分類に基づく定額支払い部分に，手術・処置等の診療行為は加算して算定する構造となっており，診断(diagnosis)と手術・処置等の診療行為(procedure)の combination とよばれる所以である．入院医療費の計算は，診断群分類別の総入院医療費を1日当たりに換算し，この1日当たりの入院費に入院日数を掛け合わせて実際の入院費を算出する．さ

らに，在院日数に応じて，入院初期は1日当たりの包括評価入院費をより高く，後期はより低く設定した傾斜配分としている．したがって，単なる1日当たりの定額報酬算定ではなく，1入院ごとの定額支払い方式と在院日数に応じて算定される出来高払い方式の混合となる．すなわちDPC制度による定額支払い額を適応する最長の入院期間の場合は，結果的に1入院ごとの定額支払い方式に近似する．ただし，この定額支払い期間を超えて継続して入院した場合には，その後は出来高払いとなる．したがって，基本的には急性期入院医療の包括払いに用いられる診療報酬支払い方式である．さらに，定額支払いとは別に，特定入院料，特殊検査，リハビリテーション，高点数の処置，手術，麻酔，放射線治療，一部の高額薬剤については加算または出来高払いとなる（表1）[2,3]．表2に，出来高払い，DRG/PPS，DPC/PDPSによる診療報酬支払制度の違いを示す．

2）経緯

平成10年に国立病院8施設と社会保険病院2施設で試験導入が行われた．このときには，1入院当たりの支払い額を定額で設定して行われたが，前述したように，診療行為の差し控え等の懸念が生じたため，本格導入時には，1入院当たりから1日当たりの定額制に変更された．平成15年から大学病院本院である特定機能病院等82施設でDPC対象病院として導入された．その後，DPC対象病院となる医療施設が増加し，さらに，平成24年からは，DPC病院Ⅰ，Ⅱ，Ⅲ群に分類され，現在は，それぞれ，大学病院本院群，DPC特定病院群，DPC標準病院群とよばれている．この差は診療密度別に基礎係数（228頁「機能評価係数」を参照）を定めるためのものである．そして，令和3年4月現在，一般病床を有する5,786施設のうち，1,755施設（30.3％）がこの制度に参加し，病床数では，887,847床のうち481,444床（54.2％）を占め，わが国の診療報酬支払いの基本的な制度となっている[4]．

3）支払報酬額の決定

a．診断群分類

診断群分類は，まず18のMDC（major diagnosis category：主要診断群）に分類される（表3）．さらに，ICD-10に則りDPC傷病名に分類される．この診断名に患者背景，手術・処置の実施，重症度等の分類を追加し，計14桁で表示されるコードとなっている（表4）．

b．診断群分類点数表

診断群分類に加えて，入院日に応じた1日当たりの包括点数診断群分類点数表がある．表5に川崎病の場合のコード及び点数表を示す．入院日数に応じた点数が1日当たりの包括入院医療費となる．なお，このコードに分類されない患者は，出来高払いとなる．

入院日数のⅠ，Ⅱ，Ⅲの分類に関しては，分類コード別の患者の平均の在院日数を算定し，第Ⅰ日を25パーセンタイル値まで，第Ⅱ日を25パーセンタイル値から平均在院日

表1 DPCの包括診療範囲

医科点数表のおける項目		包括算定	出来高算定
A 入院料	入院基本料	すべて	患者ごとに算定される加算等
	入院基本料等加算	病棟全体で算定される加算等（機能評価係数Ⅰとして評価）	
	特定入院料	入院基本料との差額を加算	
B 管理等		手術前・後医学管理料	左記以外
C 在宅医療			対象外
D 検査		右記以外	心臓カテーテル検査, 内視鏡検査 診断穿刺, 検体採取料(血液採取を除く)
E 画像診断		右記以外	画像診断管理加算 動脈造影カテーテル検査
F 投薬		すべて	
G 注射		右記以外	無菌製剤処理料
H リハビリテーション I 精神科専門療法		薬剤料	左記以外
J 処置		右記以外	1,000点以上処置 慢性腎不全で定期的に実施する人工臓器及び腹膜灌流に係る費用
K 手術 L 麻酔 M 放射線治療			すべて
N 病理診断		右記以外	術中迅速病理組織標本作製病理診断・判断料
薬剤料		右記以外	HIV治療薬 血液凝固因子製剤(血友病に対する)

〔厚生労働省保険局医療課：平成30年度診療報酬改定の概要 DPC/PDPS. 平成30年3月5日版 https://www.mhlw.go.jp/file/06-Seisakujouhou-12400000-Hokenkyoku/0000197983.pdf より作成〕

数まで，第Ⅲ日を平均在院日数から平均在院日数＋2 SD以上の30の整数倍までとする．第Ⅲ日を超えて入院した場合には出来高払いとなる．傾斜配分することで入院期間の短縮によるインセンティブがDPC参加病院に与えられる（図1）[3]．さらに，入院初期の医療資源投入量が非常に多い診断群分類ではこの傾斜をより大きくし，少ない診断群分類では小さくしている．

c．診断分類ツリー図

診断群分類点数表を樹形にしたのがツリー図であり，川崎病の場合を示す（図2）．視覚的に分類されており判断はより容易であるが，実際には，令和2年現在，支払い分類は2,260と多く存在し，ツリーの総数は4,557となっている．

表2 各支払い制度の比較

支払い制度	診療報酬支払い方法	臨床医が必要と判断する診療行為との差	病院での運営上の負担	総医療費抑制効果
出来高払い	診断名に応じた入院中に必要であったすべての検査及び治療費に対して診療報酬が支払われる	医師の裁量で診療行為,入院日数が決定できるので差は少ないが,時に過剰診療となる	すべての診療行為をレセプトとして作成し,審査を受ける必要があり,ある程度の病院負担が生じる	小さい
DRG/PPS	入院時の診断群分類に応じて一定の診療報酬が支払われるが,手術等の費用はドクターフィーとして別途支払われる	診療行為の効率化が求められることから,制限的な医療となり,診療行為の差し控え,入院期間の過度の短縮が起こる可能性がある	診断名に従い計算されるため病院の負担は軽減	大きい
DPC/PDPS	入院中に最も医療資源を投入したと定義された診断群分類に応じて算出される部分に,手術等の診療行為による部分を加算して総医療費を算出し,これを入院1日当たりに換算して診療報酬が支払われる	診断群分類により入院費は決定されるが,重症等で追加に必要な診療行為に対しても一定額が支払われるので,診療行為の制限は限定的である.入院日数も短期間のほうが1日当たりの入院費が高くなり,医療施設へのインセンティブがあり診療行為の効率化が期待される	包括及び出来高払いの両方に対応できる必要があり,病院の負担が大きい	中等度

〔厚生労働省保険局医療課:平成30年度診療報酬改定の概要 DPC/PDPS.平成30年3月5日版 https://www.mhlw.go.jp/file/06-Seisakujouhou-12400000-Hokenkyoku/0000197983.pdf より作成〕

d. 特定入院料

　特定集中治療室管理料,小児特定集中治療室管理料,新生児特定集中治療室管理料,新生児治療回復室入院医療管理料,小児入院医療管理料等の特定入院料は,入院日数に応じた1日当たりの点数を診断群分類別の包括点数に加算する.ただし,新生児特定集中治療室管理料,小児入院医療管理料のように,一定期間の定額報酬が認められている特定入院料の場合は,特定入院料との差額を補填するために,入院期間が長くなると加算点数が増加する.

　DPCの特定入院料の包括範囲と医科点数表の包括範囲は異なることに注意が必要である.DPC対象患者として入院中は,DPCの包括範囲に従うこととなる.したがって,DPCでは通常の薬剤費等は包括範囲内となるが,心臓カテーテル検査,内視鏡検査,病理診断等の実施料等は包括対象外となる.

表3 主要診断群分類

主要診断群	疾患
MDC01	神経系疾患
MDC02	眼科系疾患
MDC03	耳鼻咽喉科系疾患
MDC04	呼吸器系疾患
MDC05	循環器系疾患
MDC06	消化器系疾患,肝臓・胆道・膵臓疾患
MDC07	筋骨格系疾患
MDC08	皮膚・皮下組織の疾患
MDC09	乳房の疾患
MDC10	内分泌・栄養・代謝に関する疾患
MDC11	腎・尿路系疾患及び男性生殖器系疾患
MDC12	女性生殖器系疾患及び産褥期疾患・異常妊娠分娩
MDC13	血液・造血器・免疫臓器の疾患
MDC14	新生児疾患,先天性奇形
MDC15	小児疾患
MDC16	外傷・熱傷・中毒
MDC17	精神疾患
MDC18	その他

表4 DPC診断群分類コード

	診断群分類の基本構造(計14桁)							
桁数	2	4	2	2	1	1	1	1
項目	MDC[*2]	傷病名の細分類	年齢・出生時体重等[*3]	手術[*4]	手術・処置等1[*5]	手術・処置等2[*5]	副傷病[*6]	重症度等[*7]

[*1]:該当しない場合は「x」となる
[*2]:主要診断群 18 種類
[*3]:年齢及び出生時体重,意識障害レベル(JCS),熱傷重症度(Burn Index),精神科での機能の全体評価(GAF),脳卒中の発症時期と JCS,妊娠週数に用いる
[*4]:定義された手術手技(定義テーブル参照)
[*5]:定義された手術あるいは処置の有無(定義テーブル参照)
[*6]:定義された副傷病の有無
[*7]:重症度評価項目が存在する場合(Rankin Scale 及び A-DROP スコア)

e. 診断群分類別の入院医療費の計算

　診断群分類別の入院医療費の計算は,既存の出来高払いの診療報酬体制から移行したことから,実際の出来高払いの入院費を統計処理して計算されている.すなわち,診断

表5 診断群分類点数表(川崎病)

診断群分類番号	第Ⅰ日	第Ⅱ日	第Ⅲ日	期間Ⅰ点数	期間Ⅱ点数	期間Ⅲ点数
150070x0xx00xx	2	5	30	2,239	1,832	1,649
150070x0xx01xx	1	9	30	30,649	1,827	1,765
150070x0xx02xx	6	12	30	8,289	2,522	1,888
150070x0xx1xxx	1	4	30	2,892	1,832	1,727
150070x1xx00xx	2	5	30	2,239	1,832	1,649
150070x1xx01xx	1	9	30	19,889	1,828	1,727
150070x1xx02xx	7	14	30	6,026	2,217	1,823
150070x1xx1xxx	2	4	30	2,243	1,835	1,651

第Ⅰ, Ⅱ, Ⅲ日については, 図1 参照

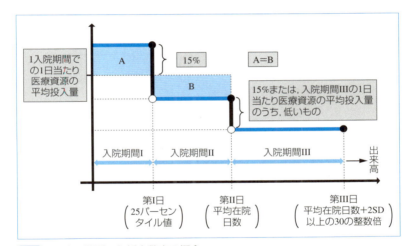

図1 入院日数別の包括点数表の概念

上記は標準的なパターンAの場合で, 他に入院初期の医療資源の投入量に応じたパターンBとC, 高額薬剤は手術等に対応したパターンDが存在する

〔厚生労働省保険局医療課:DPC/PDPSの見直し. 令和2年度診療報酬改定の概要 第2個別改定項目について. 358-369, 令和2年2月7日発行 https://www.mhlw.go.jp/content/12404000/000601838.pdfより作成〕

群分類別の医療資源投入量を推計して設定しているのではなく, 出来高払いによる医療現場での医療資源投入量を適応している. 実際には, 診療報酬改定の前年の9月までの1年間のデータを用いて計算している. 包括評価に用いられる診療内容は, 表1 で示した包括算定となる部分である. 例外的な症例(アウトライヤー)を除き, 幾何平均を採用している. また, 独立した診断群分類を設定する条件として, 統計処理できる患者数はおおむね80例以上が必要である. 希少疾患の場合は, 症例数が少なくツリーでの分岐を

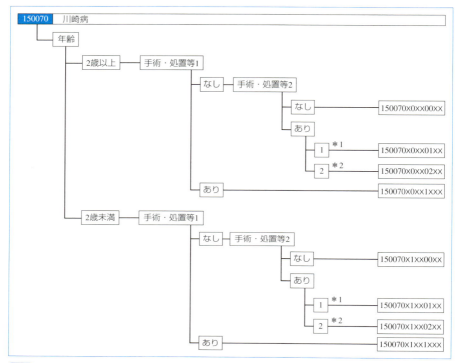

図2 川崎病のツリー図
「手術・処置等1」は心臓カテーテル法による諸検査,「手術・処置等2」の＊1はガンマグロブリン,血漿交換療法,人工呼吸,＊2はインフリキシマブの使用

設定することが困難となり,出来高払いとなる.さらに,入院後24時間以内に死亡した患者,生後7日以内の新生児の死亡,臓器移植患者の一部,評価療養を受ける患者等についても,出来高払いとなる.また,一部の処置,高額薬剤,費用対効果評価制度の対象薬剤についても,包括算定の対象外となっている.

f. 実際の入院医療費の計算

実際の1患者当たりの入院診療報酬の総額は,診断群分類別の1日当たりの点数×在院日数×医療機関別係数に特定入院料と出来高部分,その他を加算した額となる(図3).

g. 再入院時の取り扱い

退院してから7日以内に同一病名あるいは特定の合併症で再入院する場合は,一連の入院とみなし,入院期間の起算日を初回の入院日として支払い報酬額が決定される.

$$\text{入院診療報酬額} = \frac{\text{診断群分類ごとの包括点数} \times \text{在院日数} \times \text{医療機関別係数}}{} + \text{特定入院料} + \text{出来高点数（手術、麻酔、1,000点以上の処置、高額薬剤等）} + \text{入院時食事療養費等}$$

図3 入院医療費の計算方法

h. 「様式1」への入力

DPCの様式1には，入院情報，患者情報，病名，手術，診療情報・重症度等が入力されており，DPCによる支払い報酬算定の基本情報となる．さらに，様式1に入力された情報は，今後の診断群分類の見直しに必要な情報となる．特に，平成30年度からは，特定集中治療室等に入院する場合には，SOFA (sequential organ failure assessment) スコアが導入された．子どもの場合には，小児版のp-SOFAスコアの入力が要求されている．今後は重症度の客観的評価指標として支払い報酬額に反映される可能性がある．

4）課題

より高い医療費を請求するためにアップコーディングが行われる可能性がある．そこで，DPC対象病院では，4回/年以上の適切なコーディング委員会が開催されている必要がある．

次に，包括算定額の重症度に応じた精緻化である．精緻化するためには，より多くツリーを作成する必要があるが，分類が煩雑化する．そこで，ツリー分類を増やすことなく重症度を精緻化する目的で，平成28年度から，脳血管疾患，肺炎，糖尿病の3疾患を対象としてCCP (comorbidity, complication, procedure) マトリックスが導入された．これは疾患の重症度を精緻化した結果，診断群の支払い分類が増えることを回避するために考案されたものである．

従来から手術等の外科系処置は出来高払いとして診療報酬が支払われ，手術の難易度も外保連手術指数で評価されている．しかし，内科系の技術についてはこのような対応がなされていなかった．そこで，特定内科診療の対象として25疾患が診療実績の評価に使用されているが，まだ疾患数が十分とはいえない．内科診療領域である小児科にとって重要な課題である．

5）医療政策との関係

DPC制度は単なる診療報酬の支払い制度ではなく，毎年膨大な医療情報が蓄積されている．そこで，このデータを用いて各医療施設のベンチマークが一部で行われている．その結果，医療の標準化，効率化に寄与している．また，DPC情報を分析することで，

今後のわが国の医療政策を決定する大きな根拠となっている．DPC 制度のこのような効果が今後は期待される．

6）小児医療との関係

　DPC 制度の包括支払い額の算定は，出来高払いによる実際の医療費の累積値である．そのため，小児領域では，使用される薬剤量が少ない，検査や画像診断が子どもへの侵襲性を考慮して抑制される等の，従来からの出来高払いの課題が残されたままである．さらに，小児入院管理料，新生児特定集中治療室管理料，小児特定集中治療室管理料等の管理料は，包括部分への加算であるため，包括支払い額の計算には反映されていない．そのため，全年齢を対象として診断分類別の包括支払い額を計算するときに，子どもが存在することで，平均算定額が減少する．そのため，一部の成人及び子どもの共通疾患では，年齢別に包括算定額を分岐させ，支払い報酬額の精緻化を成人領域から要求されている．現状ではこのような対応が実施された疾患は，肺炎を除き，決して多くないが，今後さらに増加する可能性が強い．多くの疾患で年齢分岐を設けることになれば，成人と同じ診断群分類と包括支払い額を用いることができなくなる．成人側からは小児医療に過度に配慮し過ぎの現状である，との意見もあり，今後はわが国全体の小児医療のあり方を含めて，論議する必要がある．

＊＊＊

　DPC 制度の概要を述べたが，実際の支払いの算定方法，機能評価係数については，さらに次項で詳細に記載する．

2　機能評価係数

　DPC/PDPS による診療報酬額の算定は，1 日当たりの包括点数に入院日数と医療機関別係数を掛けることで計算される．したがって，この係数の大小が直接医療機関の診療報酬請求額となり，大きな影響を与える．この係数は，現在，基礎係数，機能評価係数 I，機能評価係数 II 及び激変緩和係数の 4 項目から成り立っており，これらを合算したものが各医療機関の係数となる．そこで，各評価項目について解説する．

1）基礎係数

　DPC 対象病院はその診療密度に応じて，大学病院本院群（旧 I 群），DPC 特定病院群（旧 II 群），DPC 標準病院群（旧 III 群）に分かれ，それぞれの機能，施設数，基礎係数を表 6[2)]に示す．群分けは，診療実績要件で決定されるが，係数は，2 年間分の出来高の実績データが係数に相当する．

2）機能評価係数 I

　医療機関の全入院患者に対して算定される加算及び入院基本料の補正値項目を係数化

表6 基礎係数

医療機関群	診療機能	施設数	基礎係数
大学病院本院群	大学病院本院	82	1.1327
DPC 特定病院群	一定以上の医師研修の実施や診療密度等の要件を満たす医療機関	156	1.0708
DPC 標準病院群	上記以外の医療機関	1,516	1.0404

〔厚生労働省保険局医療課:平成30年度診療報酬改定の概要 DPC/PDPS.平成30年3月5日版 https://www.mhlw.go.jp/file/06-Seisakujouhou-12400000-Hokenkyoku/0000197983.pdf より作成〕

表7 各指数の計算方法

具体的な設定	指数 上限値	指数 下限値	係数 最小値	評価の考え方
保険診療	（固定の係数値のため設定なし）			群ごとに評価
効率性	97.5 パーセンタイル値	2.5 パーセンタイル値	0	全群共通で評価
複雑性	97.5 パーセンタイル値	2.5 パーセンタイル値	0	群ごとに評価
カバー率	1.0	0	0	群ごとに評価
救急医療	97.5 パーセンタイル値	0	0	全群共通で評価
地域医療（定量）	1.0	0	0	群ごとに評価
（体制）	1.0	0	0	群ごとに評価

〔厚生労働省保険局医療課:平成30年度診療報酬改定の概要 DPC/PDPS.平成30年3月5日版 https://www.mhlw.go.jp/file/06-Seisakujouhou-12400000-Hokenkyoku/0000197983.pdf より作成〕

したもので，医療機関の人員配置や施設全体として有する体制など，構造的因子（ストラクチャー）を評価する係数である．医科点数表の総合入院体制加算等の加算料等を評価するもので，入院基本料，看護師配置の配置加算，医療安全対策加算，感染防止対策加算，データ提出加算，地域加算，離島加算等の項目が選定され係数化されており，これらの項目の合計点となる[2]．各評価項目の係数の詳細は公表されているが，DPC参加施設別の機能評価係数Ⅰは公表されていない．

3）機能評価係数Ⅱ

現在6個の係数から構成され，評価指標により算出された各係数の合計点が施設別の機能評価係数Ⅱとなる．この施設評価係数Ⅱは，各医療機関別に公表されている[5]．ただし，DPC病院群別に係数の算定方法が異なるので，各群間での直接評価はできない．

係数を計算するためには，表7[2]に示す変換を行って指数から係数を算出する[6]．

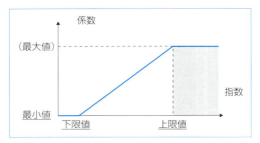

図4 指数から係数を算出するときの換算方法

〔厚生労働省保険局医療課：平成30年度診療報酬改定の概要 DPC/PDPS. 平成30年3月5日版 https://www.mhlw.go.jp/file/06-Seisakujouhou-12400000-Hokenkyoku/0000197983.pdf より作成〕

a．評価指数

ⅰ．保険診療指数

　DPCデータの提出も含めて，適切な保険診療の実施を指標として評価する．指数は原則1点であるが，提出データの質，職員への教育，データの公表等で加算または減算する．係数は0.01～0.02に分布している．

ⅱ．効率性指数

　在院日数短縮の努力を評価するもので，全DPC対象病院の平均在院日数と当該病院の平均在院日数の比となる．ただし，当該病院の入院患者疾患別割合は，全国平均と同等な構成になるように補正する．また，計算対象は1症例/月以上ある診療分類とする．したがって，指数の平均は1点で，同じ疾患の当該病院の平均在院日数が短くなるほど数値が高くなる．病院全体の平均在院日数の長短とは直接関係しないことに注意する必要がある．指数はおよそ0.5～1.5に分布するが，上限を97.5パーセンタイル値，下限を2.5パーセンタイル値として係数に変換し，係数は0～0.03に分布している（図4）[2]．

ⅲ．複雑性指数

　入院患者の疾患構成の差を評価するもので，当該病院の1人入院当たりの出来高点数を診断群分類別の全DPC対象病院の平均出来高に置き換えた点数と全DPC対象病院の1人入院当たりの包括点数の比となる．すなわち，診断群分類別に包括範囲となる医療費を出来高で計算して全国平均し，これを診断群分類別に1人の患者が入院した場合の平均入院医療費とする．そして，この入院医療費を当該病院の患者の診断群分類に当てはめて，その病院の平均入院医療費を算出する．なお，1症例/月以上ある診断分類を計算対象とする．そして，全DPC対象病院の1人入院当たりの平均包括点数で除したものである．したがって，診断群分類別の出来高払い点数が高い患者が多いほど濃厚な医

療が必要な患者が多いと判断し数値は高くなる．単に入院患者の医療費の平均が全国より高いことではなくて，患者構成を評価する指標であることに注意する．指数はおよそ 0.5〜1.5 に分布するが，係数は効率性指数と同様の変換処理が行われ，0〜0.04 となっている．

ⅳ．カバー率指数

種々の疾患に対応できる医療体制を評価するもので，当該病院で 12 症例/年以上の入院がある診断群分類数と全診断群分類数の比である．したがって，係数の最大値は理論的には 1，最小値が 0 となるが，限りなく 0 に近い値から多くの疾患を扱う医療施設での最高値は約 0.04 程度となっている．

ⅴ．救急医療指数

救急医療，すなわち緊急入院の対象となる患者治療に要する包括範囲出来高点数と設定されている包括点数との差を評価する．実際には，入院後 2 日までの特定入院料を算定している患者の点数の乖離を評価する．したがって，多くの重症患者を受け入れると点数の乖離が大きくなる．指数は 0〜2,000 点に分布するが，平均はおよそ 500 点である．係数に変換する際には，上限を 97.5 パーセンタイル値とし，係数は 0〜0.05 に分布している．

ⅵ．地域医療指数

体制評価指数と定量評価指数から構成され，評価割合は 1：1 である．体制評価指数は，5 疾病 5 事業等における急性期入院を評価する．がん，脳卒中，心筋梗塞等の心血管疾患，精神疾患の疾病医療，及び災害，周産期，へき地，救急，及びその他の医療への貢献度を評価する指標である．なお，その他には新型インフルエンザ対策が含まれる．具体的な体制評価指数を**表 8**[2)]に示す．

一方，定量評価指数には，当該地域での 15 歳以上及び 15 歳未満の患者の受け入れを評価するものである．すなわち，大学病院本院群と DPC 特定病院群では三次医療圏を，DPC 標準病院群では二次医療圏を診療範囲として，当該医療機関の所属する医療圏の担当患者数の割合を評価する．さらに，15 歳未満，15 歳以上に分けて評価する．指数は 5％ 未満の医療施設数が一番多いが，70％ を超える施設も存在する．

4）激変緩和係数

診療報酬改定等に伴う推計診療報酬変動率が ±2％ を超えないように補正する係数で，診療報酬改定のない年度の係数は 0 である．

5）課題

機能評価係数Ⅱは，医療機関運営の安定と，DPC 制度選択のインセンティブの効果を残すために，基礎係数とともに導入された．その後，医療機関が目指すべき医療の質と量の実現が目的とされた．DPC 参加病院は「急性期入院医療」を担う医療機関であるた

II 各論

表8 体制評価指数

	評価項目	概要	DPC 標準病院群	大学病院本院群	DPC 特定病院群
1	がん	がんの地域連携体制への評価(0.5 P)	退院患者の〔がん治療連携計画策定料の算定患者数〕/〔医療資源病名が悪性腫瘍の関連病名の患者数〕		
		がん診療連携拠点病院等の体制への評価(0.5 P)	下記のいずれかの指定(0.5 P) ・がん診療連携拠点病院 ・小児がん拠点病院 ・地域がん診療病院 ・特定領域がん診療連携拠点病院	・都道府県がん診療連携拠点病院又は小児がん拠点病院の指定(0.5 P) ・地域がん診療連携拠点病院の指定(0.25 P)	
2	脳卒中	脳卒中の急性期の診療実績への評価	下記のいずれかの最大値がポイント ・t-PA 療法の実施(0.25 P) ・超急性期脳卒中加算の算定実績又は血管内治療の実施実績(0.5 P) ・超急性期脳卒中加算の算定実績及び血管内治療の実施実績(1 P) 【血管内治療の実施】 入院 2 日目までに以下のいずれかの点数を算定した症例の診療実績 経皮的選択的脳血栓・塞栓溶解術(頭蓋内脳血管)/経皮的選択的脳血栓・塞栓溶解術(頚部脳血管(内頚動脈,椎骨動脈))/経皮的脳血栓回収術		
3	心筋梗塞等の心血管疾患	緊急時の心筋梗塞の PCI や外科治療の実施(0.5 P)	下記全てを満たした症例の診療実績 ・医療資源を最も投入した傷病名が「急性心筋梗塞」 ・予定外の入院で,時間外対応加算(特例含む)・休日加算・深夜加算を算定 ・入院 2 日目までに以下のいずれかの点数を算定 経皮的冠動脈形成術/経皮的冠動脈粥腫切除術/経皮的冠動脈形成術(特殊カテーテルによるもの)/経皮的冠動脈ステント留置術/冠動脈内血栓溶解療法/経皮的冠動脈血栓吸引術/冠動脈形成術(血栓内膜摘除)/冠動脈,大動脈バイパス移植術/冠動脈,大動脈バイパス移植術(人工心肺を使用しないもの)		
		急性大動脈解離に対する手術実績(0.5 P)	入院中に下記のいずれかの点数を算定した症例の診療実績(25 パーセンタイル値以上の病院は 0.5 P, その他は 0 P) 大動脈瘤切除術(吻合又は移植を含む)(上行大動脈)/大動脈瘤切除術(吻合又は移植を含む)(弓部大動脈)/大動脈瘤切除術(吻合又は移植を含む)(上行大動脈及び弓部大動脈の同時手術)/大動脈瘤切除術(吻合又は移植を含む)(下行大動脈)/大動脈瘤切除術(吻合又は移植を含む)(胸腹部大動脈)/オープン型ステントグラフト内挿術(弓部大動脈)/オープン型ステントグラフト内挿術(上行大動脈及び弓部大動脈の同時手術)/オープン型ステントグラフト内挿術(下行大動脈)/ステントグラフト内挿術(血管損傷以外の胸部大動脈)		
4	精神疾患	精神科入院医療への評価	・精神科身体合併症管理加算の算定実績 ・精神科救急・合併症入院料の 1 件以上の算定実績(1 P)		
5	災害	災害時における医療への体制を評価	・BCP の策定実績有無比(2021 年以降の評価導入を検討)災害拠点病院の指定(0.5 P) ・DMAT の指定(0.25 P) ・EMIS への参加(0.25 P)		
6	周産期	周産期医療への体制を評価	下記のいずれかの指定(1 P) ・総合周産期母子医療センター ・地域周産期母子医療センター	・総合周産期母子医療センターの指定(1 P) ・地域周産期母子医療センターの指定(0.5 P)	
7	へき地	へき地の医療への体制を評価	下記のいずれか(1 P) ・へき地医療拠点病院の指定 ・社会医療法人認可におけるへき地医療の要件を満たしている		
8	救急	医療計画上の体制及び救急医療の実績を評価	2 次救急医療機関で下記のいずれか(0.1 P) ・病院群輪番制への参加施設 ・共同利用型の施設 ・救命救急センター	・救命救急センター(0.5 P) ・2 次救急医療機関で病院群輪番制への参加施設,共同利用型の施設(0.1 P)	
			上記体制を前提とし,救急車で来院し,入院となった患者数(最大 0.9 P)	上記体制を前提とし,救急車で来院し,入院となった患者数(救急医療入院に限る)(最大 0.5 P)	
9	その他	その他重要な分野への貢献	右記のいずれか 1 項目を満たした場合(1 P)	①治験等の実施 ・過去 3 か年において,主導的に実施した医師主導治験が 8 件以上,又は主導的に実施した医師主導治験が 4 件以上かつ主導的に実施した臨床研究実績が 40 件以上(1 P) ・20 例以上の治験*の実施, 10 例以上の先進医療の実施または 10 例以上の患者申出療養の実施(0.5 P) *協力施設としての治験の実施を含む	
				②新型インフルエンザ対策 新型インフルエンザ患者入院医療機関に該当(0.25 P)	

〔厚生労働省保険局医療課:平成 30 年度診療報酬改定の概要 DPC/PDPS. 平成 30 年 3 月 5 日版 https://www.mhlw.go.jp/file/06-Seisakujouhou-12400000-Hokenkyoku/0000197983.pdf より作成〕

め，機能評価係数を検討する際には，「急性期入院医療」を反映する係数を前提とすべきである．また，DPC対象病院であれば，すでに急性期医療としてふさわしい一定の基準を満たしていることから，プラスの係数を原則としている．ただ，軽微な係数の差が結果的には大きな支払い報酬額の差となって現れることから，評価法の妥当性の検証が必要である[7]．

6）小児医療との関係

小児医療の充実が機能評価係数の増加につながることが理想的であるが，現在の評価機能係数の算出方法ではそのようになっていない．事実，全国の小児医療専門病院の機能評価係数Ⅱの合計点は，医療水準の高さに照らせば決して高くない．その最大の理由は，小児期の専門診療を必要とする疾患を多く扱うために，複雑性指数，救急医療指数が低いことである．さらに，定量的評価係数も，15歳以上が極端な低値となることである．これらは小児病院だけの課題ではなく，どの医療施設であっても，小児医療を専門的に実施すればするほど同様の傾向となる．この問題を解決するためには，小児医療を評価できる別の指標が必要であるが，現在までは実現していない．

＊＊＊

機能評価係数の係数が実際の医療機関の診療報酬額に直結する．さらに，今後係数の主たる部分を占める機能評価係数Ⅱについては，その計算の仕組みを理解して，少しでも小児医療に対する評価が高くなるように対応する必要がある．

3 DPCへの対応

DPC制度は，平成15年に導入された急性期入院医療を対象とした診療報酬の包括評価制度である．本制度を導入した目的は医療の質向上と国民医療費増加を抑制するためであるが，その本質は医療の標準化と効率化にほかならない．診療内容はデータにより可視化され，ベンチマークとして比較できるようになり標準化が進むとともに，包括評価により医療にかかるコスト管理の重要性が認識され，効率的な病院運営が求められるようになってきた．病院運営上，効率的な医療を提供することで病院経営の質を高め，地域住民に滞りなく医療サービスを提供し続けることは病院の使命といえる．もちろん行きすぎた効率化は粗診粗療を招きかねないため，医療の質を担保する取り組みは不可欠である．DPC制度下の病院運営を考えるうえでは，医療の質と病院経営の質を両輪として，そのどちらも高めていくことが重要な課題である．

そのような考えのもと，ここではDPCへの対応について考えていきたい．

1）DPCコーディングについて

DPCコーディングとは入院医療の支払い額を決定するためにDPCコードを決める非

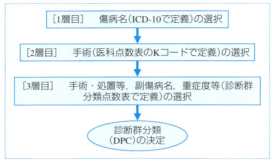

図5 DPCコーディングの基本手順

〔厚生労働省保険局医療課：DPC/PDPS傷病名コーディングテキスト改定版（第4版），令和2年4月　https://www.mhlw.go.jp/content/12404000/000668757.pdf より改変〕

常に重要な手続きをいう．図5[8)]にDPCコーディングの基本手順を示す．その第一歩は傷病名の選択で，DPC様式1の作成に当たってはいくつかの傷病名をICD-10の定義に沿って選択する必要がある．その中でも入院期間中に「医療資源を最も投入した傷病名」によってDPCコードの最初の6桁が決まる．次に手術が実施されていれば，医科点数表のKコードで定義される手術を選択する．最後に診断群分類点数表に定義される手術・処置等や副傷病，重症度等などを参照し，該当項目があればそれを選択することにより，図6[8)]に示す14桁からなる診断群分類が決定される．

a．DPC様式1で求められる傷病名

①主傷病名：退院時サマリーの主病名の傷病名を入力する．

②入院の契機となった傷病名：入院の契機となった傷病名を入力する．

③医療資源を最も投入した傷病名：入院期間中，医療資源を最も投入した傷病名で手術等の診療行為と一致する傷病名を入力する．複数手術や侵襲的処置を行った場合，そのうち最も診療報酬点数が高い診療行為を対象とする．

④医療資源を2番目に投入した傷病名：明確に医療資源を投入した複数の傷病が発生した場合に入力する．以下の「入院時併存症名」または「入院後発症疾患名」のいずれかに入力することになる．

⑤入院時併存症名：入院時期に存在していた主病名以外の疾患で，医療資源の投入量に影響を及ぼしたと判断されるものを重要なものから順番に入力する．診断群分類点数表に定義される副傷病名がある場合には必ず記入する．

⑥入院後発症疾患名：入院後に発症した主病名以外の疾患で，医療資源の投入量に影響を及ぼしたと判断されるものを重要なものから順番に入力する．診断群分類点数表に

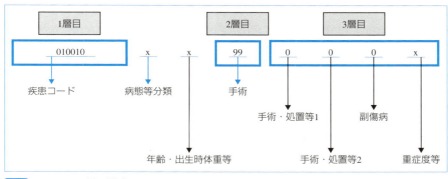

図6 DPC コードの構成

〔厚生労働省保険局医療課：DPC/PDPS 傷病名コーディングテキスト改定版（第4版），令和2年4月 https://www.mhlw.go.jp/content/12404000/000668757.pdf より改変〕

定義される副傷病名がある場合には必ず記入する．

b. 病名入力の注意点

厚生労働省から公表されている DPC/PDPS 傷病名コーディングテキストや院内テキスト，その他書籍で確認しておくべきである．

以下，代表的な注意点を列挙しておく．

① できるだけ詳細な病名を入力する．
- 良性，悪性，部位の区別：新生物は，悪性・良性及び発生部位を明確に表示する．病理結果が未の場合は疑いでもかまわない．
  例） 卵巣腫瘍　　良性→D27　卵巣の良性新生物
  　　　　　　　　悪性→C56　卵巣の悪性新生物＝卵巣がん
- 糖尿病については，1型，2型を区別して入力する．
- 急性，慢性の区別を行うことは必須である．
- 肺炎などの感染症で原因菌が判明している場合は，該当する傷病名を選択する．

② その他の留意点
- 症状，徴候，異常臨床所見等（R コード）は医療資源病名として選択できない．
  例） 嘔吐（R11），けいれん（R252），発熱（R509）など
- Z コードは医療資源病名として選択しない．
  例） 人工肛門形成状態（Z933），腎移植後（Z940）
- 同一疾患であっても術後の場合はコードが変わる場合がある．
  例） イレウス（K569）→術後イレウス（K913）
  　　 肺炎（J189）→術後肺炎（J958）

c．DPC コーディングに係る体制

　DPC コーディングの最終的な決定者は主治医であるが，その他に診療情報管理士や医事課職員がそれぞれの役割を担いながら，適切なコーディングを行える体制を構築すべきである．DPC 病院の医師であると，入院日または翌日までに医療資源病名・入院の契機となった病名・主病名を選択することが求められる場合が多い．それを受けて医事課職員は入力確認をし，調査データを作成，厚生労働省へ期限までに提出をすることで適正な診療報酬請求を行う．診療情報管理部門ではコーディングの監査を行い，傷病名に適した ICD コーディングが付与されていない場合や，出来高レセプトと DPC レセプトで請求金額に大きな差があり医療資源病名の再選択が必要であると認めた場合などでは，医師と適切な病名を再度検討することになる．病名の選択は適正な診療報酬請求の要であり，医師も積極的に関与していくべきである．

2）投入する医療資源に対する考え方

　前項図 3（227 頁）にあるように，入院における診療報酬は 1 日当たり包括評価とする部分と従来の医科点数表に沿って出来高評価するものがあり，これらを組み合わせて算定される．

a．包括評価とされる部分

　いわゆるホスピタルフィー的要素といわれ，入院基本料の他，検査，画像診断，投薬や注射などが含まれる．この部分に関してはコスト管理が重要視される．必要な対策としては，
① クリニカルパスの整備による標準化
② 医療の安全性を担保したうえでの後発医薬品の導入
③ 入院前後の外来における検査や画像診断の活用
④ 1 疾患 1 入院を原則とし入院中の他科受診は緊急性のある場合を除き避ける
などが考えられる．

b．出来高評価とされる部分

　いわゆるドクターフィー的要素といわれ，様々な医学管理料や手術，高額な処置など医師等の技術費用を反映した部分である．急性期病院として専門性や難易度の高い技術を提供できる体制を整えることが重要である．また，医学管理料については医療の質向上にも貢献するため，しっかりと人的資源を活用し算定していくことが望まれる．

3）在院日数に対する考え方

　病院の経営上，入院医療では 1 人 1 日当たりの入院単価を増加させることは非常に重要視される．DPC 制度においてはその点数設計上，在院日数を短縮させ早期に退院させることで入院単価の増加が見込まれる．在院日数短縮はそれ以外にも様々なインセンティブがあるため，特に DPC 対象病院における平均在院日数は年を追うごとに短く

なってきた[9]．前項図1(225頁)で述べられているように1日当たりの包括点数は診断群分類ごとに入院期間で3段階に定められており，入院期間が長くなるほど1日当たりの点数が低くなる．入院期間Ⅱ終了時がその診断群分類での全国平均在院日数である．そのため入院期間Ⅱを目安に退院させることが一つの目標とされ，クリニカルパスを作成する際にも参考にするべきである．より短い期間で退院することになればより入院単価は上昇するが，患者数を増やす対策なしでは病床稼働率の減少につながるため，結果的に入院単価は上昇しても減収となりかねない．医療の質を担保したうえで病院経営の質を考慮した「適正な在院日数」を考えていく必要がある．

4）係数への対応

前項で述べられているように診療報酬の計算上，医療機関別係数の値は病院経営の質に大きな影響を与える．その一方で小児医療が各病院における係数アップに貢献する度合いは大きくないのが現状である．そういう点からは，日々の診療の中で基礎係数や機能評価係数を直接意識しておく必要はないが，大きな視点として，これら係数は急性期病院としてのあるべき姿を評価するものであると認識しておくべきである．すなわち，より医療資源を多く必要とする重症の患者を適切な在院日数の中で診療する，救急患者の対応をしっかり行う，専門性の高い医療を提供するなどといった点を意識しておくことが重要と考える．

5）Quality Indicator(QI)

医療の分野において，QIとは医療の質を評価する指標をいう．臨床指標(clinical indicator)やパフォーマンス指標(performance indicator)といった用語もほぼ同義である．その評価に当たってはDonabedian model[10]がよく知られ，structure(構造)，process(過程)，outcome(結果)といった三つの側面から病院の様々な機能や診療実績を具体的に数値化し，PDCAサイクルによって計画的継続的に改善活動が行われる．昨今では多くの病院や病院団体からQIが公表され，社会的な関心も高まっている．DPC制度上では機能評価係数Ⅱの中に，「医療の質的な向上を目指す取り組み」を評価する保険診療係数がある．平成29年度より一定内容の病院情報[11]を自院のホームページで公表した場合，同係数算出のもととなる保険診療指数に0.05点が加算されることとなり，ほとんどのDPC対象病院で対応がなされている．

➡ 文　献

1) 迫井正深：DCPはいかに誕生したか―DRFとDPCの違い．保健医療科学 63：488-501，2014
2) 厚生労働省保険局医療課：平成30年度診療報酬改定の概要 DPC/PDPS．平成30年3月5日版　https://www.mhlw.go.jp/file/06-Seisakujouhou-12400000-Hokenkyoku/0000197983.pdf
3) 厚生労働省保険局医療課：DPC/PDPSの見直し．令和2年度診療報酬改定の概要　第2個別改定項目について．358-369，令和2年2月7日発行　https://www.mhlw.go.jp/content/12404000/000601838.pdf

II 各論

4）厚生労働省：DPC 対象病院・準備病院の規模（令和 3 年 4 月 1 日）見込み．令和 3 年 6 月発行　https://www.mhlw.go.jp/content/12404000/000793117.pdf
5）田辺三菱製薬：医療機関別係数機能評価係数 I．DPC はやわかりマニュアル　2020 年 4 月改定版　https://medical.mt-pharma.co.jp/articles/dpc-manual/pdf_2020/dpc_14.pdf
6）中央社会保険医療協議会：機能評価係数 II の内訳（医療機関別）．令和 2 年 4 月 1 日時点　https://www.mhlw.go.jp/content/12404000/000640466.pdf
7）中央社会保険医療協議会：DPC/PDPS の見直し．令和 2 年 6 月 17 日　https://www.mhlw.go.jp/content/12404000/000640463.pdf
8）厚生労働省保険局医療課：DPC/PDPS 傷病名コーディングテキスト改定版（第 4 版）．令和 2 年 4 月　https://www.mhlw.go.jp/content/12404000/000668757.pdf
9）厚生労働省保険局医療課：令和元年度 DPC 導入の影響評価に係る調査「退院患者調査」の結果報告について．令和 3 年 3 月 24 日　https://www.mhlw.go.jp/stf/shingi2/0000196043_00004.html
10）Donabedian A：A guide to medical care administration. Vol. II：Medical care appraisal-quality and utilization. APHA, New York, 1969
11）令和 3 年度　病院情報の公表の集計条件等について　https://www01.prrism.com/dpc/2021/byoinjoho/03shukeijoken.pdf

➡ 参考文献

・田辺三菱製薬：DPC はやわかりマニュアル　2020 年 4 月改定版　https://medical.mt-pharma.co.jp/articles/dpc-manual/pdf_2020/dpc_all.pdf

II 各論

7 その他これから整備が必要な領域

1 子どものターミナルケア

　小児医療の目覚ましい進歩により，多くの病気が克服できるようになってきたが，死を避けることが難しい子どもたちがいることも事実である．ターミナルケア，緩和ケアは成人のがん領域が先行して発展してきたが，小児期の死亡原因は，悪性腫瘍（小児がん）以外にも先天奇形や染色体異常，新生児疾患，心疾患，神経・筋疾患，代謝性疾患など小児期に特徴的な疾患が多く，小児期特有のターミナルケア，緩和ケアの充実が必要である．

1）ターミナルケアと緩和ケア

　病気に伴う様々な苦痛を和らげるためのケアが緩和ケアであり，一方で，治癒が見込めない病態や病気の終末期の患者に苦痛を伴う侵襲的な治療を中止し，本人や家族の意思に寄り添い，その人らしく死を迎えるためのサポートを行うことがターミナルケアである．緩和ケアはターミナルケアに重きが置かれる側面もあるが，病気の終末期だけでなく，命を脅かすような病気の初期から開始できるケアでもある．

　2002年に世界保健機関（World Health Organization：WHO）で，「緩和ケアとは，痛みやその他の身体的・心理社会的・スピリチュアルな問題を早期に見出し的確に評価を行い対応し，苦痛を予防し和らげることを通して，生命を脅かす病に関連する問題に直面している患者とその家族のQOLを向上させるアプローチである」[1]と定義され，2013年のプラハ憲章では，「すべての疾患において緩和ケアを受けることは人権である」[2]とされており，緩和ケアを受ける人権を保障するための施策に各国が取り組んでいる．わが国においても平成2（1990）年に緩和ケア病棟入院料が設定され，その対象は悪性腫瘍や後天性免疫不全症候群に続き，平成30（2018）年に緩和ケア加算の対象疾患として慢性心不全の末期が認められた．しかし，緩和ケアは本来すべての疾患に対して提供されるべき医療であり，今後さらなる適応疾患（いわゆる非がん疾患へ）の拡大が望まれる．それは小児領域においても同様であり，緩和ケアの対象は，小児がんだけでなく，先天性疾患，神経・筋疾患，代謝性疾患，重度心身障害児など多岐にわたり，それぞれの疾患に特徴的な緩和ケアの技術が必要なこともあり，緩和ケアがすべての疾患に対して保険診療で提供できる医療体制の構築が望まれる．

2) アドバンス・ケア・プランニング(ACP)

近年，アドバンス・ケア・プランニング(advance care planning：ACP)の重要性が報告されている．平成30(2018)年に厚生労働省が「人生の最終段階における医療・ケアの決定プロセスに関するガイドライン」[3]を提示し，その中で「人生の最終段階の医療やケアについて，本人が家族等や医療ケアチームと事前に繰り返し話し合うプロセス」としてACPを定義している．その人らしく人生の最終段階を過ごすために，成人患者だけでなく，患児においてもAPCは重要であり，子どものターミナルケアの領域でも導入が始まっている．ただし，患児の発達段階の個人差や，経験値の乏しさに配慮しながら，広い視野をもった選択を本人ができるようなサポートが医療者や家族には求められる．この場面においても，①尊厳，②情報共有，③参加，④協働を基本とするpatient & family centered care(PFCC)を土台とした本人や家族と多職種による話し合いが基本となる[4]．

3) 在宅ターミナルケア

本人や家族と終末期における療養環境について相談すると，自宅で過ごしたいという希望が多いが，一部の地域を除いて，子どもの在宅ターミナルケアの体制はまだ整備途中である．在宅ターミナルケアへの移行は，小児がん領域などではしばしば困難を経験する．小児がんの希少性から在宅診療医の経験が少ないことや，中心静脈カテーテル管理，在宅輸血療法などが問題であるが，それらの問題点をクリアできれば小児がんの在宅診療に対応可能な在宅診療医も多いと想像され，啓蒙活動，保険診療上のサポートの充実が望まれる．

4) 家族ケア

小児領域の緩和ケア・ターミナルケアにおいて親やきょうだいへのケアも重要である．子どもを亡くすことは親にとって非常に強いストレス，喪失感を伴う．このストレスは病気が判明した段階から極度の不安とともにすでに認められ，治療の過程，死別後までケアが必要とされる．子どもを亡くした後の親は，精神障害による入院率や，死亡率が上昇することが報告されており，予防的また継続的な精神面の介入が必要と考えられる．また，きょうだいも，年少児であってもその子なりに患児の深刻な状況や，それに伴う親の疲労・ストレスの状況を感じ取っている．きょうだいの年齢や理解力に即した患児の病状の説明が必要である．その子なりの理解の中で患児や親とともに過ごすことが，患児の治療中だけでなく，死別後のきょうだい児の精神的安定につながる[5]．

死別後の親やきょうだいへのグリーフ(喪失に伴う悲嘆反応)ケアを，多職種によるチーム医療として行える体制作りが今後の課題の一つである．近年child life servicesという概念のもと，チャイルド・ライフ・スペシャリスト(child life specialist：CLS)，子ども療養支援士(child care staff：CCS)，ホスピタル・プレイ・スペシャリスト(hospital play specialist：HPS）などの専門職が患児の支援だけでなく，親やきょうだいの支援など活動の場を拡げている[6]．これらの専門職種による患児だけでなく親やきょうだいへの緩和ケア・ターミナルケアが保険診療のもとで提供できるようになることがチーム医療において望まれる．

5）ターミナルケアにおいて算定可能な診療報酬項目と今後の課題

緩和ケア診療加算（A226-2；390点，小児加算；100点），緩和ケア病棟入院料（A310；逓減制，小児加算；なし），外来緩和ケア管理料（B001-24；290点，小児加算；150点），在宅患者訪問診療料（C001）の在宅ターミナルケア加算などが，ターミナルケアが必要な成人ならびに子どもにおいて算定可能であり，小児加算が設定されている項目もある．しかし，子どものターミナルケアにおける医療コストを考えると診療報酬が十分とはいえない部分もある．また，算定のための施設基準が必ずしも子どものターミナルケアの実情にそぐわない面もあるかもしれず，さらに充実した子どものターミナルケアに着目した診療報酬体制の構築が望まれる．

2 移行期医療

1）移行期医療とは

小児医療の発達により，多くの小児期発症の慢性患者が思春期・成人期を迎えるようになった．これらの患者は成人以降も小児科で診療を続けていることが多い一方で，必ずしも適切な成人期の医療を受けているとは言い難く，子どもから成人へのシームレスな医療を提供する体制を構築していくことは急務である．そのためには，小児期医療と成人期医療の架橋となる「移行期医療」という新しい枠組みの構築が必要であり，各地方自治体の協力のもとで小児・成人診療科の医師のみならず看護師，臨床検査技師，ソーシャルワーカーなど多職種がかかわって子どもから成人へのスムーズな移行を進めていくことが重要である．移行期医療支援には，①医療体制整備と，②患者自立（自律）の二つの柱があり，①医療体制整備については受け入れ先となる成人診療科の理解と協力が必要不可欠であるが，同じ診療カテゴリーでも小児慢性疾患は成人診療科にとっては未知の疾患である場合も多く，成人診療科にとって大きな負担となっている．②患者自立（自律）の支援については患者の年齢と理解度に応じたヘルスリテラシーの継続的な獲得と自立を見据えた家族関係のサポートなどが必要とされるが，これらは小児科医による外来診療だけでは不十分であり，自立支援にかかわるコーディネーターの育成がきわめて重要である．この二つの柱を実現していくために各都道府県に移行期医療支援センターを設置することが現在のわが国の目標となっているが，実際は地方自治体によっても差がある．さらに，子どもと成人では社会保障制度が大きく異なっており，患者家族

の情報収集に格差がみられているのも事実である．

2）移行期医療のこれまで

「移行期医療体制」の整備については，日本小児科学会小児慢性疾病患者の移行支援ワーキンググループを平成25年に立ち上げ，「小児期発症疾患を有する患者の移行期医療に関する提言」[7]としてまとめて平成26年に公表したのが始まりで，その後多くの日本小児科学会分科会が疾患群別の移行期診療ガイドを公表している．「自立支援」については，厚生労働省研究班（窪田　満代表）によって「小児期発症慢性疾患を持つ患者のための成人移行支援コアガイド」[8]が平成30年に作成され，移行期患者のセルフケア技術の獲得や意思決定への積極的な参画を促すための自立支援を目指して作成されたコアガイドとしてはじめて公表された．政策としては，厚生労働省が平成29年に移行期医療支援モデル事業を立ち上げ，全国11施設に移行期医療支援センターを設置して実態調査を行ったのが始まりで，その後平成30年12月に成育基本法が制定され，「小児期から成人期にかけて必要な医療を切れ目なく行うことができる移行期医療の支援」[9]が明記された．これをもとに現在各都道府県に「移行期医療支援センター」を設置することが目標となっている．

3）移行期医療と社会保障制度

子どもから成人医療への移行に当たり，社会保障制度の移行は重要な問題を抱えている．

移行期医療の対象となるほとんどの疾患は小児期発症の慢性疾患であり，小児慢性特定疾病対策によって20歳まで医療費助成などが受けられる制度だが，成人を迎えると支援対象から外れてしまうため指定難病など成人患者のための社会保障制度に移行する必要がある．しかしながら，小児慢性特定疾病対策では現在788疾病が対象となっているのに対して指定難病は338疾病と半数以下にとどまっている他，軽症者は同一疾病であっても対象とはならないことがあり，医療支援の継続性が担保されないという問題がある．この二つの社会保障制度はそもそも移行期医療を想定して発展してきた制度ではないことをよく理解しておく必要がある．小児慢性特定疾病対策は小児慢性疾病患者の健全育成の観点から，医療費助成，自立支援，研究促進という三つの柱によって児童福祉法のもとで医療と福祉の両面で支える事業である．今日の小児医療の発展に伴ってそのあり方や対象疾患などは継続的に見直しがなされ，対象疾患の死亡率は昭和49年の10.46から平成22年の3.44（人口10万人当たり）と大幅に改善し，今日の子どもにおける生命予後の改善に大きく寄与している[10]．難病対策は希少疾患における原因究明や治療法の確立，医療水準の向上などを目的としており[11]，対象疾病の要件は小児慢性特定疾病対策における対象疾病よりも限定されたものとなっている．ただし，難病法施行時は対象疾病が56疾病であったものが小児慢性特定疾病児童等の成人移行に関する事項等に基づき，令和3年には338疾病まで対象が拡大され，小児慢性特定疾病患者が成人後

も継続して支援を得られる可能性は拡がったといえる．一方で，難病法はあくまで原因不明の難病に対する研究と克服が目的であり，軽症の移行期患者については該当しない．小児の医療費助成としては他に自立支援医療(育成医療)があり手術などの高額医療費を負担する．これは成人の自立支援医療(更生医療)に移行されるが，成人では障害者手帳受給者に限定される．

所得保障としては子どもでは特別児童扶養手当，障害児福祉手当があり，これらは成人における障害年金，特別障害者手当に相当する(図1)[12]．いずれにおいても成人の社会保障は子どもに比べてハードルが高いものとなっており，スムーズな移行制度になっていないことは今後の課題である．

4) 診療科目別にみる移行期医療の課題

移行期医療は診療科目によって自立支援や医療体制整備に差が生じやすいことが知られているが，共通していることは自立困難例や総合的な診療が必要なケースにおいて複数の成人診療科や多職種連携を必要とすることである．ここでは移行期医療の先行領域である血液がん疾患，循環器疾患についての現状と課題について解説する．

a．小児血液がん疾患

小児がんは80%以上の生存率が期待できる疾患となったが，移行期にかかる年齢で様々な晩期合併症(心機能障害，内分泌疾患，妊孕性の問題など)が起こることや，小児がんの種類が多様であり，特に固形腫瘍は多臓器にわたり総合的な診療を要することから成人診療科側でのカウンターパートが存在しないことが問題となっている．このため，小児がん長期フォローアップセンターを構築し，多職種によるチームを形成して自立支援と成人診療科との密な連携を行う必要がある．

社会保障上の特徴は，小児がんは「がん対策基本法」による体系的な施策の対象となっているため指定難病の対象外となっていることである．したがって，小児慢性特定疾病で医療費助成を受けていたものが20歳を超えると医療費助成を失ってしまう．診療報酬上の加算として，移植後の長期フォローアップに関しては「造血幹細胞移植後患者指導管理料」という診療報酬(月1回300点)を算定することができる．

b．循環器疾患

先天性心疾患患者の95%は成人に移行しており，移行期医療支援体制について小児では比較的先行してきた領域である．平成11年に日本成人先天性心疾患学会が発足，専門医制度や修練施設認定制度など医療者側の整備が進められ，現在は多くの循環器内科に成人先天性心疾患外来が設置され，移行期医療が進んでいる．一方で，脳血管障害や染色体異常など自立支援の継続が必要で総合的な診療を要する先天性心疾患患者の移行期医療については地域差がみられている．社会保障制度では多くの先天性心疾患が指定難病の対象となっているが，ニューヨーク心臓協会(New York Heart Association：

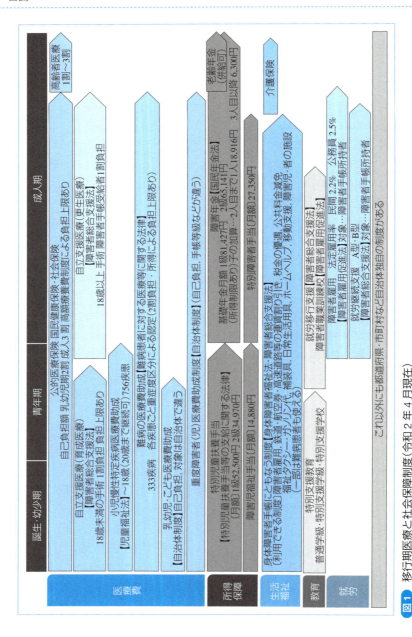

図1 移行期医療と社会保障制度（令和2年4月現在）
（全国心臓病の子どもを守る会：改訂版 心臓病児者をささえる社会保障制度．2020）

NYHA）による心機能分類でⅡ度以上であることが要件となり，すべての小児慢性特定疾病患者が移行できるとは限らない．成人以降で心臓手術を受ける場合は更生医療が適用され，心臓カテーテル検査を受ける場合には指定難病に登録しておくことで医療費助成を受けることができるが，それぞれの制度で対象要件を満たしていることが必要である[12]．

5）移行期医療支援体制の構築

移行期医療支援体制は各都道府県に移行期医療支援センターを設置し，具体的な取り組み内容を実行できる機関に設置することが望ましく，設置機関としては，地方自治体，医療機関，難病相談支援センターなどが考えられる（図2）[13]．その役割は，成人に達した小児期発症の慢性疾患をもつ患者に対応可能な医療機関の把握と情報公開，子ども・成人の診療科間の連絡調整，自立支援を円滑に進めるために必要な支援である．具体的には移行期医療支援コーディネーターの設置と移行期医療支援センター運営に関する定期的なカンファレンスを地方自治体と行うことが望まれる．

3 児童虐待と要支援家庭

1）児童虐待にかかわる法律

令和2年度の児童相談所における児童虐待相談対応件数は205,029件（速報値）で，過去最多を更新し続けており，依然として深刻な状況が続いている[14]．わが国の児童虐待対策は昭和22年に施行された「児童福祉法」により[15]，要保護児童対策として行われてきたが，平成12年に「児童虐待の防止等に関する法律」（児童虐待防止法）が施行され，児童福祉法とともに対策の柱となっている[16]．

児童虐待防止法では，児童虐待を①身体的虐待，②性的虐待，③放任虐待，④心理的虐待，と定義している（第2条）．児童虐待防止法と児童福祉法の施策内容を表1に示す[15〜17]．

2）児童虐待防止のためのネットワーク構築

虐待や様々な問題を抱えている支援対象児童等の早期発見や適切な保護等を図るために関係機関で情報を共有し，連携と協力により適切な支援を行うことを目的として，要保護児童対策協議会が設置されている（児童福祉法第25条）（図3）[18]．対象として，①要保護児童：「保護者のいない児童又は保護者に監護させることが不適当であると認められる児童」，②要支援児童：「保護者の養育を支援することが特に必要と認められる児童」，③特定妊婦：「出産後の養育について出産前から支援を行うことが特に必要と認められる妊婦」，について地域の関係機関が情報などを共有し，連携により適切な支援を行うことを目的とする（児童福祉法第6条）[15,18]．

II 各論

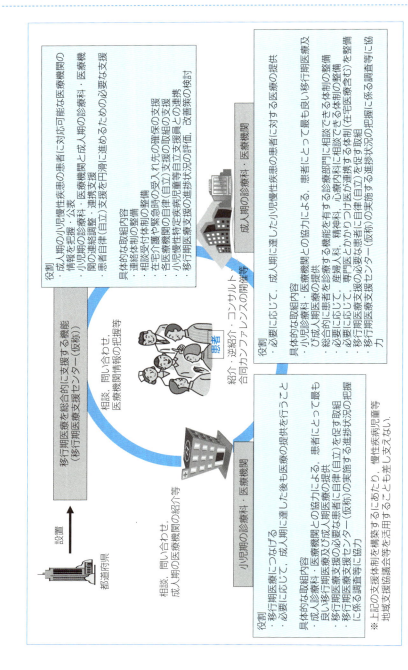

図2 都道府県における移行期医療支援体制構築のイメージ(案)

[窪田満:成人移行支援コアガイド ver 1.1. 厚生労働科学研究費補助金難治性疾患政策研究事業 小児期発症慢性疾患をもつ移行期患者が疾患の個別性を踏まえて成人診療へ移行するための診療体制の整備に向けた調査研究班 https://transition-support.jp/download/show/11/成人移行支援コアガイド(ver 1.1).pdf]

表1 児童虐待防止法と児童福祉法の施策内容

施策の内容	児童虐待防止法	児童福祉法
児童虐待の禁止	第3条に明記	
児童虐待の発生予防	国及び地方公共団体(第4条),学校,児童福祉施設,病院等(第5条)に対する児童虐待防止のための取り組み	・養育困難時に保護者から児童相談所などへの相談義務(第30条) ・要保護児童対策地域協議会の設置(第25条)
児童虐待の早期発見・対応	虐待を受けた児童の保護,自立の支援,保護者との再統合の促進,関係機関との連携の強化,必要な体制の整備(第4条)	市町村への情報提供の努力義務(第21条)
通告義務	児童虐待と思われる児童を発見した場合は,速やかに通告する義務がある(第6条) 児童の福祉に職務上関係のあるものに対する児童虐待の早期発見の努力義務(第5条)	要保護児童発見時の児童相談所等への通告義務(第25条)
守秘義務の免除	刑法に定められた守秘義務は,児童福祉法第25条による通告義務の遵守を妨げるものと解釈してはならない(第6条)	
通告者の秘匿	通告者の情報の漏洩禁止(第7条)	
児童虐待への介入	児童相談所が通告を受けた場合,速やかな当該児童の安全確認(第8条) 当該児童の保護者が出頭に応じない場合の立ち入り調査(第8条の2)	都道府県知事は,必要時に児童委員等による立ち入り調査等を行う(第29条)
保護	児童の一時保護をしている場合,保護者に引き渡すと再び児童虐待のおそれがあるにもかかわらず,保護者が引き渡しを求める場合は,施設入所や親子分離が可能(第12条)	児童相談所長により,児童虐待が疑われる児童を一時保護(第33条)
子どものケア	児童虐待を受けた者の自立支援(第13条)	
保護者のケア	児童虐待を行った保護者に対する児童福祉司による指導(第11条)	
体罰の禁止	児童の親権を行う者は,児童虐待に係る暴行罪,傷害罪その他の犯罪について,当該児童の親権を行う者であることを理由として,その責めを免れることはない(第14条)	
児童相談所の体制強化		児童相談所への弁護士の配置またはこれに準ずる措置(第12条)

〔厚生労働省:児童福祉法(昭和22年12月12日法律第164号) https://www.mhlw.go.jp/web/t_doc?dataId=82060000&dataType=0&pageNo=1/厚生労働省:児童虐待の防止等に関する法律(平成12年法律第82号) https://www.mhlw.go.jp/bunya/kodomo/dv22/01.html/多門裕貴,他:児童虐待の防止等に関する法律(児童虐待防止法).周産期医学 50:102-106, 2020をもとに作成〕

図3 要保護児童対策協議会

〔厚生労働省雇用均等・児童家庭局:「要保護児童対策地域協議会(子どもを守る地域ネットワーク)スタートアップマニュアル」の公表について. 平成19年5月18日 https://www.mhlw.go.jp/bunya/kodomo/dv14/〕

3) 診療報酬

虐待として医療機関から児童相談所へ「通告」した場合は医療機関の「義務」に当たり,診療報酬の対象とはならない.

また,要支援児童と判断された場合に,医療機関から市区町村への情報提供に際しては,患者(家族)の同意を得て市区町村に情報提供を行った病院,診療所は,診療情報提供料として診療報酬上の算定ができるが[19],「家族の同意がない場合」には算定できない.また潜在的な虐待の場合にも,患者である子どもや加害者である立場の保護者が虐待の事態を隠し,「患者(家族)から同意を得られない」ことが問題となり,診療情報提供料として算定することが困難である.また医療機関から児童相談所等への情報提供時には診療情報提供料が算定できない.虐待を受けているまたはその疑いがある者に対する小児特定疾患カウンセリング料は算定されているが[20],虐待と診断した後の経過観察における心理的なカウンセリングに対する診療報酬であり,さらに小児特定疾患カウンセリング料は「子ども本人が受診する場合にのみ」算定でき,保護者が意図して受診させない場合には算定できない.このように,虐待という特殊な状態ではこれらの診療報酬の算定が困難になる状況が生じやすく,臨床現場のさらなる負担となっている.

平成30年度診療報酬改定で,入退院支援加算の対象である「退院困難な要因」に,「虐待とその疑いや生活困窮者・医療保険未加入者」等に加え,「小児における退院困難な場合」が加えられた[21].これは虐待・要支援児童を支援するための診療報酬であり,少しずつではあるが,医療現場の負担軽減に向けた取り組みがされている.

4) 問題点と今後の展望

児童虐待では通告義務が定められていること,医療と福祉の境界領域であることから,診療報酬によるサポートが薄い現状がある.しかしながら,児童虐待への対応は多

7. その他これから整備が必要な領域

くの関係機関との調整，子ども・家族とのかかわりなどで医療者に大きな負担がかかることも事実である．

平成30年に「成育基本法」が制定された．成育基本法は，出生から大人になるまでの成育過程で，医療，保健，教育，福祉が連携して切れ目なく子どもや保護者への支援を行い，社会からの孤立の防止及び不安の緩和，児童虐待の予防及び早期発見のために，健康診断等の適切な実施や相談支援の体制の整備，その他の必要な施策を講ずるものとすると定められた[9]．今後，包括的な児童虐待・要支援児童とその家族を支援する枠組みが横断的に構築される礎になることを期待する．

文献

1) World Health Organization : Palliative care. World Health Organization https://www.who.int/health-topics/palliative-care
2) Radbruch L, et al. : The Prague Charter : urging governments to relieve suffering and ensure the right to palliative care. Palliat Med 27 : 101-102, 2013
3) 厚生労働省：人生の最終段階における医療の決定プロセスに関するガイドライン」の改訂について．平成30年3月14日 https://www.mhlw.go.jp/stf/houdou/0000197665.html
4) 船戸正久，他：子どもの終末期医療・緩和ケアの実際．周産期医学 50：953-958，2020
5) 多田羅竜平：終末期医療．小児内科 52：1686-1688，2020
6) American Academy of Pediatrics. Committee on Hospital Care. Child Life Services. Pediatrics 106 : 1156-1159, 2000
7) 横谷 進，他：小児期発症疾患を有する患者の移行期医療に関する提言．日本小児科学会 2014年．https://www.jpeds.or.jp/modules/news/index.php?content_id=83
8) 窪田 満：小児期発症慢性疾患をもつ移行期患者が疾患の個別性を超えて成人診療へ移行するための診療体制の整備に向けた調査研究．厚生労働科学研究費補助金難治性疾患政策研究事業総合研究報告書．2018年 https://mhlw-grants.niph.go.jp/system/files/report_pdf/201911048B-sougou_0.pdf
9) 成育過程にある者及びその保護者並びに妊産婦に対し必要な成育医療等を切れ目なく提供するための施策の総合的な推進に関する法律 https://www.mhlw.go.jp/web/t_doc?dataId=80ab6707&dataT
10) 原田正平：治療管理の進歩と小児慢性疾患の予後について．小児内科 43：1434-1437，2011
11) 厚生労働省：難病対策 https://www.mhlw.go.jp/stf/seisakunitsuite/bunya/kenkou_iryou/kenkou/nanbyou/index.html
12) 全国心臓病の子どもを守る会：改訂版 心臓病児者をささえる社会保障制度．2020
13) 窪田 満：成人移行支援コアガイド ver 1.1．厚生労働科学研究費補助金難治性疾患政策研究事業 小児期発症慢性疾患をもつ移行期患者が疾患の個別性を超えて成人診療へ移行するための診療体制の整備に向けた調査研究班 https://transition-support.jp/download/show/11/成人移行支援コアガイド(ver 1.1).pdf
14) 厚生労働省：児童虐待相談対応件数の動向 https://www.mhlw.go.jp/stf/seisakunitsuite/bunya/kodomo/kodomo_kosodate/dv/index.html
15) 厚生労働省：児童福祉法(昭和22年12月12日法律第164号) https://www.mhlw.go.jp/web/t_doc?dataId=82060000&dataType=0&pageNo=1
16) 厚生労働省：児童虐待の防止等に関する法律(平成12年法律第82号) https://www.mhlw.go.jp/bunya/kodomo/dv22/01.html
17) 多門裕貴，他：児童虐待の防止等に関する法律(児童虐待防止法)．周産期医学 50：102-106，2020
18) 厚生労働省雇用均等・児童家庭局：「要保護児童対策地域協議会(子どもを守る地域ネットワーク)スタートアップマニュアル」の公表について．平成19年5月18日 https://www.mhlw.go.jp/bunya/kodomo/dv14/
19) 厚生労働省雇用均等・児童家庭局：養育支援を必要とする家庭に関する医療機関から市町村に対する情報提供について．雇児総発第0310001号，平成16年3月10日 https://www.mhlw.go.jp/web/t_doc?dataId=00tb4477&dataType=1&pageNo=1
20) 全国保険医団体連合会：B001・4 小児特定疾患カウンセリング料．保険診療の手引 2020年4月版．182-183，2020
21) 厚生労働省：平成30年度診療報酬改定の概要．平成30年5月16日 https://www.mhlw.go.jp/file/05-Shingikai-10801000-Iseikyoku-Soumuka/0000207112.pdf

8 新型コロナウイルス感染症，医療制度と診療報酬

1 新型コロナウイルス感染症の流行と小児医療

　令和3年12月に始まった新型コロナウイルス感染症は世界全体で猛威を振るい，以後日本でも度重なる流行に翻弄され続けている．

　小児医療はもともと感染症が主たる治療対象の一つであったが，三密や緊急事態宣言による人流の制限などにより患者数は著明に減少した．厚生労働省は調査により小児科診療所の患者数減少を明らかにしたが，日本小児科学会社会保険委員では全国の病院小児科に対して調査を実施し，同様の傾向があることを示してきた（図1）[1]．

　現在ワクチンをはじめとする各種治療や対策によって多少の落ち着きは取り戻しつつあるものの，小児多系統炎症性症候群（multisystem inflammatory syndrome in children：MIS-C）をはじめ子どもの重症例が散見されはじめていること，変異株の出現や

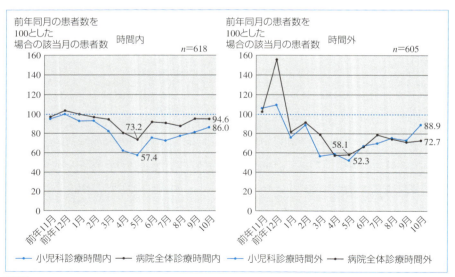

図1　時間帯別小児科外来患者数

〔日本小児科学会：新型コロナウイルス感染症に伴う小児医療機関の保険診療上の課題に関する調査　二次調査報告〕

保護者の入院対応のために子どもたちの行き先がなくて社会的入院が増えるなど，医学的にも社会的にも課題を抱えたまま，いまだ先行きのみえない状況が続いている．

本項では小児科診療における新型コロナウイルス感染症による診療報酬上の変更点や経営補助について解説する．なお，診療報酬による診療補助は感染症の流行や医療提供体制の状況に応じて日々変化していることから，現行の正確な内容は厚生労働省ホームページや各厚生局ホームページなどの参照をお願いしたい．

2 新型コロナウイルス感染症にまつわる診療報酬と自治体による経営支援

新型コロナウイルス感染症は感染症法上，新型インフルエンザ等感染症（令和3年2月までは指定感染症）として扱われるため，入院して医療を受けることが原則である（しかし，患者数が著しく増加した場合には，自治体の判断で自宅並びに宿泊療養を選択することも可能とした）．入院にかかる費用は所得に応じて一部患者負担が発生するが，原則公費扱いである．疑似症についても同様である．入退院並びに隔離期間は厚生労働省が通知した基準に則って実施している．

また，新型コロナウイルス感染症の感染流行を防ぐために令和3年2月に新型コロナウイルスワクチンが薬事承認され，投与開始となった．医療機関では感染防止のために従来からの感染対策を強化することとなり，人流抑制や接触機会の減少を目的として，それまで普及に対して慎重な態度をとっていたオンライン診療に関しても電話診察とともに初診での算定が解禁されるなど，多くの対応がとられてきた．これらの対応の中には時限的措置も含まれるが，新型コロナウイルス感染症対策として実施されてきた内容を予防，外来と入院に分けて解説する．

● 予防（新型コロナウイルスワクチン接種）

新型コロナウイルス感染症のまん延防止を目的としてワクチン開発が急ピッチで進められ，医療従事者や高齢者から順に接種が開始された．新型コロナウイルスワクチンは予防接種法並びに新型インフルエンザ等対策特別措置法に規定され，都道府県並び市区町村における接種は地方自治法に基づいて実施された．接種対象は12歳以上（令和4年3月以降，5歳以上に拡大される予定）であり，接種にかかる費用は国が負担することとなった．ワクチン接種に伴う健康被害救済が生じた場合は市区町村に申請する．市区町村長は厚生労働大臣が申請内容に基づき健康被害が生じたと認めた場合，国の負担により実施する．詳しくは「新型コロナウイルス感染症に係る予防接種の実施に関する手引き」並びに厚生労働省のホームページを参照されたい．

II　各論

外来・在宅での対応

　感染対策にかかるコスト増大への対応，発熱外来など，外来で診療する医療機関への評価と，入院での受入が困難となったときに在宅，自宅や宿泊療養中の患者への診療に対する評価等により医療機関の支援を行っている．

1）診療報酬による対応

a．乳幼児感染予防策加算

　新型コロナウイルスの感染拡大を受けて，保護者や医療従事者と濃厚接触しやすく，成人とは異なる配慮が求められる小児に対する診療の実態から，感染が急速に拡大している間，小児特有の感染予防策を講じたうえで診察を行った場合，下記の点数を特例的に算定できるよう，期中における臨時異例の措置として実施した．

　本措置の実施は令和3年9月末終了予定であったが，感染流行の収束をみない状況に鑑み，令和3年10月現在，令和4年3月31日までの予定として規模を縮小した措置を講じている．

・算定点数

　　医科　　100点（令和3年10月からは，50点）
　　歯科　　55点（令和3年10月からは，28点）
　　調剤　　12点（令和3年10月からは，6点）

　算定に当たっては「小児の外来診療におけるコロナウイルス感染症2019（COVID-19）診療指針」を参考に感染予防策を講じたうえで，保護者に説明し同意を得ることしている．

b．外来等感染症対策実施加算（令和3年9月末まで）

　6歳以上のすべての患者についても，「新型コロナウイルス感染症（COVID-19）診療の手引き」等を参考に感染予防策を講じることについて，以下の点数に相当する加算等を算定できることとする．

・感染予防策の例

　　初診・再診（医科・歯科）等　　5点
　　入院　　10点（入院料によらず1日当たり）
　　調剤　　4点（1回当たり）
　　訪問看護　　50円（1回当たり）

c．院内トリアージ実施料（令和2年4月8日より）

　新型コロナウイルスへの感染を疑う患者を対象に，必要な感染予防策を講じたうえで実施される外来診療の評価として院内トリアージ実施料が算定できるようになった．

・算定点数

　　300点/回

d. 自宅・宿泊療養中の患者に対する二類感染症患者入院診療加算（令和3年9月28日から令和4年3月31日まで）

自宅・宿泊療養中の患者に対して，電話や情報通信機器を用いて診療を行った場合に上記項目が算定可能との通知が示された．これは，第5波の到来により患者数が著増した結果，入院患者の受け入れが困難な状況に対してかかりつけ医が積極的に自宅並びにホテルでの療養患者の健康管理に携わるためのインセンティブとして，加算が臨時特例的に拡大されたものである．

さらには「診療・検査医療機関」の指定を都道府県から受け，自治体のホームページでその旨が公表されている保険医療機関（令和3年10月31日までは当該病医院ホームページでの公表を含む）において，その診療・検査対応時間内に新型コロナウイルス感染症であることが疑われる患者に対し，必要な感染予防策を講じたうえで外来診療を実施した場合には院内トリアージ実施料とは別に算定できる．

・算定点数

　二類感染症患者入院診療加算　250点（1日につき1回）

e. オンライン診療，電話初再診

厚労省は令和2年4月，新型コロナウイルス感染症拡大で医療機関の受診が困難になるために，時限的・特例的な対応として初診時も含めオンライン診療・電話診療を容認することを決定した．これまで認められていなかった初診患者（診療情報のない新規の患者も含む）の初診料算定が可能になり，令和3年10月現在もこの運用は続いている．

保険医療機関の受診歴の有無にかかわらず，医師が電話・情報通信機器等を用いた診療が可能と判断した場合，または，現在受診中ではないが，新たに生じた症状に対して診療を行う場合は，電話もしくはビデオ通話が可能な情報通信機器による初診での診療が可能となった．

・算定点数

　電話等を用いた初診料　214点
　　処方料　　42点
　　処方箋料　68点
　電話等を用いた再診料　73点
　　処方料　　42点
　　処方箋料　68点

・留意事項（抄）

オンライン診療料の施設基準のうち，「一月あたりの再診料等及びオンライン診療料の算定回数に占めるオンライン診療料の割合が1割以下であること」については，時限的・特例的な対応として，新型コロナウイルスの感染が拡大している間は，適用しない．

表1 新型コロナウイルス感染症患者の訪問看護にかかる費用，点数

	令和3年8月4日〜9月27日	令和3年9月28日〜
保険医療機関 長時間訪問看護・指導加算	520点	1,560点
訪問看護ステーション 長時間訪問看護加算	5,200円	15,600円

f. SARS-CoV-2・インフルエンザ核酸同時検出，SARS-CoV-2抗原検出

通常であれば外来での包括評価内だが，積極的な診断を促すために小児科外来診療料，小児かかりつけ診療料との併算定が可能である．

・算定点数

　　SARS-CoV-2・インフルエンザ核酸同時検出　1,350〜1,800点

　　SARS-CoV-2抗原検出（迅速検査キット）　600点

g. 緊急往診加算/緊急訪問看護加算（表1）

新型コロナウイルス感染症で自宅・宿泊療養を行っている者について，「通院困難なもの」に該当することを記載し，当該患者またはその看護に当たっている者から新型コロナウイルス感染症に関連した求めに応じて緊急に求められて往診を行った場合，緊急往診加算の「急性心筋梗塞，脳血管障害，急性腹症等が予想される場合」に該当することとして算定可能とした．

また，自宅・宿泊療養中の新型コロナウイルス感染症の利用者に対して，主治医の指示に基づき緊急に訪問看護を実施した場合，診療所または在宅療養支援病院の保険医以外の主治医からの指示であっても緊急訪問看護加算（2,650円）を算定できることとした．

・算定点数

　　緊急往診加算　　325〜850点

　　緊急訪問看護加算　　2,650円

さらに自宅・宿泊療養を行っている者に対して，主治医の指示に基づき，緊急で訪問看護を実施した場合において，訪問看護を行った時間を問わず，以下を1日につき1回算定できる．

h. 在宅における酸素療法

自宅・宿泊療養中の新型コロナウイルス感染症患者に対し入院できずに止むを得ず在宅酸素療法を実施した場合，「在宅酸素療法指導管理料2　その他の場合」の対象患者に該当することとし，在宅酸素療法指導管理料2,400点を算定できることとした．なお，それに伴う材料加算も算定できる．

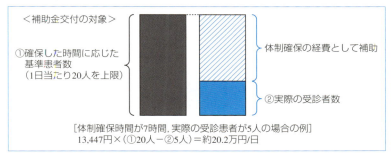

図2 発熱外来開設時の補助金内訳

〔厚生労働省健康局結核感染症課：令和2年度インフルエンザ流行期に備えた発熱患者の外来診療・検査体制確保事業のご案内　https://www.mhlw.go.jp/content/000681415.pdf〕

2）補助金による対応

a．発熱外来（通称）の設置

令和3年度（令和2年度からの繰越分）インフルエンザ流行期における発熱外来診療体制確保支援補助金（インフルエンザ流行期に備えた発熱患者の外来診療・検査体制確保事業実施医療機関支援事業）として実施されている．

本補助金事業は発熱患者等専用の診察室（時間的・空間的分離を行い，プレハブ・簡易テント，駐車場などで診療する場合を含む）を設けて，発熱患者等を受け入れる体制をとった場合に，その体制確保に要する経費について支援することにより，インフルエンザ流行期においても十分に発熱患者等に対応できる体制を都道府県が各地域において確保するために整備された．

この事業により，都道府県から「診療・検査医療機関（仮称）」の指定を受けて発熱患者等専用の診察室を設けたにもかかわらず，実際の受診者数が少なかった場合に所定のルールにより支援を受けることが可能となる．なお，「診療・検査医療機関（仮称）」が発熱患者等を受け入れるため，インフルエンザ流行期において，一時的に診療時間や診療日を変更しても，医療法の変更届出は不要である（図2）[2]．

⦿ 入院での対応

入院病床に対しては診療報酬の引き上げにより，さらなる入院患者の受け入れを円滑に行うための確保病床や，人員配置のために休止した病床に対しては病床確保料により医療機関に対する支援を実施した．

1）診療報酬による対応：入院料加算

a．救急医療管理加算

コロナ患者の入院患者診療に対する評価として増点された救急医療管理加算を算定可

能とする．また，呼吸不全管理を要する患者（中等症II）以上の患者に対してはさらに増点を行う．前者における患者対象は酸素療法が必要な状態の患者の他，免疫抑制状態にある患者の酸素療法が終了した後の状態など，急変等のリスクに鑑み，宿泊療養，自宅療養の対象とすべきでない患者を含む〔中和抗体薬（カシリビマブ／イムデビマブ）の投与のため，入院管理を行う患者も含む〕．

・算定点数

　　3,800点（呼吸不全を有する中等症IIの患者では5,700点）

・算定期間

　　14日間以内（医学的な継続理由がある場合，15日目以降も算定可能）

b．二類感染症患者入院診療加算

　入院を必要とするコロナ患者を対象に，必要な感染予防策を講じたうえで実施される診療に対する評価である．感染対策コストや医療機関の支援を目的に増点された．

・算定点数

　　250点〔個室もしくは陰圧室にて受け入れた場合，二類感染症患者療養環境特別加算（200〜500点／日）を算定できる〕

・算定期間

　　無制限

2）診療報酬による対応：特定入院料

a．小児入院医療管理料

　新型コロナウイルス感染症患者の受け入れに際して他の重症患者を受け入れる特定入院料とは異なり，特別の増点は認められなかった．また，小児のコロナ患者に対して小児科病棟をゾーニングによって分けて管理するのではなく，成人と同じ新型コロナウイルス感染症対応病棟に入院させて管理する医療機関も見受けられた．

　一方，成人入院患者の急増と他の傷病による小児入院患者の減少により，小児用病床の削減や看護スタッフの配置変換といった対応をとる医療機関も出現した．令和3年にはその状況下でRSウイルス感染症の流行が生じたために，今度は小児の受け入れ病床が一時的に逼迫するといった事態に陥った．少子化に伴い患者母集団が減少する中，具体的な対応策の制定には至っておらず，各医療機関の小児病棟はきわめて不安定な運営を強いられている．

ⅰ．小児入院医療管理料を算定する病棟に新型コロナウイルス感染症陽性患者を入院させる場合の算定方法

　人員配置等をもとに急性期一般入院料（入院医療管理料1〜4では急性期一般入院料7，入院医療管理料5では地域一般入院料3として扱う）を算定し，救急医療管理加算や二類感染症患者入院診療加算等の入院料加算を追加することとしている．

表2 NICU，GCU 並びに PICU で新型コロナウイルス感染症患者を受け入れた場合の保険点数（1日当たり）

	NICU 管理料		GCU 管理料	PICU 管理料	
	NICU 管理料1	NICU 管理料2		7日以内	8日以上
専用病床確保あり	31,617	25,302	17,091	48,951	42,633
専用病床確保なし	21,078	16,868	11,394	32,634	28,422

b．新生児特定集中治療室管理料，新生児治療回復室入院医療管理料，小児特定集中治療室管理料

　新型コロナウイルス感染症の感染拡大に伴う臨時的な取り扱いとして，救命救急入院料，特定集中治療室管理料，ハイケアユニット入院医療管理料に加えて上述の特定入院料に関連して次のような通知が発せられた．

ⅰ．本項で扱った特定入院料の点数について

　重症の新型コロナウイルス感染症患者に対しては，体外式模型人工肺（extracorporeal membranous oxygenation：ECMO）や人工呼吸器による管理等，呼吸不全をはじめとした多臓器不全に対する管理を要することを踏まえ，令和2年4月からそれらの診療の評価として次表の点数（1日につき）を算定することになった[3,4]．DPC 対象病院においても，令和2年6月に新たな点数が公表された[5]（**表2**）．

ⅱ．算定日数の上限について

　令和3年1月から「算定日数の上限を超えても ECMO を必要とする状態や ECMO 離脱後に人工呼吸器が離脱困難な状況」にあって特定集中室管理料等を算定する病室での管理が医学的に必要な場合にそれらの特定入院料が算定できることになった[6]．さらに，令和3年2月から，「ECMO 離脱後の急性血液浄化が必要，または，急性血液浄化離脱後の人工呼吸器が離脱困難」の場合にも算定日数の上限を超えてそれらの特定入院料の算定ができることになった[7]．

c．基本診療料における施設要件/実績要件の据え置きについて

　新型コロナウイルス感染症の流行によって患者の受療行動は激変した．これを受けて多くの医療機関で各種特定入院料における施設要件が満たせなくなる事態に陥った．厚生労働省もこの事態を早期から察知して施設要件並びに実績要件提出の免除を令和3年9月30日（新型コロナウイルス感染症に対応している医療機関に限定して令和4年3月31日）として対応してきた．

　しかし，入院患者数の減少は流行以前の状況まで戻らないことに加えて，婚姻率や出生率のさらなる低下により小児医療，新生児医療全体が維持困難になる危機を迎えている．日本小児科学会，日本小児科医会をはじめ多くの小児関連団体が医療提供体制を維

持するために厚生労働省等の行政機関との間で現状に即した要件に見直すべく交渉を行っている(表3).

3) 補助金による対応

a. 病床確保料

国が病床確保料を医療機関に支払うことにより,コロナ患者の受け入れ病床確保を図った.主として一般病棟が対象であるが,病床逼迫のために療養病床を転床させるといった対応も行った.病床確保の内訳はコロナ患者専用の病床(ICU,重症者・中等症者病床とその他の病床)と,人員確保のため休止とした病床双方に対して,病床の用途と医療機関の指定とで補助基準額が設定された(表4)[8].

- 入院受け入れ医療機関への緊急支援(1床当たり)
   新型コロナウイルス感染症患者の重症者病床数×1,500万円
   新型コロナウイルス感染症患者並びに疑い患者病床数×450万円
- 補助対象経費
   ①新型コロナウイルス感染症患者等の対応を行う医療従事者の人件費
   ②感染拡大防止対策や診療体制確保等に要する経費
- 注意事項
   ②の経費は補助上限額の1/3まで
   ①について,従前からいる職員の基本給も,その者の処遇改善を行う場合は補助対象
   ②について,前述①と同じように,日常診療業務に必要な費用が幅広く対象
- 新型コロナウイルス感染症に対応する医療機関の定義
   ▶重点医療機関:新型コロナウイルス感染症患者専用の病院や病棟を設定する医療機関
   ▶協力医療機関:新型コロナウイルス感染症疑い患者専用の個室病床を設定する医療機関
   ▶一般の医療機関:重点医療機関・協力医療機関以外の医療機関
   重点医療機関及び協力医療機関は都道府県が指定する.

● 新型コロナウイルス感染症診療と公費負担

子どもの場合,多くは自治体による医療費助成制度により患者による支払いは発生しないことが多い.しかし,医療機関は医療費請求の点で制度の確認が必要である.

新型コロナウイルス感染症は感染症法指定感染症扱いのため,その診断が行われた時点から支払い方法が医療保険適用から公費負担に切り替わる.つまり,発熱などを理由に子どもが医療機関を受診して診察を受けたところまでは医療保険で通常の支払いとなるが,新型コロナウイルス感染症を疑って迅速検査を実施したとき,令和3年10月時点

8. 新型コロナウイルス感染症，医療制度と診療報酬

表3 厚生労働省「基本診療料における施設要件の取り扱いについて」(抄)

ⅰ．具体的な対応
(1) 医療法上の許可病床数を超過する入院の取扱い
　　新型コロナウイルス感染症患者等を受け入れたことにより医療法上の許可病床を超過する場合には，通常適用される診療報酬の減額措置を行わないこととした．
(2) 施設基準を満たすことができなくなる保険医療機関の取扱い
　　新型コロナウイルス感染症患者等を受け入れたことにより，入院患者が一時的に急増した場合や，学校等の臨時休学に伴い，看護師が自宅での子育て等を理由として勤務することが困難になった場合等においては，当面，月平均夜勤時間数については，1割以上の一時的な変動があった場合においても，変更の届出は不要とした．
(3) 看護配置の変動に関する取扱い
　　(2)と同様の場合において，看護要員の比率等に変動があった場合でも当面，変更の届出は不要とした．
(4) DPC対象病院の要件等の取扱い
　　(2)と同様の場合において，看護要員の数等の施設基準を満たさなくなった場合については，「DPC対象病院への参加基準を満たさなくなった場合」には該当せず，届出は不要とした．
(5) 本来の病棟でない病棟等に入院した場合の取扱い
　　原則として，当該患者が実際に入院した病棟の入院基本料等を算定することとした．また，会議室等病棟以外の場所に入院させた場合には，必要とされる診療が行われている場合に限り，当該医療機関が届出を行っている入院基本料のうち，当該患者が本来入院すべき病棟の入院基本料を算定することとした．
(6) 研修等の取扱いについて定期的な研修や医療機関間の評価を要件としている項目の一部について，研修や評価を実施できるようになるまでの間，実施を延期することができることとした．
(7) 緊急に開設する保険医療機関の基本診療料の取扱いについて
　　新型コロナウイルス感染症患者等を受け入れるために，緊急に開設する必要がある保険医療機関について，新たに基本診療料の届出を行う場合においては，要件審査を終えた月の診療分についても当該基本診療料を算定できることとした．
(8) 新型コロナウイルス感染症患者等を受け入れた保険医療機関等における施設基準等の臨時的な取扱いについて
　　臨時的な取扱いの対象とする保険医療機関等については，次のとおりとした．(以下，「対象医療機関等」という．
　　ア　新型コロナウイルス感染症患者等を受け入れた保険医療機関等
　　イ　アに該当する医療機関等に職員を派遣した保険医療機関等
　　ウ　学校等の臨時休業に伴い，職員の勤務が困難となった保険医療機関等
　　エ　新型コロナウイルス感染症に感染し又は濃厚接触者となり出勤ができない職員が在籍する保険医療機関等
　　また，緊急事態宣言において緊急事態措置を実施すべき期間とされた期間については，緊急事態宣言において緊急事態措置を実施すべき区域とされた区域にかかわらず，すべての保険医療機関等について，当該臨時的な取扱いの対象とすることとする．なお，緊急事態措置を実施すべき期間とされた期間については，当該期間を含む月単位で取り扱うこととする．
　　訪問看護ステーションについても，同様の取扱いとする．

(次ページにつづく)

さらに，対象医療機関等に該当する場合は，手術の実績件数等の患者及び利用者の診療実績等に係る要件について，当該要件を満たさなくなった場合においても，直ちに施設基準及び届出基準の変更の届出を行わなくてもよいものとした．また，対象医療機関等に該当しなくなった後の取扱いは下記のとおりとする．
①対象医療機関等に該当する期間については，実績を求める対象とする期間から控除した上で，控除した期間と同等の期間を遡及して実績を求める対象とする期間とする．
②対象医療機関等に該当する期間については，当該期間の実績値の代わりに，実績を求める対象とする期間から対象医療機関等に該当する期間を除いた期間の平均値を用いる．

表4 病床確保料（1日1床当たり）

病床の種別	一般医療機関	重点医療機関	協力医療機関
ICU病床	97,000円	301,000円（一般病院）〜436,000円（特定機能病院等）	301,000円
HCU病床（一般医療機関では重症者・中等症者病床）	41,000円	211,000円	211,000円
その他病床	16,000円	71,000円（一般病院）〜74,000円（特定機能病院等） ※療養病床は16,000円	52,000円 ※療養病床は16,000円

〔厚生労働省：令和3年度新型コロナウイルス感染症緊急包括支援事業（医療分）の実施に当たっての取扱いについて．令和4年1月20日　https://www.mhlw.go.jp/content/000884815.pdf〕

では検査結果にかかわらず検査費用は公費負担（感染まん延防止の観点から行政検査として扱うため）となる．検査結果が陽性であれば，以後の外来・入院費用にかかる費用は公費対象となる（図3）[9]．なお，受診の際に新型コロナウイルス感染症と関係ないもの（例：併存症の湿疹に対する外用薬処方など）は公費の対象に含まない．また，家族の都合による海外渡航など，私的理由による検査は自費検査（自由診療）になるため，保険診療と区別して扱わなければならない．

● 新型コロナウイルス感染症の登校・登園許可

　令和3年9月時点で新型コロナウイルス感染症（同年2月に学校保健安全法に定める第一種学校感染症指定）については保健所から直接登校・登園の許可が出されており原則として治癒証明を要さない．しかし，パンデミックに伴う業務過多と診療資源の不足により，公衆衛生的に重大な第一種学校感染症の隔離解除が文書ではなく，行政から電話での家族への口頭指示に依るという矛盾が発生している．

8. 新型コロナウイルス感染症，医療制度と診療報酬

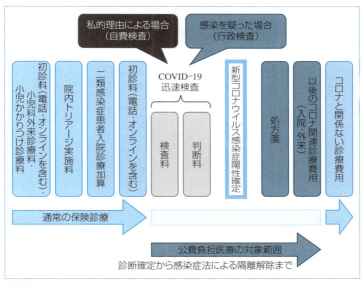

図3 新型コロナウイルス感染症患者の診療と支払い方法

〔東京都医師会：新型コロナウイルス感染症に係る公費負担医療の区分についての整理 https://www.tokyo.med.or.jp/17904 より一部改変〕

➡ 文　献

1) 日本小児科学会：新型コロナウイルス感染症に伴う小児医療機関の保険診療上の課題に関する調査　二次調査報告
2) 厚生労働省健康局結核感染症課：令和2年度インフルエンザ流行期に備えた発熱患者の外来診療・検査体制確保事業のご案内　https://www.mhlw.go.jp/content/000681415.pdf
3) 厚生労働省保険局医療課：事務連絡「新型コロナウイルス感染症に係る診療報酬上の臨時的な取扱いについて（その12）」2020年4月18日　https://www.mhlw.go.jp/stf/seisakunitsuite/bunya/0000121431_00212.html
4) 厚生労働省保険局医療課：事務連絡「新型コロナウイルス感染症に係る診療報酬上の臨時的な取扱いについて（その14）」2020年4月24日　https://www.mhlw.go.jp/stf/seisakunitsuite/bunya/0000121431_00212.html
5) 厚生労働省保険局医療課：事務連絡「新型コロナウイルス感染症に係る診療報酬上の臨時的な取扱いについて（その23）」2020年6月23日　https://www.mhlw.go.jp/stf/seisakunitsuite/bunya/0000121431_00212.html
6) 厚生労働省保険局医療課：事務連絡「新型コロナウイルス感染症に係る診療報酬上の臨時的な取扱いについて（その34）」2021年1月22日　https://www.mhlw.go.jp/stf/seisakunitsuite/bunya/0000121431_00214.html
7) 厚生労働省保険局医療課：事務連絡「新型コロナウイルス感染症に係る診療報酬上の臨時的な取扱いについて（その36）」2020年2月26日　https://www.mhlw.go.jp/stf/seisakunitsuite/bunya/0000121431_00214.html
8) 厚生労働省：令和3年度新型コロナウイルス感染症緊急包括支援事業（医療分）の実施に当たっての取扱いについて，令和4年1月20日　https://www.mhlw.go.jp/content/000884815.pdf
9) 東京都医師会：新型コロナウイルス感染症に係る公費負担医療の区分についての整理　https://www.tokyo.med.or.jp/17904

➡ 参考文献

・厚生労働省保険局医療課：新型コロナウイルス感染症に係る診療報酬上の臨時的な取扱いについて
・中央社会保険医療協議会：総会（第482回）議事次第　https://www.mhlw.go.jp/content/12404000/000802103.pdf
・厚生労働省：中医協総会資料：「新型コロナウイルス感染症に伴う医療保険制度の対応について　令和3年8月26日」

改訂第 2 版　おわりに

　本書は第 2 版となりますが，この改訂は，日本小児科学会社会保険委員会の委員各位によって分担して行われ，新しい診療報酬について大幅に書き加えられたものです．特に障害児医療，小児在宅医療，終末期医療や子ども虐待など，成育基本法の施行に合わせて医療保険制度の視点から新たに解説されています．また，新型コロナウイルス感染症に関係した医療制度と診療報酬に関しても詳説されています．一方でそのような感染状況に対応しながら，診療の合間を縫って本書の作成が成し遂げられたことに深く感謝の意を表したいと思います．

　本書でも述べられていますが，小児科医の多くが医療保険制度の理解は重要と認識していながら，十分に理解しているという自己評価に至っていません．特に，その傾向は勤務医に強いようです．病院幹部になったり，開業したりしてから，日本の医療保険制度における小児医療の特殊性に気が付き，より適切に診療報酬を得るための努力が始まるのかもしれません．診療報酬とは，保険医療機関等が行う診療行為に対する評価として公的医療保険から支払われる報酬です．つまり私たちの医療行為に対する評価です．私たちは正当な評価を得るために，若手，中堅の勤務医であっても，まずは医療保険制度について学ぶ必要があります．本書はそのために最適な本であるといえます．

　しかし学べば学ぶほど，小児医療の赤字体質に気が付きます．どの施設でも，子どもに対してよい医療，高度な医療を提供しようとすると，人件費が相当の負担になってしまっています．現在の診療報酬を規定する施設基準や算定要件が実情に合わないものであった場合，医療行為に見合った算定ができず，子どものためによい診療をすればするほど赤字が増大することになります．また，子どもには，個々の成長，発達に合わせた服薬指導や食事指導が必要なのですが，その労力に対する評価も不十分です．冒頭に書きましたが，障害児への対応，小児在宅医療への支援，終末期医療や子ども虐待対応などは，医療保険としての評価はこれからという分野となると思います．

　日本小児科学会社会保険委員会は，良質な医療を提供するための適切な診療報酬を求めて，診療報酬改定に取り組んでいます．これは，日本中の子どもたちのために必要なことです．ぜひ皆様にも診療報酬改定に関してご関心をもっていただければと思います．本書がそのきっかけになることを願ってやみません．

2022 年 3 月

日本小児科学会社会保険委員会担当理事

窪田　満，楠原浩一，森岡一朗

初版　おわりに

　本書の刊行は，日本小児科学会社会保険委員会の委員各位の熱意によって成し遂げられたものであり，まずここに深く謝意を表したいと思います．

　本委員会では，未来の小児医療を少しでも改善するために，あるいは小児医療を守るためにはどうしたらよいかについて，社会保険の観点から熱い議論が行われてきました．現場で困っていることや制度の矛盾点や課題などを取り上げて，行政担当部署に学会として事情を説明して理解を求めるとともに，診療報酬改定の際に具体的な要望書として提案するなど，活発な活動が行われています．実際に，診療報酬改定で認められた項目の中では，委員会からの発議から実現に至った改定が数多くあります．

　委員会では，小児医療に関する社会保険的知識を知るためのテキストがなく，小児科医や小児医療関係者が困っているではないか，委員会としてももっと情報提供をすべきではないかという議論があり，本書の刊行に向けた準備が始まりました．全く新しい企画で，最初はこのようなボリュームは想定されていなかったと思いますが，盛り込むべき内容を網羅することにより，成書として上梓するにふさわしい内容になったのではないかと思います．大変に多忙な中で企画・編集作業を行った中林委員長以下委員会幹部と，ご執筆をいただいた執筆者の皆様に改めて感謝いたします．

　保険，医療費助成，福祉などの多様な側面につき基本的知識を包括的に記載しておりますので，全体の知識を得るために読んでいただくだけでなく，日常診療の中で疑問とされたり困ったときなどに参照用にもご利用いただければと思います．また，併せて，現在の健康保険制度と保険診療のルール，そして本委員会が取り組んでいる診療報酬改定についても，ぜひ皆様に関心をもっていただき，将来の日本の小児医療の未来に向けて積極的なご提案をいただければと思っております．

　本書を通じて，日本の子どもたちの医療と福祉の向上のためにご活用いただければ幸いです．

2018 年 3 月

日本小児科学会社会保険委員会担当副理事
東京大学医学部小児科学教授
岡　　明

索引

和文

あ
アウトライヤー　225
アップコーディング　227

い
医学管理料　142, 171
医科点数表　223
育成医療　51
移行期医療　241
　　── 支援センター　242
医師意見書　66
医薬品医療機器総合機構法　34
医薬品副作用被害救済制度　34
医療意見書　113
医療機関別係数　237
医療技術評価分科会　41
医療体制整備　241
医療的ケア児支援法　98, 193
医療的ケア判定スコア　98, 99
インキュベーター　214
院内トリアージ実施料　151

え・お
遠隔医療　140
オンライン診療の適切な実施に関する指針　141
オンライン診療料　140, 202

か
外国人の診療　32
外来化学療法加算　203, 204
外来後発医薬品使用体制加算　200
外来診療料　132
カウンターショック　212
学校健診　88
学校生活管理指導表　111
カバー率指数　231
看護系学会等社会保険連合（看保連）　38
患者自立　241
患者申出療養　24
緩和ケア　239

き
基礎係数　228
機能強化加算　129
機能強化型在宅療養支援診療所　177
機能評価係数　228
基本診療料　118, 157
救急医療指数　231
休日加算　128
救命救急入院料　167
救命のための気管内挿管　212

く・け
クベース　214
外科系学会社会保険委員会連合（外保連）　38
激変緩和係数　228, 231
健康被害救済制度　33
健康保険制度　2

こ
抗悪性腫瘍剤処方管理加算　200
更生医療　52
公知申請　108
公認心理師　148
公費助成　83
抗微生物薬適正使用の手引き　136
効率性指数　230
告示　118
国民皆保険制度　23
個人輸入ワクチン　86
骨髄穿刺　214

索引

子ども医療費助成制度　46, 54
混合診療　23

さ

在院日数　221
災害共済給付制度　28
再診料　129
在宅療養後方支援病院　178
在宅療養支援診療所　178
在宅療養指導管理材料加算　179
在宅療養指導管理料　179
酸素吸入　213
算定方法　118

し

視覚検査　87
時間外加算　128
時間外対応加算の施設基準　132
指定難病　51, 242
児童虐待　77, 245
　──　防止法　245
自動車損害賠償責任保険（自賠責保険）　31
児童相談所　78
児童発達支援事業所　66
児童発達支援センター　66
児童福祉法　63, 245
視能訓練　209
事務連絡　120
社会福祉　2
社会保険　2
社会保障　2
　──　審議会　37
集団コミュニケーション療法料　209
障害児（者）リハビリテーション料　208
障害者施設等入院基本料　73
障害者総合支援法　58
症状詳記　19
小児悪性腫瘍患者指導管理料　150
小児医療に関する電話相談の窓口　136
小児科外来診療料　137

小児かかりつけ診療料　134
小児科特例加算　128, 131
小児科療養指導料　143
小児抗菌薬適正使用支援加算　134
小児特定疾患カウンセリング料　148
小児特定集中治療室管理料　165, 223
小児入院医療管理料　158, 223
小児慢性特定疾病対策　48, 242
傷病名（疑い病名含む）　196
情報通信機器　140
静脈麻酔　216
初診料　125
処置　211
自立支援　50
新型コロナウイルス感染症　250
新型コロナウイルスワクチン　251
人工呼吸　212
心身医学療法　210
心身障害者医療費助成制度　56
新生児仮死　215
　──　蘇生術　215
新生児治療回復室入院医療管理料　161, 223
新生児頭部外傷撮影加算　198
新生児特定集中治療室管理料　161, 223
身体障害者手帳　65
診断群分類　222
診断書　111
深夜加算　128
診療情報提供料　154
診療内科　148
診療報酬　12

せ・そ

成育基本法　95, 242
精神障害者保健福祉手帳　65
精神通院医療　52
生物学的製剤注射加算　204
生物由来製品感染等被害救済制度　35
精密持続点滴注射　204

265

―― 加算　204
摂食機能療法　209
選定療養　24
総合周産期特定集中治療室管理料　161

た・ち
ターミナルケア　239
短期滞在手術等基本料　157
地域医療指数　231
地域連携小児夜間・休日診療料　152
中央社会保険医療協議会（中医協）　37
治癒証明書　111
超重症児（者）入院診療加算・準超重症児（者）入
　院診療加算　70
腸重積症　215
　―― 整復術　215

つ・て
通知　118
ツリー図　222
低紹介率初診料　126
低体温療法　218
適応外薬　106
出来高払い　122, 220
出来高評価　236
てんかん指導料　147
添付文書　199, 204

と
ドクターフィー　220
特定機能病院　221
特定疾患処方管理加算　200
特定疾患治療管理料　145
特定集中治療室管理料　167, 223
特定妥結率初診料　127
特定入院料　158, 171, 223
特定用途医薬品　108
特掲診療料　118
トランジション　177

な・に
内科系学会社会保険連合（内保連）　38

内保連小児関連委員会　44
二重算定　83
入院基本料　158, 170
　―― 等加算　158, 170
乳幼児育児栄養指導料　151
乳幼児加算　128, 200
乳幼児健康診査　87
乳幼児頭部外傷撮影加算　198
認知療法・認知行動療法　210

ひ・ふ
評価療養　23
病児保育　29
標準型精神分析療法　210
病診連携　189
病理診断　218
　―― 料　219
貧困　76
複雑性指数　230

へ・ほ
ヘルス・スーパービジョン診察　89
保育器　214
包括診療範囲　222
包括点数　223
包括払い　122
包括評価　236
放射線治療　218
保険外併用療養費　10, 23
保険者　12
保険診療　9
　―― 指数　230
母子保健法　54

ま・み・む
麻薬，向精神薬，覚せい剤または毒薬加算
　　201
未承認薬　106
無菌製剤処理料　205

や・ゆ
夜間・早朝等加算　131

輸血　215
　——管理料　215

よ
養育医療　53
様式1〈DPC〉　227
幼児頭部外傷撮影加算　198
腰椎穿刺　214
要保護児童対策　245
　——協議会　248
予防接種法　33

り・れ
リハビリテーション　206
療育担当規則　9
療育手帳　65, 66
レセプト　15

わ
ワクチンギャップ　84

欧文

Bright Futures　90
CCP(comorbidity, complication, procedure)　227
CHIP(Children's Health Insurance Program)　92
DPC(diagnosis procedure combination)　157, 220
DPC/PDPS(diagnosis prosedure combination/per-diem payment system)　220
DPCコーディング　233
DPCコード　235
DPC制度　233
DRG/PPS(diagnosis related group/prospective payment system)　220
GCU管理料　165
HMO(health maintenance organization)　92
ICD-10　221
MDC(major diagnosis category)　221
Medicaid　92
NICU管理料　161
PICU管理料　165
QI(quality indicator)　237
SOFA(sequential organ failure assessment)　227

数字

3歳児健診　87
55年通知　109

複写を希望される方へ

・公益社団法人日本小児科学会では，複写複製に係る著作権を一般社団法人学術著作権協会に委託しています．当該利用をご希望の方は，(社)学術著作権協会(https://www.jaacc.org/)が提供している複製利用許諾システムを通じて申請ください．
・複写以外の許諾(引用・転載・翻訳等)に関しては，直接公益社団法人日本小児科学会へお問い合わせください．

小児診療必携

保険診療・社会保障テキスト 改訂第2版
―子どもの医療に携わるすべてのスタッフのために―　ISBN978-4-7878-2519-3

2022年5月2日　改訂第2版第1刷発行

2018年5月2日　初版第1刷発行
2018年8月6日　初版第2刷発行

編　　　集	公益社団法人　日本小児科学会社会保険委員会	
発 行 者	藤実彰一	
発 行 所	株式会社　診断と治療社	
	〒100-0014　東京都千代田区永田町2-14-2　山王グランドビル4階	
	TEL：03-3580-2750(編集)　03-3580-2770(営業)	
	FAX：03-3580-2776	
	E-mail：hen@shindan.co.jp(編集)	
	eigyobu@shindan.co.jp(営業)	
	URL：http://www.shindan.co.jp/	
表紙デザイン	株式会社サンポスト	
本文イラスト	松永えりか(フェニックス)	
印刷・製本	三報社印刷株式会社	

© 公益社団法人　日本小児科学会, 2022. Printed in Japan.　　　［検印省略］
乱丁・落丁の場合はお取り替えいたします．